Großer
Lernwortschatz
Wirtschaftsenglisch

10 000 Wörter zu 80 Themen

Barry Baddock

Susie Vrobel

Max Hueber Verlag

Acknowledgements
Quellenverzeichnis

S. 95 „Der Fischer Weltalmanach 2001", Fischer Taschenbuch Verlag.
Alle anderen Texte und Illustrationen wurden von Susie Vrobel hergestellt.

Der Verlag übernimmt keiner Gewähr für die Richtigkeit und Aktualität der im Punkt D (Nützliche Adressen in Deutschland und im Vereinigten Königreich) stehenden Angaben.

 Dieses Werk folgt der seit dem 1. August 1998 gültigen Rechtschreib-reform.

E	3.	2.	1.	Die letzten Ziffern
2004	03	02	01	bezeichnen Zahl und Jahr des Druckes.

Alle Drucke dieser Auflage können, da unverändert, nebeneinander benutzt werden.
1. Auflage
© 2001 Max Hueber Verlag, D-85737 Ismaning
Verlagsredaktion: Piero Salabè, München
Umschlaggestaltung: Braun & Voigt, Heidelberg
Layout: Markus Dockhorn, München
Satz: Fuzzy Design F. Geithner, München
Druck und Bindung: Ludwig Auer, Donauwörth
Printed in Germany
ISBN 3-19-006383-4

Vorwort

Möchten Sie eine Tagung vorbereiten? Müssen Sie Ihrer englischen Partner-firma eine neue Geschäftssoftware präsentieren? Oder möchten Sie vielleicht jemanden wegen eines Exportgeschäfts anrufen?

Der *Große Lernwortschatz Wirtschaftsenglisch* ist ein Lehr- und Nachschlage-werk, das sich für international tätige Geschäftsleute eignet und auch von Wirtschaftsstudenten, Übersetzern und Dolmetschern erfolgreich benutzt werden kann: Von allen, die gerne ihren Wortschatz zum Thema Wirtschaft – speziell Betriebswirtschaft – zeitgemäß erweitern möchten. 16 Themen-bereiche werden abgehandelt – von Marketing bis zu Werbung und Vertrieb, von Import / Export bis hin zu Trends und Aussichten. Jeder dieser Themen-bereiche beinhaltet einen Hauptteil, bestehend aus umfangreichem Vokabular mit deutscher Übersetzung und Anwendungsbeispielen. Die Beispielsätze illustrieren den Gebrauch zahlreicher Vokabeln im Kontext eines Satzzusam-menhanges (*use-in-context*).

Um spezielle Wörter oder Wortfelder leichter zu finden, sind im Hauptteil jedes Themenbereichs die einzelnen Einträge unter verschiedenen Unterpunkten (z.B. *Complaints, Accounts* usw.) zusammengefasst. Die Bereiche zur Computer- und Webterminologie sind besonders umfangreich, da hier bei vielen Lernern ein großer Nachholbedarf besteht. Innerhalb der jeweiligen Unterpunkte sind wiederum Wortfelder und verwandte Begriffe in Abschnitten zusammenge-fasst, um – anders als in einem alphabetisch angelegten Wörterbuch – konzen-triertes und effektives Lernen der einzelnen Teilbereiche zu ermöglichen.

Zusätzlich finden Sie in vielen Themenbereichen verschiedene Hilfe-Kästchen: *Info-Boxes*, die Tipps und Informationen vermitteln, sowie Grammatik-Rubri-ken, die auf mögliche Fehlerquellen aufmerksam machen und Germanismen aufzeigen. Darüber hinaus bieten Ihnen die *FAQs* (*FAQ* steht für *Frequently Asked Questions*, also „häufig gestellte Fragen") Antworten auf themenbezo-gene Fragen zur englischen Sprache und deren Gebrauch. Alle *FAQs* wurden in englischer Sprache verfasst – zur Hilfe finden Sie jedoch die deutsche Übersetzung einiger Vokabeln in Klammern hinter den jeweiligen englischen Ausdrücken.

Im Anhang des *Großen Lernwortschatz Wirtschaftsenglisch* sind auch ver-schiedene Wortlisten aufgeführt: eine mit englischen Abkürzungen und deren deutsche Übersetzung, eine mit den wichtigsten Unterschieden zwischen amerikanischem und britischem Englisch und eine alphabetische Wortschatz-liste. Ebenfalls im Anhang finden Sie Informationen zur Rechtschreibung, zur Verwendung von britischem und amerikanischem Englisch sowie Angaben zu Monaten, Wochentagen und Feiertagen. Ein aktueller und praktischer Zusatz ist darüber hinaus noch die Auswahl von wirtschaftbezogenen Adressen in Deutschland und im Vereinigten Königreich sowie eine exemplarische Zusam-menstellung von Musterbriefen und -faxen.

Folgende englische Abkürzungen wurden im diesem Buch verwendet: BE für Britisches Englisch, AE für Amerikanisches Englisch, UK für *United Kingdom*, US für *United States*, eg für *exempli gratia / for example*, etc für *et cetera / and so on*, sb für *somebody*, sth für *something*, adj für *adjective*, adv für *adverb*, sg für *singular*, pl für *plural*. Bis auf speziell gekennzeichnete Vokabeln (AE = *American English*) verwendet der *Große Lernwortschatz Wirtschaftsenglisch* überwiegend britisches Englisch.

Benutzerhinweise

Einsatzmöglichkeiten
Ob für Schule, Studium oder Beruf: Der *Große Lernwortschatz Wirtschaftsenglisch* kann sowohl zum Lernen als auch zum Nachschlagen von Wörtern und Ausdrücken aus dem Business-Bereich benutzt werden. Er eignet sich für den Einsatz im Unterricht, beispielsweise in Wirtschaftsenglisch-Kursen, aber auch als Verständnishilfe beim Bearbeiten von Wirtschaftstexten oder Geschäftskorrespondenz. Darüber hinaus ist der *Lernwortschatz* ein nützlicher Begleiter zur Vorbereitung auf verschiedene Prüfungen (z.B. die Cambridge-, IHK-/LCC- oder die Volkshochschul-Prüfungen).

Im Arbeitsalltag eignet sich der *Große Lernwortschatz Wirtschaftsenglisch* als Nachschlagewerk, um aus einem bestimmten Themenbereich passende Wörter oder Redewendungen für einen zu erstellenden Text zu finden oder um den Gebrauch einiger Vokabeln im Satzzusammenhang zu verifizieren.

Auffinden bestimmter Ausdrücke
Die Hauptthemenbereiche sind durchnummeriert und jeweils in Untergruppen mit eigenen Titeln unterteilt. Diese Untergruppen sind wiederum in kleinen, gut verdaulichen Wortfeldabschnitten differenziert, so dass Sie Wörter und Ausdrücke in ihrem gebräuchlichen Umfeld bzw. innerhalb ihrer Wortfamilie lernen können.

Es wurde jeweils eine Auswahl der wichtigsten und gebräuchlichsten Ausdrücke zusammengestellt. Manche Wortfeldabschnitte haben ein Wort als gemeinsamen Nenner (z.B. *payment --> advance payment / payment in full*, usw), manche einen semantischen Zusammenhang, der sich durch Assoziationen und Gemeinsamkeiten in der Benutzung ergibt (z.B. *worker --> skilled / semi-skilled / unskilled*).

Haupteinträge erkennen Sie am Fettdruck. In der Regel werden sie in phonetischer Lautschrift dargestellt, so wie auch andere Einträge, deren Aussprache besonders ungewöhnlich ist. Unterschiede im amerikanischen und britischen Englisch (AE / BE) werden in den Einträgen berücksichtigt und im Anhang zusätzlich gegenübergestellt. Die alphabetische Wortliste am Ende des Buches enthält alle englischen Einträge des Lernwortschatzes mit der jeweiligen Kapitelangabe.

Ihr persönlicher Lernplan

Sie können den *Großen Lernwortschatz Wirtschaftsenglisch* entweder von Anfang bis Ende durcharbeiten und so sicherstellen, dass Sie alle Themen-
bereiche abgedeckt haben. Oder Sie setzen selber die Schwerpunkte und
suchen sich jeweils die Themenbereiche heraus, in denen Sie Nachholbedarf
haben oder die für Sie besonders wichtig sind.

Versuchen Sie, sich jeden Tag Zeit zu nehmen, um ein überschaubares Wort-
feld bzw. eine ganze Untergruppe mit verschiedenen Ausdrücken zu lernen.
Untersuchungen haben gezeigt, dass Wörter und Ausdrücke, die man
themenbezogen lernt, beispielsweise in Wortfeldabschnitten, länger im
Gedächtnis bleiben und so besser erinnert werden als solche, die isoliert
gelernt wurden. Am Anfang einiger Untergruppen finden Sie Querverweise,
die Sie zu verwandten Themenbereichen und weiteren Ausdrücken führen
(z.B. unter „4.3 *Meeting Customers* / Kunden treffen" finden Sie „5.3 *Negotiating* / Verhandeln"). Sie werden Ihnen helfen, Ihren Wortschatz auf einem
bestimmten Gebiet zu vertiefen und auf verwandte Themenbereiche zu
erweitern.

Gutes Gelingen wünschen

Barry Baddock & Susie Vrobel

Inhaltsverzeichnis

The Company
Die Firma

Location, Size & Structure
Sitz, Größe & Struktur

→ 2.1 Products / Produkte
→ 2.2 Services / Dienstleistungen

Going to work for a large company is like getting on a train. Are you going sixty miles an hour or is the train going sixty miles an hour and you're just sitting still? (J. Paul Getty, US business tycoon, 1892–1974)

company ['kʌmpəni] / **firm** [fɜːm]	Firma, Gesellschaft, Unternehmen
family company	Familienunternehmen
holding company (AE: proprietary company)	Dachgesellschaft
international company	internationale Firma
parent / subsidiary (company)	Mutter-/ Tochtergesellschaft
public limited company (= plc)	Aktiengesellschaft
private (limited) company	Gesellschaft mit beschränkter Haftung
associated company	Beteiligungsgesellschaft
independent company	unabhängiges Unternehmen
limited / unlimited liability	beschränkte / unbeschränkte Haftung
a small / medium-sized / large company	eine kleine / mittlere / große Firma
average-sized ['ævrɪdʒ ˌsaɪzd]	von durchschnittlicher Größe
We're a medium-sized company in this field.	Wir sind ein Mittelbetrieb in diesem Bereich.
a steel / toy / packaging company	Stahl- / Spielzeug- / Verpackungsunternehmen
set up / establish a company	eine Firma gründen
acquire a company	eine Firma übernehmen
The original company was acquired by Gisbert Horn in 1994.	Die ursprüngliche Firma wurde 1994 von Gisbert Horn übernommen.
corporation [ˌkɔːpəˈreɪʃn]	Gesellschaft
enterprise ['entəpraɪz]	Unternehmen
entrepreneur [ˌɒntrəprəˈnɜː]	Unternehmer(-in)
entrepreneurial	unternehmerisch
business ['bɪznɪs]	Geschäft, Unternehmen
international business	Auslandsgeschäft
go into business	ein Geschäft gründen
run a business	ein Geschäft betreiben
export business	Exportunternehmen
We are exporting to customers in Japan.	Wir exportieren an Kunden in Japan.

in our line of business

in unserer Branche

The company has one of the best
  track records in the business.

Die Firma ist eine der erfolgreichsten
  in der Branche.

big / small business

Groß-/Kleinunternehmen

the furniture / retail / textile business

die Möbel-/Einzelhandels-/Textil-
  branche

We're in the catering trade.

Wir sind im Gaststättengewerbe.

We've worked with other companies
  in the textile sector.

Wir haben mit anderen Firmen im
  Textilbereich gearbeitet.

commerce ['kɒmɜːs]

Handel, Handelsverkehr

industry ['ɪndəstri]

Industrie

car industry, the

die Automobilindustrie

producer / manufacturer

Hersteller(-in)

We are producers / manufacturers of
  lightweight plastic containers.

Wir stellen leichte Plastikbehälter her.

deal in sth ['diːl]

mit etw handeln

We're booksellers, but we also deal
  in stationery.

Wir sind Buchhändler, aber wir
  handeln auch mit Schreibwaren.

focus on ['fəʊkəs]

sich konzentrieren auf

We focus more on delivery services
  than retail.

Wir konzentrieren uns mehr auf
  Lieferungen als auf den
  Einzelhandel.

supplier [sə'plaɪə]

Lieferant(-in) / Zulieferer(-in)

We're suppliers of … to …

Wir liefern … an …

Europe's biggest supplier of timber

der größte Holzlieferant Europas

customer ['kʌstəmə]

Kunde / Kundin

major customer

Großkunde / Hauptkunde

Since Rayland Foods closed, Tesco has
  been our major customer.

Seit Rayland Foods geschlossen hat,
  ist Tesco unser Hauptkunde.

regular customer

Stammkunde

corporate customer

Geschäftskunde

retailer ['riːteɪlə] /
  wholesaler ['həʊlˌseɪlə]

Einzel- / Großhändler

exporter [ɪk'spɔːtə] /
  importer [ɪm'pɔːtə]

Exporteur / Importeur

private sector, the ['praɪvɪt ˌsektə]

die Privatwirtschaft

public sector, the ['pʌblɪk ˌsektə]

der öffentliche Bereich

site [saɪt]

Standort, Gelände

industrial site

Industriegelände

off-site

außerhalb des Werkgeländes

on-site | vor Ort, auf dem Werkgelände
greenfield site | Industriestandort auf der grünen Wiese
property ['prɒpəti] | Grundstück(e)
facility [fə'sɪləti] | Einrichtung
We acquired the new kitchen facility last June. | Wir haben die neue Kücheneinrichtung im letzten Juni erworben.
infrastructure ['ɪnfrəˌstrʌktʃə] | Infrastruktur

block [blɒk] / building | Gebäude
administration block | Verwaltungsgebäude
office block | Bürogebäude
factory ['fæktri] | Fabrik
machine shop [mə'ʃiːn ˌʃɒp] | Maschinenhalle
shop floor | Produktionsstätte
workshop | Werkstatt
store [stɔː] | Lager
service centre ['sɜːvɪs ˌsentə] | Reparaturwerkstatt
outlet ['aʊtlet] | Händler, Verkaufsstelle
We have outlets in all the major cities. | Wir haben Verkaufsstellen in allen größeren Städten.

location [ləʊ'keɪʃn] | Standort, Gelände, Lage, Ort
prime location | bevorzugte Lage
be located / situated in | sich befinden in
accessible [ək'sesəbl] | erreichbar
We're easily accessible by road and rail. | Wir sind leicht über Straße und Schiene erreichbar.
within easy reach [wɪðɪn ˌiːzi 'riːtʃ] | in der Nähe
area ['eəriə] | Gegend
commercial district [kə'mɜːʃl ˌdɪstrɪkt] | Gewerbegebiet
based in West London [ˌbeɪst] | im West-Londoner Raum
outskirts ['aʊtskɜːts] | Außenbezirk

head office [ˌhed 'ɒfɪs] | Hauptgeschäftsstelle / - verwaltung, Zentrale
registered office | Geschäftssitz
branch [brɑːntʃ] | Filiale, Niederlassung, Zweig
branch office | Zweigstelle
open a branch | Niederlassung eröffnen
We'll soon be opening a new branch in Leipzig. | Wir eröffnen bald eine neue Niederlassung in Leipzig.
unit ['juːnɪt] | Einheit
We've separated the operation into three units. | Wir haben den Betrieb in drei Einheiten unterteilt.
employed [ɪm'plɔɪd] | angestellt

A total of 20 people are employed in marketing.

Insgesamt sind 20 Personen im Vertrieb angestellt.

sole trader [ˌsəʊl ˈtreɪdə] / **sole proprietorship** [ˌsəʊl prəˈpraɪətəʃɪp] / **one-man firm** [ˈwʌnmæn ˌfɜːm]

Einzelfirma / -unternehmer

owner [ˈəʊnə], **proprietor** [prəˈpraɪətə]
co-owner
ownership
partnership

Besitzer(-in), Eigentümer(-in)

Miteigentümer(-in)
Eigentümerschaft
Partnerschaft, Personen- / Personalgesellschaft

Jenkins and Lyle have been in partnership for four years.

Jenkins und Lyle sind seit vier Jahren eine Personengesellschaft.

Board of Directors [ˌbɔːd əv daɪˈrektəz]
chairman [ˈtʃeəmən] / **chairwoman** [ˈtʃeəˌwʊmən] / **chairperson** [ˈtʃeəˌpɜːsn]
administration (kurz: admin) [ədˌmɪnɪˈstreɪʃn]
administrative [ədˈmɪnɪstrətɪv]
executive [ɪgˈzekjətɪv]
management [ˈmænɪdʒmənt]

Vorstand

(Vorstands-)Vorsitzende(r), Leiter(-in)

Verwaltung

Verwaltungs-
Manager, leitende(r) Angestellte(r)
Geschäftsleitung, Management, Unternehmensleitung

Each department has its own management and accounts.

Jede Abteilung hat ihre eigene Unternehmensleitung und ihre eigene Buchführung.

middle management
management team
joint management

mittleres Management
Führungsgruppe
gemeinsame Leitung

department [dɪˈpɑːtmənt] / **division** [dɪˈvɪʒn] / **section** [ˈsekʃn]

Abteilung

The company has three divisions, all under one roof.

Die Firma hat drei Abteilungen, alle unter einem Dach.

Accounts Department
Advertising Department
Claims Department
Complaints Department
Design Department
Despatch Department
Export Department

Buchhaltung
Werbeabteilung
Schadensersatzabteilung / -büro
Reklamationsabteilung
Konstruktionsabteilung
Versandabteilung
Exportabteilung

Legal Department	Rechtsabteilung
Marketing Department	Marketing- / Vertriebsabteilung
Production Division	Produktions- /Fertigungsabteilung
Purchasing Division	Beschaffungs- / Einkaufsabteilung
Retail Division	Einzelhandelsabteilung
Sales Department	Verkaufsabteilung
Service Department	Kundendienstabteilung

FAQs

What's the difference between a public and a private limited company?

A UK public limited company (= plc) (US: open corporation) is similar to a German *Aktiengesellschaft*. The company's shares (= *Anteile*) are traded on the stock exchange (= *Börse*) and are freely transferable.

A UK private limited company (= Ltd) (US: closed corporation) is similar to a German *GmbH*. It is smaller than a plc. Its shares are not traded on the stock exchange and they are not freely transferable.

Legally speaking, a limited company is different from its owners (= *Besitzer / Eigentümer*). So owners are not personally responsible for its debts (= *für ihre Schulden verantwortlich*).

What's the difference between a sole trader and a partnership?

Sole trader: a sole trader (= *Einzelfirma / Einzelunternehmer*) is self-employed (= *selbstständig / freiberuflich*), has declared that he / she is working for him-/herself and is personally responsible for every aspect of the business. If things go wrong, the sole trader may have to give up the business assets (= *Vermögenswerte*) and also his or her personal possessions to pay the debts of the business.

Partnership [signified by "& Co" (= "and Company")]: this means two or more people running a business together. To get started, a partnership agreement (= *Vereinbarung / Abkommen*) has to be written, stating how the business will be organised, who has put what into the business, who does what work, how the profits (= *Gewinne*) will be shared and what would happen if the partnership ended. The partners are collectively and personally responsible for the debts of the business.

Methods & Procedures
Methoden & Verfahren

→ 2.1 Products / Produkte
→ 2.2 Services / Dienstleistungen

What sets us against one another is not our aims – they all come to the same thing – but our methods, which are the fruit of our varied reasoning. (Antoine de Saint-Exupéry, French novelist, 1900–44)

office practice [ˌɒfɪs 'præktɪs]	Bürowirtschaft
company rules [ˌkʌmpəni 'ruːlz]	Betriebsvorschriften
system of rules	Regelwerk
company policy [ˌkʌmpəni 'pɒləsi]	Unternehmenspolitik
policy meeting	Grundsatz- / Strategiebesprechung
We have a policy meeting every week.	Wir haben jede Woche eine Grundsatz- / Strategiebesprechung.
sales conference ['seɪlz ˌkɒnfrəns]	Verkaufs- / Vertreterkonferenz
decide [dɪ'saɪd]	entscheiden
decision	Entscheidung
make a decision	eine Entscheidung treffen
All decisions about terms of delivery are made by Frau Horn.	Alle Entscheidungen über die Lieferbedingungen werden von Frau Horn getroffen.
reach a decision	zu einer Entscheidung kommen
reception [rɪ'sepʃn]	Rezeption, Empfang
manufacturing [ˌmænjə'fæktʃərɪŋ]	Herstellung
storage ['stɔːrɪdʒ]	Lagerung
check [tʃek] / **control** [kən'trəʊl]	Kontrolle
quality control	Qualitätskontrolle
monitoring ['mɒnɪtərɪŋ]	Steuerung / Überwachung
The technicians are responsible for monitoring safety.	Die Techniker sind für die Überwachung der Sicherheit verantwortlich.
inquiry [ɪn'kwaɪəri] / **enquiry** [ɪn'kwaɪəri]	Anfrage (Siehe Musterbriefe & -faxe, S. 286)
business transaction ['bɪznɪs trænˌzækʃn]	Geschäftsabwicklung

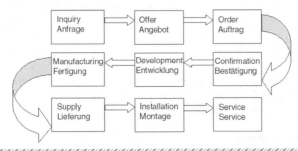

Info-Box

Flussdiagramm einer Geschäftsabwicklung

Inquiry Anfrage	→	Offer Angebot	→	Order Auftrag
Manufacturing Fertigung	←	Development Entwicklung	←	Confirmation Bestätigung
Supply Lieferung	→	Installation Montage		Service Service

business hours ['bɪznɪs ,aʊəz] — Geschäftszeiten / -stunden
at all hours — zu jeder Tages- und Nachtzeit
Our service hotline is open at all hours. — Unser Servicetelefon ist zu jeder Tages- und Nachtzeit besetzt.
closed from 12.30 to 1.30 — geschlossen von 12.30h bis 13.30h
opening hours — Öffnungszeiten
closed on Saturdays — samstags geschlossen

report [rɪ'pɔːt] — Bericht
interim report — Zwischenbericht
progress report — Lage- / Fortschrittsbericht
I hand in an interim report / a progress report to Frau Horn each month. — Ich reiche Frau Horn jeden Monat einen Zwischenbericht / Fortschrittsbericht ein.

annual report — Jahresbericht
chairman's / chairwoman's / chairperson's annual report — Jahresbericht der / des Vorsitzenden

as a rule [,æz ə 'ruːl] — in der Regel
We work till 6pm as a rule, but we can work overtime on urgent orders. — In der Regel arbeiten wir bis 18h, aber bei dringenden Bestellungen können wir Überstunden machen.

FAQs

What is the "banana problem"?

You have a "banana problem" if you have developed a procedure (= *Verfahren*) which works (eg a production process), but you don't know when to stop it. This may happen if you have not defined the conditions (= *die Bedingungen nicht festgelegt*) under which the process should be ended. The expression stems from the story of the little girl who said "I know how to spell banana, but I don't know when to stop!"

Personnel
Personal

→ 3.2 Recruiting & Appointing / Einstellung & Ernennung

By working faithfully eight hours a day, you may get to be a boss and work twelve hours a day. (Robert Frost, 1874–1963, US poet)

employ [ɪmˈplɔɪ]	beschäftigen
employee [ɪmˈplɔiːˈ]	Angestellte(r), Beschäftigte(r), Mitarbeiter(-in)
human resources (= HR) [ˌhjuːmən rɪˈsɔːsɪz]	Personalwesen, -entwicklung
manpower [ˈmænpaʊə]	Arbeitskräfte
manpower planning / staffing policy	Personalplanung
workforce [ˈwɜːkfɔːs] / **personnel** [ˌpɜːsənˈel]	Arbeiterschaft, Belegschaft
The combined company has a workforce of 2000.	Das zusammengeschlossene Unternehmen beschäftigt 2000 Mitarbeiter.
sales force [ˈseɪlz ˌfɔːs]	Verkaufspersonal
staff (= treated as a pl noun) [stɑːf]	Personal / Mitarbeiter
The sales staff all speak English.	Das gesamte Personal der Verkaufsabteilung spricht Englisch.
staff meeting	Personalversammlung
be on the staff	zum Personal gehören
office staff / clerical staff	Büroangestellte, Büropersonal
operations staff	Betriebspersonal
accounts staff	Buchhaltungspersonal
junior / senior staff	jüngere / ältere Angestellte
temporary staff	Zeitarbeitskräfte
We always take on temporary staff in the Christmas season.	In der Weihnachtssaison stellen wir immer Zeitarbeitskräfte ein.
managerial staff [ˌmænəˈdʒɪəriəl ˌstɑːf]	leitendes Personal
number of staff / employees / personnel	Personalbestand
I'm in charge of staffing here.	Ich bin hier für die Einstellung von Personal zuständig.
superior [suːˈpɪəriə]	Vorgesetzte(r)
supervisor [ˈsuːpəvaɪzə]	Aufseher(-in), Vorsteher(-in), Vorarbeiter(-in), Bürovorsteher(-in)
supervise	beaufsichtigen
team leader [ˈtiːm ˌliːdə]	Gruppenleiter(-in)

boss (= ugs.) [bɒs]	Chef(-in)
What's your new boss like?	Wie ist Ihr neuer Chef?
be headed by ['hedɪd baɪ]	geleitet werden von
be under ['ʌndə]	unter(-geordnet, -gestellt) sein
responsibility [rɪˌspɒnsə'bɪləti] /	Verantwortung
responsibilities [rɪˌspɒnsə'bɪlətiz]	
area of responsibility	Verantwortungsbereich
be responsible to [rɪ'spɒnsəbl tʊ]	verantwortlich sein gegenüber, (jdm) unterstellt sein
in charge (= i/c) [ɪn 'tʃɑːdʒ]	zuständig
be in charge of / responsible for	leiten, zuständig / verantwortlich sein für
Herr König's responsible for that part of the operation.	Für diesen Geschäftsbereich ist Herr König verantwortlich.
Ms Davies is in charge of marketing.	Frau Davies ist für die Werbung zuständig.
put sb in charge of sth	jdm die Verantwortung für etw übertragen
keep an eye on	überwachen
subordinate [sə'bɔːdɪnət]	untergeordnet, rangniedriger
departmental [ˌdiːpɑːt'mentl]	Abteilungs-
departmental manager / departmental head / head of department	Abteilungsleiter(-in)
head a department	eine Abteilung leiten
managerial [mænə'dʒɪəriəl]	Management-, Führungs-
manager ['mænədʒə]	Geschäftsführer(-in), Abteilungs- leiter(-in)
sales manager / head of sales	Verkaufsleiter(-in)
field sales manager	Außendienstleiter(-in)
export manager / head of exports	Exportleiter(-in)
area manager	Bezirks- / Gebietsleiter(-in)
office manager	Geschäftsstellenleiter(-in), Büro- leiter(-in)
marketing manager	Marketingleiter(-in)
distribution manager	Vertriebsleiter(-in)
production manager	Leiter(-in) der Fertigung
personnel manager	Personalchef(-in), Leiter(-in) der Personalabteilung
advertising manager	Werbeleiter(-in)
general manager	geschäftsführende(r) Direktor(-in)
branch manager	Filialleiter(-in)
data processing manager	Leiter(-in) der EDV-Abteilung
purchasing manager / head buyer	Chefeinkäufer(-in), Leiter(-in) des Einkaufs
managing director (= MD)	Vorstandsvorsitzende(r) / Geschäftsführer(-in)
sales director	kaufmännischer Leiter(-in)

financial director / chief financial officer (= CFO)	Leiter(-in) der Finanzabteilung
accounts controller	Leiter(-in) der Buchhaltung
quality controller	Qualitätskontrolleur(-in)
deputy ['depjəti] / **acting** ['æktɪŋ]	stellvertretend
deputy manager / acting manager	stellvertretende(r) Leiter(-in)
deputise for sb / stand in for sb	jdn vertreten
The managing director is in Denver just now – Mrs Davies is standing in for him.	Der Geschäftsführer ist gerade in Denver – Mrs Davies vertritt ihn.
fill in for sb	für jdn einspringen
commercial clerk [kə,mɜːʃl 'klɑːk]	Sachbearbeiter(-in)
office administration clerk	*in etwa:* Bürokaufmann / -frau
public relations officer [,pʌblɪk rɪ'leɪʃnz ,ɒfɪsə]	PR-Angestellte(r)
buyer ['baɪə]	(Ein-)Käufer(-in)
typist ['taɪpɪst]	Schreibkraft
craftsman ['krɑːftsmən] / **tradesman** ['treɪdzmən] / **craftswoman** ['krɑːfts,wʊmən] / **tradeswoman** ['treɪdz,wʊmən]	Handwerker(-in)
site engineer ['saɪt ,endʒɪnɪə]	Bauleiter(-in)
technician [tek'nɪʃn]	Techniker(-in)
designer [dɪ'zaɪnə]	Designer(-in)
driver ['draɪvə]	Fahrer(-in)
office junior [,ɒfɪs 'dʒuːnɪə]	Bürogehilfe / -gehilfin
secretary ['sekrətri]	Sekretär(-in)
personal secretary / personal assistant (= PA)	Chefsekretär(-in) / Assistent(-in)
foreign language secretary	Fremdsprachensekretär(-in)
translator [trænz'leɪtə]	Übersetzer(-in)
sales rep ['seɪlz ,rep] / **sales representative** ['seɪlz reprɪ,zentətɪv]	Handelsvertreter(-in), Vertreter(-in)
qualified retailer [,kwɒlɪfaɪd riː'teɪlə]	Einzelhandelskaufmann / -frau
security officer [sɪ'kjʊərəti ,ɒfɪsə]	Sicherheitsbeauftragte(r)
businessman ['bɪznɪsmən] / **businesswoman** ['bɪznɪs,wʊmən]	Geschäftsmann /-frau
small businessman / small businesswoman	Kleinunternehmer(-in)

FAQs

Can I use words like "manager" and "chairman" when referring to a woman?

Some positions have male and female forms, eg manager / manageress, proprietor / proprietress. But often only the male form is used: Mrs Jenkins is our sales manager.

However, words ending with -man, eg businessman, chairman, are nowadays (= *heutzutage*) often expressed with -person, eg businessperson, chairperson.

What's "dead wood"?

This refers to staff who do not do anything useful for a company and just use up space (= *Platz einnehmen*). They're individuals the company would happily dismiss (= *entlassen*) if this were possible.

What's a "yes man"?

An employee who always agrees with his or her supervisor (= *Aufseher/-in / Vorsteher/-in*) and supports everything the supervisor suggests. Such unpleasant individuals often flatter (= *schmeicheln*) superiors and "look down" on subordinate (= *untergeordnetes / rangniedriges*) staff.

What is "lion food"?

It is a negative term to describe administrative (= *Verwaltungs-*) and middle management (= *mittleres Management*) staff. The expression is based on a joke about two lions which have escaped from a zoo and meet again by chance (= *zufällig*) after a couple of months. One is skinny (= *dürr*), the other fat (= *dick*). The skinny one says: "How did you manage to grow so fat? I ate just one man and have been on the run (= *auf der Flucht*) ever since, living on grass (= *von Gras leben*)." The fat one answers: "It was simple. I hid close to an IBM office and ate one manager a day. Nobody ever noticed (= *Niemand hat es jemals bemerkt*)."

Business Premises & Property
Geschäftsräume & -eigentum

→ 1.1 Location, Size & Structure / Sitz, Größe & Struktur

The basis of the social contract is property; and its first condition, that everyone should be maintained in the peaceful possession of what belongs to him. (Jean-Jacques Rousseau, French philosopher & novelist, 1712–78)

premises ['premɪsɪz]	Örtlichkeit, Räumlichkeit, Grundstück
business premises	Geschäftsräume
office premises	Büroräume
property ['prɒpəti]	Eigentum
facilities [fə'sɪlətiz]	Ein-, Vorrichtungen; Möglichkeiten
By August, we should have our own catering facilities.	Bis August dürften wir unsere eigenen Verpflegungsmöglichkeiten haben.
surface ['sɜːfɪs]	Fläche
surrounding area [sə‚raʊndɪŋ 'eəriə]	Umgebung
floor [flɔː]	Stock(werk), Etage
lift (AE: elevator) [lɪft]	Lift / Aufzug
mail room ['meɪlruːm]	Poststelle
basement ['beɪsmənt]	Untergeschoss
caretaker (AE. janitor) ['keəteɪkə]	Hausmeister(-in)
cleaner ['kliːnə]	Putzfrau / -personal
porter ['pɔːtə]	Pförtner
security [sɪ'kjʊərəti]	Sicherheit
maintenance ['meɪntənəns]	Erhaltung, Wartung, Instandhaltung
The photocopy machines need a great deal of maintenance.	Die Fotokopierer müssen oft gewartet werden.
running costs ['rʌnɪŋ ‚kɒsts]	laufende Kosten
rent [rent]	mieten
lease [liːs]	pachten, mieten / verpachten, vermieten
decorate ['dekəreɪt]	renovieren
The offices have been freshly decorated.	Die Büros sind frisch renoviert worden.
lock [lɒk]	verschließen
position [pə'zɪʃn] / **place** [pleɪs]	platzieren
fit equipment [fɪt ɪ'kwɪpmənt]	Einrichtung / Ausrüstung einbauen

repair [rɪ'peə]
We generally carry out repairs
  ourselves.
in working order [ɪn ˌwɜ:kɪŋ 'ɔ:də]
out of order
air-conditioned ['eəkənˌdɪʃnd]
utilities [ju:'tɪlətiz]

device [dɪ'vaɪs]
This portable shredder is a useful
  little device.

Reparatur
Normalerweise führen wir Repara-
  turen selbst durch.
funktionsfähig
außer Betrieb
klimatisiert
versorgungswirtschaftliche Einrichtungen / Versorgungsbetriebe
Gerät
Dieser tragbare Aktenvernichter ist
  ein nützliches kleines Gerät.

Office Materials

Büromaterial

office materials [ˌɒfɪs mə'tɪərɪəlz] /
office stationery [ˌɒfɪs 'steɪʃənri]
office supplies
furniture ['fɜ:nɪtʃə]
furnishings
shelf (pl: shelves) [ʃelf]
equipment [ɪ'kwɪpmənt]

Büromaterial

Bürobedarf / -artikel
Möbel
Einrichtungsgegenstände
Regal(e)
Einrichtung, Geräte, Ausrüstung,
  Ausstattung

swivel chair ['swɪvl ˌtʃeə]
desk [desk]
L-shaped desk
desk lamp
partition wall [pɑ:ˌtɪʃn 'wɔ:l]

Drehstuhl
Schreibtisch
L-förmiger Schreibtisch
Schreibtischlampe
Trennwand

fax paper ['fæks peɪpə]
continuous paper
writing paper
headed paper
printed letterhead [ˌprɪntɪd
  'letəhed]
envelope ['envələʊp]
separator ['sepəreɪtə]
memo ['meməʊ] / memorandum
[ˌmemə'rændəm]
slip [slɪp]
address label [ə'dres ˌleɪbl]

Faxpapier
Endlospapier
Schreibpapier, Briefpapier
Papier mit Briefkopf
gedruckter Briefkopf

Umschlag
Trennfolie, Trennblatt
Mitteilung, (Akten-)Notiz,
  Vermerk
Zettel
Adressenaufkleber

personal computer
[ˌpɜ:snl kəm'pju:tə]
printer ['prɪntə]
fax machine ['fæks məʃi:n]
scanner ['skænə]
microfiche ['maɪkrəʊfi:ʃ]

PC

Drucker
Fax, Faxgerät
Bildabtaster, Scanner
Mikrofiche

photocopier [ˈfəʊtəʊˌkɒpiə]	Fotokopierer
shredding machine	Aktenvernichter, Reißwolf
[ˈʃredɪŋ məˌʃiːn] / **shredder** [ˈʃredə]	
calculator [ˈkælkjəleɪtə]	(Taschen-)Rechner
typewriter [ˈtaɪpraɪtə]	Schreibmaschine
guillotine [ˈgɪlətiːn]	Papierschneidemaschine
card index [ˈkɑːd ˌɪndeks]	Kartei
index card	Karteikarte
paper drawer [ˈpeɪpə ˌdrɔːə]	Papierschacht
file drawer	Schublade für Aktenordner
box drawer	Schubladen-Box
box file	kastenförmiger Aktenordner,
	Ablage- /Aktenbox
filing cabinet	Aktenschrank
notepad [ˈnəʊtpæd]	Schreib- / Notizbuch
spiral-bound notepad	Notizbuch mit Spiralheftung
ring binder	Ringbuch
sealing tape [ˈsiːlɪŋ ˌteɪp]	Verschlussklebestreifen
adhesive tape	Klebstreifen, Klebeband
adhesive tape dispenser	Klebstreifenspender
date stamp [ˈdeɪt ˌstæmp]	Datumsstempel
franking machine	Frankiermaschine
calendar [ˈkæləndə]	Kalender
diary	Terminkalender
desk diary	Tischkalender
pencil [ˈpensl]	Bleistift
pencil sharpener	Bleistiftspitzer
rubber (AE: eraser) [ˈrʌbə]	Radiergummi
ballpoint pen [ˌbɔːlpɔɪnt ˈpen] /	Kugelschreiber
biro [ˈbaɪrəʊ]	
felt-tip pen	Filzstift
highlighter [ˈhaɪlaɪtə]	Textmarker
safety pin [ˈseɪfti ˌpɪn]	Sicherheitsnadel
drawing pin (AE: thumbtack)	Reißzwecke
paper clip [ˈpeɪpə ˌklɪp]	Büro- / Papierklammer
staple [ˈsteɪpl] / **stapler** [ˈsteɪplə]	Heftklammer / Hefter
staple remover [ˈsteɪpl rɪˌmuːvə]	Klammerentferner
punch [pʌntʃ]	Locher
ruler [ˈruːlə]	Lineal
scissors [ˈsɪzəz]	Schere

folder ['fəʊldə]   Mappe, Aktenmappe, Schreib-
mappe

clipboard ['klɪpbɔːd]   Klemmbrett

wire basket ['waɪə 'bɑːskɪt]   Ablagekorb

notice-board   Schwarzes Brett, Anschlagtafel
  (AE: bulletin board) ['nəʊtɪsbɔːd]
display board   Anzeigetafel

FAQs

When I choose business premises, what should I consider?

- whether to work from home, a shop, an office, a workshop (= *Werkstatt*) or a factory (= *Fabrik*)
- how big the workplace (= *Arbeitsplatz*) should be
- location (= *Standort*), especially if I depend on customers who pass by (= *vorbeifahren / vorbeikommen*)
- available utilities (= *versorgungswirtschaftliche Einrichtungen*)
- whether to rent, lease or buy
- local security requirements
- car parking
- maintenance & running costs
- rent & local taxes (= *Steuern*)
- costs of fitting equipment (= *Einrichtung / Ausrüstung einbauen*), eg telephones, fax, computers, furniture
- what I would do with the premises if my business failed (= *scheiterte*)

Products & Services
Produkte & Dienstleistungen

Products
Produkte

→ 1.1 Location, Size & Structure / Sitz, Größe & Struktur

The only reason for being a bee that I know of is making honey. (from *Winnie-the-Pooh*, A. A. Milne, English storywriter and playwright, 1882–1956)

produce [prə'dju:s] — herstellen, produzieren
product ['prɒdʌkt] — Produkt
final product / finished product — Endprodukt
list of products — Warenverzeichnis
product range / range of products — Produktpalette, Angebotspalette
wide range / limited number of products, a — eine große / begrenzte Auswahl an Produkten
by-product ['baɪ ˌprɒdʌkt] / spinoff ['spɪnɒf] — Nebenprodukt
unique product, a — ein einzigartiges Produkt

step up production ['step ʌp prəˌdʌkʃn] — die Produktion erhöhen
We're going to step up production in March. — Wir werden unsere Produktion im März erhöhen.
production schedule — Fertigungsplan
single-part production / one-off production — Einzelfertigung
series production — Serienfertigung
industrial production — Industrieproduktion

capacity [kə'pæsəti] — Kapazität
production capacity — Produktionskapazität
Production has almost reached capacity. — Die Produktion ist beinahe ausgelastet.
boost capacity — Kapazität erweitern
capacity usage — Kapazitätsnutzung
excess capacity / overcapacity — Überkapazität

goods (= pl only) [gʊdz] — Waren / Güter
semi-finished / finished goods — Halbfertig- / Fertigfabrikate
manufactured goods — Fabrikwaren
high-quality goods — hochwertige Waren
bulk goods — Massengüter
consumer goods — Verbrauchsgüter
commodity — Ware, Erzeugnis

merchandise ['mɜːtʃndaɪz] — (Handels-)Ware

tool [tu:l]	Werkzeug
raw materials [‚rɔ: mə'tɪərɪəlz]	Rohstoffe
component [kəm'pəʊnənt]	(Einzel-)Teil, Bestandteil
All the components are shipped here for assembly.	Alle Einzelteile werden hier zur Montage angeliefert.
spares [speəz] / spare parts [speə 'pɑ:ts]	Ersatzteile
pattern ['pætən]	Muster, Vorlage
equipment [ɪ'kwɪpmənt]	Ausrüstung / Einrichtung
well-equipped	gut ausgestattet
brand [brænd]	Marke
brand of chocolate	Schokoladenmarke
This should soon be one of the leading brands on the market.	Diese müsste bald eine der führenden Marken auf dem Markt sein.
size [saɪz]	Größe
output ['aʊtpʊt]	Produktionsleistung
boost output	die Produktionsleistung steigern
performance [pə'fɔ:məns]	Leistung
productivity [‚prɒdʌk'tɪvəti]	Produktivität
total productivity	Gesamt-Produktivität
increase productivity	die Produktivität erhöhen
shelf life ['ʃelflaɪf]	Haltbarkeit
This product has a shelf life of 6 to 8 months.	Dieses Produkt verfügt über eine Haltbarkeit von 6 bis 8 Monaten.
sell-by date ['selbaɪ‚deɪt] / **use-by date** ['ju:zbaɪ‚deɪt] / **best-before date** [‚bestbɪ'fɔ:deɪt]	Haltbarkeitsdatum
durable ['djʊərəbl]	haltbar, langlebig
durable goods	langlebige Güter
consumer durables	langlebige Gebrauchsgüter
mechanical [mɪ'kænɪkl]	mechanisch
labour-saving ['leɪbə ‚seɪvɪŋ]	arbeitssparend
We've been investing in labour-saving technology.	Wir haben in arbeitssparende Technologie investiert.
portable ['pɔ:təbl]	tragbar
tailor-made [‚teɪlə'meɪd] / made-to-measure (AE: custom-made / customized) [‚meɪdtə'meʐə]	maßgeschneidert
Our clients can order customized versions over the Internet.	Unsere Kunden können maßgeschneiderte Versionen über das Internet bestellen.
ready-made (+ noun) [‚redɪ'meɪd]	Fertig-(+ Substantiv)
state-of-the-art [‚steɪt əv ðɪ 'ɑ:t]	technisch auf dem neusten Stand
All the equipment is state-of-the-art.	Die gesamte Ausrüstung ist auf dem neusten Stand der Technik.
latest ['leɪtɪst]	neuste(r/s)
efficient [ɪ'fɪʃnt]	wirkungsvoll, effektiv

success [sək'ses]
key to success, the
In our line of business, the key to
  success is prompt delivery.
successful [sək'sesfʊl]
This is one of our most successful lines.

be famous for ['feɪməs fə]
be recognised as ['rekəgnaɪzd əz]
reputation [ˌrepjʊ'teɪʃn]
customise (AE: customize)
  ['kʌstəmaɪz]
manufacture [ˌmænjə'fæktʃə]
carefully manufactured
special design [ˌspeʃl dɪ'zaɪn]
specification [ˌspesɪfɪ'keɪʃn]

specialize in ['speʃəlaɪz ɪn]
assemble [ə'sembl]
assembly
assembly line
flow of goods [ˌfləʊ əv 'gʊdz]

operating instructions
  ['ɒpəreɪtɪŋ ɪnˌstrʌkʃnz] /
directions for use
  [dɪˌrekʃnz fə 'ju:s]
home market ['həʊm ˌmɑːkɪt] /
domestic market [də'mestɪk
  ˌmɑːkɪt]
Our associates in Spain produce
  smaller versions for the domestic
  market.
foreign market

Erfolg
der Schlüssel zum Erfolg
In unserer Branche ist sofortige Lieferung der Schlüssel zum Erfolg.
erfolgreich
Dies ist eines unserer erfolgreichsten
  Produkte.

berühmt sein für
angesehen werden als, gelten als
Ruf
speziell anfertigen; umbauen

herstellen
sorgfältig hergestellt
Sonderanfertigung
detaillierte Aufstellung / genaue
  Beschreibung
sich spezialisieren auf
zusammenbauen
Montage, Zusammenbau
Fließband, Montageband
Güterstrom

Gebrauchsanweisung / Bedienungsanleitung

Binnenmarkt

Unsere Teilhaber in Spanien stellen
  kleinere Versionen für den
  Binnenmarkt her.
Auslandsmarkt

FAQs

What is "droolproof paper"?

If somebody says operating instructions are written on drool-proof paper,
it means they have been simplified to a point where even a 4-year old can
understand them. One may say: "These directions are written on
drool-proof paper". It is a negative term which evaluates the writer or the
text as foolish – for example, this quotation from a LaserWriter manual:
"Do not expose your LaserWriter to open fire or flame".

Services
Dienstleistungen

→ 1.1 Location, Size & Structure / Sitz, Größe & Struktur

They also serve who only stand and wait. (John Milton, English poet, 1608–74)

service ['sɜːvɪs]	Dienstleistung
repair / translation / secretarial service	Reparatur- / Übersetzungs- / Schreibdienst
24-hour service	Tag- und Nachtdienst
freight service	Frachtdienst
poor service	schlechter Service
self-service	Selbstbedienung
electronic service	elektronischer Service
service sector, the	der Dienstleistungsbereich
be of service	behilflich sein
We look forward to being of further service to you.	Sehr gerne sind wir Ihnen auch weiterhin behilflich.
We are at your service.	Wir stehen Ihnen gerne zur Verfügung.

combine **services** ['kəmbaɪn ˌsɜːvɪsɪz]	Dienstleistungen kombinieren
We could work together on projects where our services can be combined.	Wir könnten an Projekten zusammenarbeiten, in denen unsere Dienstleistungen kombiniert werden können.
offer / provide services	Dienstleistungen anbieten
range of services [ˌreɪndʒ əv 'sɜːvɪsɪz]	Dienstleistungspalette

customer relations [ˌkʌstəmə rɪ'leɪʃnz]	Kundenbeziehungen
customer service / servicing / after-sales service	Kundendienst
customer services representative	Kundendienstberater(-in)
customer care	Kundenbetreuung

installation [ˌɪnstə'leɪʃn]	Montage
hotline ['hɒtlaɪn]	Servicetelefon / telefonischer Beratungsdienst

rely on sb [rɪ'laɪ ɒn]	sich auf jdn verlassen
Can we rely on them to have it ready by Monday?	Können wir uns darauf verlassen, dass sie es bis Montag fertig haben?
reliable / trusted / dependable	zuverlässig

We should be presenting ourselves as a reliable company, with a good after-sales service.	Wir sollten uns als zuverlässige Firma mit gutem Kundendienst vorstellen.
reliability	Zuverlässigkeit
reliability test	Zuverlässigkeitstest

excellent ['eksələnt]	hervorragend
exceptional [ɪk'sepʃnl]	außergewöhnlich
prompt [prɒmpt]	unverzüglich / sofortig
We can guarantee prompt delivery.	Wir können sofortige Lieferung garantieren.

flexible ['fleksəbl]	flexibel, anpassungsfähig
flexibility	Flexibilität
adaptability	Anpassungsfähigkeit
efficient [ɪ'fɪʃnt]	leistungsfähig, effizient
efficiency	Effizienz

on request [ɒn rɪ'kwest]	auf Wunsch

supply [sə'plaɪ]	Angebot / Lieferung, beliefern
supply with	beliefern mit
meet expectations [miːt ˌekspek'teɪʃnz]	Vorstellungen / Erwartungen entsprechen
If your services meet our expectations, we'll be happy to place more orders with you.	Sollten Ihre Dienstleistungen unseren Vorstellungen entsprechen, sind wir gerne bereit, Ihnen weitere Aufträge zu erteilen.

optimize ['ɒptɪmaɪz]	optimieren
optimal	optimal

logistics [lə'dʒɪstɪks]	Logistik
logistics services	Logistikleistungen
logistics control	Logistik-Controlling

FAQs

What's "W-cubed"?

Cubed = *hoch 3 genommen*, therefore "W-cubed" or "W³". A product, service or a person's philosophy is "W-cubed" if the customer is treated as king and the sales service and after-sales service are excellent and prompt. "W-cubed" stands for "whatever, wherever, whenever the customer wants it".

How can a logistics service be optimized?

This diagram shows how a logistics service can be run with optimal efficiency.

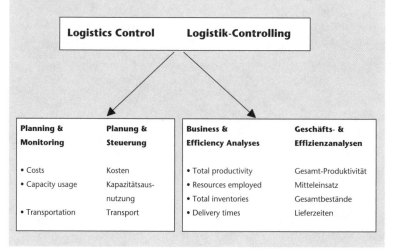

Logistics Control	Logistik-Controlling

Planning & Monitoring	**Planung & Steuerung**	**Business & Efficiency Analyses**	**Geschäfts- & Effizienzanalysen**
• Costs	Kosten	• Total productivity	Gesamt-Produktivität
• Capacity usage	Kapazitätsaus-nutzung	• Resources employed	Mitteleinsatz
• Transportation	Transport	• Total inventories	Gesamtbestände
		• Delivery times	Lieferzeiten

Work
Arbeit

Applying
Bewerben

→ 3.2 Recruiting & Appointing / Einstellung & Ernennung

The devil finds work for idle hands. (English proverb, first appeared 1721)

job seeker ['dʒɒb ˌsiːkə]	Arbeitssuchende(r)
job-hunting	Arbeitsplatzsuche

employment [ɪm'plɔɪmənt]   Beschäftigung, Anstellung, Arbeit
employer [ɪm'plɔɪə]   Arbeitgeber(-in)
former employer   ehemalige(r) Arbeitgeber(-in)
present employer   derzeitige(r) / heutige(r) Arbeit-
                                                     geber(-in)
I have been with my present employer   Ich bin seit drei Jahren bei meinem
  for the last three years.   derzeitigen Arbeitgeber.
prospective employer   potentielle(r) / voraussichtliche(r)
                                                     Arbeitgeber(-in)

unemployed [ˌʌnɪm'plɔɪd]   arbeitslos
unemployment   Arbeitslosigkeit
unemployment rate   Arbeitslosenquote
The unemployment rate hasn't been   Die Arbeitslosenquote war seit 1998
  so low since 1998.   nicht mehr so gering.
out of a job / out of work   ohne Arbeit
self-employed [ˌselfim'plɔɪd]   selbstständig / freiberuflich

labour market ['leɪbə ˌmɑːkɪt] /   Arbeitsmarkt
  job market ['dʒɒb ˌmɑːkɪt]

make enquiries [ˌmeɪk ɪn'kwaɪəriz]   sich erkundigen / anfragen
be interested in ['ɪntrəstɪd ˌɪn]   interessiert sein an
I am interested in the position you   Ich bin an der Stelle interessiert, die
  have advertised.   Sie ausgeschrieben haben.
join a firm [ˌdʒɔɪn ə 'fɜːm]   in eine Firma eintreten

apply for a job [ə,plaɪ fər ə 'dʒɒb]   sich um eine Stelle bewerben
apply in person / in writing   sich persönlich / schriftlich bewerben
applicant ['æplɪkənt]   Antragstelier(-in), Bewerber(-in)
application [ˌæplɪ'keɪʃn]   Antrag, Bewerbung
Please send your application with the   Bitte richten Sie Ihre Bewerbung mit
  usual particulars to our   allen üblichen Unterlagen
  Personnel Office.   an unsere Personalabteilung.
fill in a form / complete a form   ein Formular ausfüllen
  (AE: fill out a form)
application form   Antrags- / Bewerbungsformular

Complete the application form overleaf and send it to us.

Füllen Sie das umseitige Antragsformular aus und senden Sie es an uns.

chronological order
[krɒnəˌlɒdʒɪkl 'ɔːdə]
block letters ['blɒk ˌletəz]
typewritten ['taɪpˌrɪtn]
complete [kəm'pliːt]
brief [briːf]
covering letter [ˌkʌvərɪŋ 'letə]
curriculum vitae (= CV, c.v.)
(AE: résumé) [ˌkərɪkjələm 'viːtaɪ]
enclose [ɪn'kləʊz]
I enclose my CV and a copy of my school certificate.

enclosure [ɪn'kləʊʒə]

chronologische Reihenfolge

Druckbuchstaben
maschinengeschrieben
vollständig
kurz
Begleitschreiben / einführender Brief
Lebenslauf (Siehe Musterbriefe & -faxe, S. 290)

beilegen
Ich lege meinen Lebenslauf und mein Schulabgangszeugnis bei.

Anlage

tabular ['tæbjələ] / **in tabular form**
[ɪn 'tæbjələ ˌfɔːm]
profile ['prəʊfaɪl]
know-how and training profile
search [sɜːtʃ]
full details [ˌfʊl 'dɪteɪlz] / **detailed information** [ˌdiːteɪld ɪnfə'meɪʃn]
personal details

tabellarisch

persönliches Profil
Wissens- und Ausbildungsprofil
suchen
ausführliche Informationen

Angaben zur Person

 Keine Pluralformen für information!

Würden Sie mir die Informationen bitte zufaxen, sobald Sie es einrichten können?
ausführliche / viele / weitere Informationen
eine Information

Would you fax me the information when you can, please?

detailed / much / further information
a piece of information

---

skill [skɪl] / **ability** [ə'bɪləti]

range of ability
keyboarding ['kiːbɔːdɪŋ]
My duties included keyboarding and business correspondence.

keyboarding skills
keyboarder
core skills

Fähigkeit, Fertigkeiten, Können, Geschick
Bandbreite der Fähigkeiten
Texteingabe
Zu meinen Aufgaben gehörten Texteingabe und Geschäftskorrespondenz.

Fähigkeiten bei der Texterfassung
Texterfasser(-in)
Schlüsselqualifikationen

main achievements [ˌmeɪn əˈtʃiːvmənts]	wichtige Leistungen
experience [ɪkˈspɪəriəns]	Erfahrung
work experience / professional experience / employment history	Berufserfahrung / berufliche Erfahrung
lack of experience	Mangel an Erfahrung
in advertising [ɪn ˈædvətaɪzɪŋ] / **in the field of advertising** [ɪn ðə ˌfiːld əv ˈædvətaɪzɪŋ]	in der Werbebranche
opportunity [ˌɒpəˈtjuːnəti]	Gelegenheit
take the opportunity	die Gelegenheit nutzen
post [pəʊst] / **position** [pəˈzɪʃn]	Posten, Stelle
managerial position	leitende Stellung
position of responsibility	verantwortungsvolle Position
recommend [ˌrekəˈmend]	empfehlen
I was recommended for a traineeship.	Ich wurde für eine Lehrlingsposition empfohlen.
recommendation	Empfehlung
certificate [səˈtɪfɪkət]	Zeugnis, Bescheinigung
school-leaving certificate	Schulabgangszeugnis
overall grade [ˌəʊvərɔːl ˈgreɪd]	Gesamtnote
knowledge [ˈnɒlɪdʒ]	Wissen
Knowledge of various computer systems would be an advantage.	Kenntnisse in unterschiedlichen Computersystemen wären von Vorteil.
general knowledge	Allgemeinwissen
basic knowledge	Grundkenntnisse
word processing [ˈwɜːd ˌprəʊsesɪŋ]	Textverarbeitung
computer-literate [kəmˌpjuːtə ˈlɪtrət]	computerkundig
language [ˈlæŋgwɪdʒ]	Sprache
language skills	Sprachkenntnisse
We would like to appoint a senior manager with language skills.	Wir möchten eine Führungskraft mit Sprachkenntnissen einstellen.
foreign language / native language	Fremd- / Muttersprache
French / Spanish / Russian / Italian	Französisch / Spanisch / Russisch / Italienisch
have a command of foreign languages	Fremdsprachen beherrschen
A good command of English is required.	Gute Englischkenntnisse werden verlangt.
commercial English	Handelsenglisch
native speaker [ˌneɪtɪv ˈspiːkə]	Muttersprachler(-in)

elementary [ˌelɪˈmentri] / **advanced**   Anfänger- / Fortgeschrittenen-
[ədˈvɑːnst]
fluent [ˈfluːənt]   fließend
economics [ˌiːkəˈnɒmɪks]   Volkswirtschaftslehre
business administration   Betriebswirtschaft(slehre)
[ˌbɪznɪs ədmɪnɪˈstreɪʃn] /
business studies [ˈbɪznɪs ˌstʌdiz]
information technology (= IT)   Informatik
[ɪnfəˌmeɪʃn teˈknɒlədʒi]

letter of introduction   Empfehlungsschreiben
[ˌletər̬ əv ɪntrəˈdʌkʃn]
letter of reference / reference /   Referenz / Zeugnis
testimonial
give sb's name as a reference / referee   jdn als Referenz abgeben
My last employer is willing to act as   Mein letzter Arbeitgeber ist bereit,
referee / to provide a reference.   mir eine Referenz zu schreiben.
write sb a reference   jdm eine Referenz schreiben

Info-Box

Angaben zur Person, um Formulare auszufüllen

Surname [ˈsɜːneɪm]	Familienname, Nachname
Maiden Name	Mädchenname
First Name(s) / Forename(s)	Vorname(n)
Sex [seks] male / female	Geschlecht männlich / weiblich
Marital status [ˌmærɪtl ˈsteɪtəs] married / single (unmarried) / divorced	Familienstand / -status verheiratet / ledig (unverheiratet) / geschieden
Nationality [ˌnæʃənˈæləti] German German national	Staatsangehörigkeit Deutsch / Deutsche(r) deutsche(r) Staatsbürger(-in)
Date of Birth (= d/b) [ˌdeɪt əv ˈbɜːθ]	Geburtsdatum
Age [eɪdʒ]	Alter
Place of Birth [ˌpleɪs əv ˈbɜːθ] / **Birthplace** [ˈbɜːθpleɪs]	Geburtsort
Place of Residence	Wohnort
Address [əˈdres]	Adresse
Home Address	Privatadresse
Business Address	Geschäftsadresse

Passport No. ['pɑːspɔːt ˌnʌmbə]	Pass Nr.
Issued at	ausgestellt in
Education [ˌedjʊ'keɪʃn] / **Educational background** [edjʊˌkeɪʃnl 'bækgraʊnd]	Schul- / Ausbildung
subject/s ['sʌbdʒɪkt/s]	Fach / Fächer
primary school ['praɪməri ˌskuːl]	Grundschule
comprehensive school	Gesamtschule
secondary school	Sekundarstufe 1 u. 2
high school	Gymnasium
vocational school	Berufsschule, berufsbildende Schule
sixth-form college [ˌsɪkθ fɔːm 'kɒlɪdʒ]	gymnasiale Oberstufe als selbstständige Schule
vocational college	Berufsfachschule
commercial college	Handelsschule
business college	höhere Wirtschaftshochschule
technical college	Fach(ober)schule
advanced technical college	Fachhochschule
university [ˌjuːnɪ'vɜːsəti]	Universität
Work Record ['wɜːk ˌrekɔːd] / **Employment History** [ɪm'plɔɪmənt ˌhɪstəri]	Berufserfahrung / berufliche Erfahrung
Occupation [ˌɒkjʊ'peɪʃn] / **Profession** [prə'feʃn]	Beruf
Present Post ['preznt 'pəʊst]	derzeitige Stelle
Residence Abroad [ˌrezɪdəns ə'brɔːd]	Auslandsaufenthalt
Qualifications [ˌkwɒlɪfɪ'keɪʃnz]	Zeugnisse, Bildungsabschlüsse, Qualifikationen
Professional Qualifications	berufliche Qualifikationen
Additional Qualifications	sonstige Kenntnisse
Recognised Qualifications	anerkannte Qualifikationen
Hobbies ['hɒbiz] / **Outside Interests** [ˌaʊtsaɪd 'ɪntrəsts]	Hobbys
Signature ['sɪgnətʃə]	Unterschrift
Witnessed by ['wɪtnəst ˌbaɪ]	bezeugt durch
Date [deɪt]	Datum

Beachten Sie: *Wenn Sie in einem englisch verfassten Formular ein Kästchen ankreuzen wollen, so setzen Sie kein Kreuzchen (✗)ein, wie im Deutschen, sondern ein Häkchen (✔).*

FAQs

What is the difference between a letter of reference and a testimonial?

In everyday English, the phrases are interchangeable (= *austauschbar*). But, strictly speaking, a letter of reference is private and confidential (= *persönlich / vertraulich*). It is a report (= *Bericht*) on a job applicant, sent by one individual (eg a former employer) to another (eg the prospective employer). The applicant does not normally see a letter of reference.

A testimonial is also a report about the applicant, written by (for example) a former employer. But the testimonial is given to the applicant him- or herself. It can then be shown to any prospective employer at any future time. One can say that, with job applications, a good letter of reference has more value (= *Wert*) than a good testimonial.

Recruiting & Appointing
Einstellung & Ernennung

→ 3.3 Pay, Duties & Employment Contracts / Gehälter, Aufgaben & Arbeitsverträge

What is worth doing is worth the trouble of asking somebody to do it. (Ambrose Bierce, US poet and story writer, 1842–1914)

prospects ['prɒspekts]	Aussichten
be promoted [ˌbi: prə'məʊtɪd]	befördert werden
promotion [prə'məʊʃn]	Beförderung
promotion prospects / opportunities for promotion	Aufstiegsmöglichkeiten / Aufstiegschancen
equal opportunity [ˌi:kwl ɒpə'tju:nəti] / **equal opportunities** [ˌi:kwl ɒpə'tju:nətiz]	Chancengleichheit
age limit ['eɪdʒ ˌlɪmɪt]	Altersgrenze
The age limit for applicants is 35.	Bewerber dürfen das 35. Lebensjahr nicht überschritten haben.
career [kə'rɪə]	Karriere
career path	beruflicher Werdegang
career prospects	Karriereaussichten
excellent ['eksələnt]	ausgezeichnet
exciting [ɪk'saɪtɪŋ]	aufregend
develop [dɪ'veləp]	entwickeln
rise [raɪz]	aufsteigen
suit [su:t]	passen
The position would suit a single person.	Die Stelle eignet sich für alleinstehende Personen.
attract [ə'trækt]	anlocken
recruit [rɪ'kru:t]	rekrutieren / anwerben
consider sb for a position [kənˌsɪdə sʌmbədi fər ə pə'zɪʃn]	jdn für eine Stellung in Erwägung ziehen
At the moment, six candidates are being considered for the job.	Zur Zeit werden sechs Kandidaten für die Stellung in Erwägung gezogen.
engage [ɪn'geɪdʒ] / **appoint** [ə'pɔɪnt] / **take on** [ˌteɪk 'ɒn]	einstellen / ernennen
He was appointed managing director.	Er wurde zum Geschäftsführer ernannt.
vacancy ['veɪkənsi] / **opening** ['əʊpənɪŋ]	freie Stelle, offene Stelle
advertise a vacancy	ein Stellenangebot ausschreiben

situations vacant	offene Stellen
newspaper ad	Zeitungsinserat
Internet ad	Internetanzeige
We've just updated our Internet ad to include the salary scale.	Wir haben gerade unsere Anzeige im Internet aktualisiert, um die Gehaltsskala mit einzubeziehen.
job ad	Stellenanzeige
jobcentre ['dʒɒb ˌsentə]	Arbeitsamt (staatlich)
job creation scheme	Arbeitsbeschaffungsmaßnahmen
employment agency [ɪm'plɔɪmənt ˌeɪdʒənsi]	privater Arbeitsvermittler
staff agency	Personalvermittlung

Info-Box

Job ads according to type of business (in %)
Stellenanzeigen nach Branchen (in %)

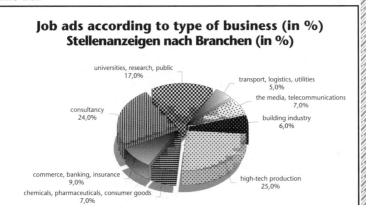

transport, logistics, utilities	Transport, Logistik, Versorgungs-unternehmen
the media, telecommmunications	Medien, Telekommunikation
building industry	Bauindustrie
high-tech production	High-Tech-Fertigungs-Industrie
chemicals / pharmaceuticals, consumer goods	Chemie / Pharma, Konsumgüter
commerce, banking, insurance	Handel, Banken, Versicherungen
consultancy	Beratung
universities, research, public services	Hochschulen, Forschung, öffentliche Dienstleister

---

appointment (job) [ə'pɔɪntmənt]	Stelle, Ernennung
appointment (interview)	Termin, Verabredung
arrange an appointment	einen Termin vereinbaren
I'd like to arrange an appointment for the 12th of March.	Ich möchte einen Termin für den 12. März vereinbaren.
arrange for	veranlassen

arrangement	Vereinbarung, Abmachung
confidential [ˌkɒnfɪ'denʃl]	vertraulich
Is my application confidential?	Ist mein Antrag vertraulich?
put questions [ˌpʊt 'kwestʃnz]	Fragen stellen
if requested [ˌɪf rɪ'kwestɪd]	auf Wunsch
interview ['ɪntəvjuː] / **job interview** ['dʒɒb ˌɪntəvjuː]	Einstellungs- / Vorstellungsgespräch
telephone interview	telefonisches Einstellungsgespräch
be available [ə'veɪləbl]	zur Verfügung stehen
I am available for interview at any time.	Ich stehe jederzeit für ein Einstellungsgespräch zur Verfügung.
conduct an interview [ˌkəndʌkt ən 'ɪntəvjuː]	ein Vorstellungsgespräch führen
panel ['pænl]	Kommission
candidate ['kændɪdət]	Bewerber(-in)
screen candidates	Bewerber überprüfen
aptitude test ['æptɪtjuːd ˌtest]	Eignungstest
We ask all candidates to take an aptitude test as a matter of course.	In der Regel bitten wir alle Kandidaten, einen Eignungstest zu absolvieren.
strengths [streŋθs]	Stärken
weaknesses ['wiːknəsɪz]	Schwächen
polite [pə'laɪt]	höflich
clever ['klevə]	klug
promising ['prɒmɪsɪŋ]	vielversprechend
impressive [ɪm'presɪv]	eindrucksvoll
hard-working [ˌhɑːd'wɜːkɪŋ] / **industrious** [ɪn'dʌstriəs]	fleißig
co-operative [kəʊ'ɒpərətɪv]	entgegenkommend, kooperativ
helpful ['helpfʊl]	hilfsbereit; nützlich
efficient [ɪ'fɪʃnt]	tüchtig, leistungsfähig
enterprising ['entəpraɪzɪŋ]	einfallsreich, erfindungsreich
reliable [rɪ'laɪəbl]	zuverlässig
ambitious [æm'bɪʃəs]	ehrgeizig
discreet [dɪ'skriːt]	diskret
flexible ['fleksəbl]	flexibel
responsible [rɪ'spɒnsəbl]	verantwortungsbewusst
sense of responsibility [ˌsens əv rɪˌspɒnsə'bɪləti]	Verantwortungsbewusstsein
sense of humour	Sinn für Humor
business sense	Geschäftssinn
self-confidence [ˌself'kɒnfɪdəns]	Selbstvertrauen
determination [dɪˌtɜːmɪ'neɪʃn]	Entschlossenheit
attitude ['ætɪtjuːd]	Einstellung

dynamism ['daɪnəmɪzm]   Dynamik
right qualities, the [ˌraɪt 'kwɒlətiz]   die richtigen Eigenschaften
He has exactly the right qualities.   Er hat genau die richtigen Eigenschaften.

leadership qualities   Führungsqualitäten

expect sth from a job   etw von einem Job erwarten
  [ɪkˌspekt sʌmθɪŋ frəm ə 'dʒɒb]
It's important to know what you   Es ist wichtig zu wissen, was Sie
  expect from a job – apart from   außer dem Geld von einem Job
  the money.   erwarten.

become eligible [bɪˌkʌm 'elɪdʒəbl]   sich qualifizieren
You become eligible for this scheme   Nach dreimonatiger Dienstzeit
  after 3 months service.   sind Sie für dieses Programm
  qualifiziert.

be part of one's work   Bestandteil der eigenen Arbeit sein
  [bi: ˌpɑːt əv wʌnz 'wɜːk]
Was translating part of your work   War Übersetzen Bestandteil Ihrer
  at HBD?   Arbeit bei HBD?

process applications   Bewerbungen bearbeiten
  [ˌprəʊsəs æplɪ'keɪʃnz]
selection process [sɪ'lekʃn ˌprəʊsəs]   Auswahlverfahren
assess [ə'ses]   bewerten
assessment   Bewertung
impression [ɪm'preʃn]   Eindruck
shortlist ['ʃɔːtlɪst]   Auswahlliste, engere Wahl
be short-listed   in die engere Wahl kommen
All the short-listed applicants will be   Alle in die engere Wahl genom-
  invited for interview.   menen Bewerber werden zu einem
  Vorstellungsgespräch eingeladen.

job offer ['dʒɒb ˌɒfə]   Stellenangebot
accept [ək'sept]   annehmen
decline [dɪ'klaɪn]   ablehnen
rejection [rɪ'dʒekʃn]   Ablehnung

congratulations [kənˌgrætʃʊ'leɪʃnz]   herzliche Glückwünsche
be delighted [dɪ'laɪtɪd]   erfreut sein

starting date ['stɑːtɪŋ ˌdeɪt]   Anfangsdatum
starting salary   Anfangsgehalt

FAQs

What does it mean to to pay lip service to an idea?

"To pay lip service to an idea" could be translated with *Lippenbekenntnis zu einer Idee ablegen.* In business, somebody might seem – on the surface (= *nach außen hin*) – to agree to a company's plan or project, but he privately disagrees. One may say "So far, he has paid lip service to the project. But he'll soon tell us what he really thinks about it."

What does "CLM" stand for?

It stands for "**c**areer-**l**imiting **m**ove" and implies (= *beinhaltet*) everything you may do, unintentionally (= *unabsichtlich*), which might annoy or insult your superiors (= *Ihre Vorgesetzten ärgern oder beleidigen*). For example, if you corrected your supervisor's pronunciation (= *Aussprache*) at a company party, this would certainly be a CLM.

Pay, Duties & Employment Contracts
Gehälter, Aufgaben & Arbeitsverträge

→ 1.3 Personnel / Personal

Work expands to fill the time available for its completion. *(C. Northcote Parkinson, US historian & writer, born 1909)*

job [dʒɒb]	Arbeit / Aufgabe / Stelle / Verantwortung
It's my job to tie up all the loose ends.	Meine Aufgabe ist es, noch offene Detailfragen zu klären.
job description / job specification	Stellenbeschreibung
job security	Sicherheit des Arbeitsplatzes
secure job	sicherer Arbeitsplatz
temporary / permanent job	befristete / feste Stelle
All appointments are temporary at first.	Alle Anstellungen sind zunächst befristet.
job-sharing ['dʒɒbʃeərɪŋ]	Arbeitsplatzteilung
duties ['djuːtiz] / **responsibilities** [rɪˌspɒnsə'bɪlətiz]	Aufgaben
work [wɜːk]	Arbeit, arbeiten
The work involves a great deal of translation.	Die Arbeit besteht zu einem großen Teil aus Übersetzungen.
administrative work	Verwaltungsarbeit
craft work	Handwerk
routine work	Routinearbeit
temporary work	Arbeit als Aushilfskraft, Zeitarbeit
work freelance	freiberuflich tätig sein
work permit	Arbeitserlaubnis
work under high pressure	unter hohem Druck arbeiten
When urgent orders come in, everyone has to work under pressure.	Wenn dringende Bestellungen hereinkommen, muss jeder unter Druck arbeiten.
workplace	Arbeitsplatz
work overtime	Überstunden machen
work time and a half	Überstunden zum anderthalbfachen Tarif machen
overtime (= OT)	Überstunden
flexitime	gleitende Arbeitszeit, Gleitzeit
We have a flexitime system here.	Wir haben hier Gleitzeit.
start / stop work at …	um … mit der Arbeit beginnen / die Arbeit beenden

| stop + -ing | aufhören etw zu tun |
| stop + infinitive | aufhören, um etw anderes zu tun |

We stopped working at three o'clock. *Wir hörten um drei Uhr auf zu arbeiten.*

We stopped (in order) to work on the accounts around 11. *Gegen elf hörten wir auf, um an der Buchhaltung zu arbeiten.*

working conditions Arbeitsbedingungen
['wɜːkɪŋ kənˌdɪʃnz]
working hours Arbeitszeit
working week (AE: workweek) Arbeitswoche
We work a 35-hour week. Wir arbeiten 35 Stunden pro Woche.
working atmosphere Arbeitsklima
teleworking Telearbeit
homeworking Heimarbeit
short-time working Kurzarbeit
When orders drop off after Christmas, Wenn die Bestellungen nach
most of the staff are put on Weihnachten nachlassen, müssen
short-time. die Mitarbeiter Kurzarbeit leisten.

worker ['wɜːkə] Arbeiter(-in)
full-time / part-time workers Vollarbeits- / Teilzeitkräfte
occasional worker / casual worker Gelegenheitsarbeiter
office worker Büroarbeiter(-in), Büroangestellte(r)
outworker Heimarbeiter(-in)
blue-collar / white-collar worker Arbeiter(-in) / Angestellte(r)
skilled worker Facharbeiter(-in)
skilled / semi-skilled / unskilled ausgebildet / angelernt / ungelernt

employer [ɪmˈplɔɪə] Arbeitgeber(-in)
employee [ɪmˈplɔɪiː] Arbeitnehmer(-in)
temp [temp] / **temporary** [ˈtemprəri] Zeitarbeitskraft
colleague [ˈkɒliːg] Kollege (-in)
This is Kurt Binder, a colleague of mine. Das ist mein Kollege Kurt Binder.

dress [dres] Kleid
dress code Kleidervorschriften, Kleiderordnung
smartly dressed elegant, schick angezogen
There's no dress code, but you're Es gibt keine Kleiderordnung, aber
expected to be presentable. man erwartet, dass Sie ordentlich
angezogen sind.

staff appraisal [ˌstɑːf əˈpreɪzl] Personalbeurteilung

look after [ˌlʊk 'ɑːftə] /
  deal with ['diːl ˌwɪθ]

Herr Riedel here will deal with any
  matters relating to contracts and
  salary.
cope with ['kəʊp ˌwɪθ]

He knows how to cope with difficult
  customers.
keep records [ˌkiːp 'rekɔːdz] / **keep
  a record of** [ˌkiːp ə 'rekɔːd əv]

holiday (AE: vacation) ['hɒlədeɪ] /
  leave [liːv]
The staff arrange their holiday dates so
  that the office is always manned.

be on holiday / be on leave
maternity / paternity leave
holiday entitlement
You're entitled to 25 days holiday
  a year.
holiday dates
staggered holidays
annual leave
leave of absence
days off [ˌdeɪz 'ɒf]
be given time off
off sick
medical insurance
  ['medɪkl ɪnˌʃʊərəns] /
  health insurance ['helθ ɪnˌʃʊərəns]
medical certificate
national insurance contributions
  (AE: social security contributions)
pension scheme ['penʃn ˌskiːm]

pay [peɪ]
salary ['sæləri]
basic pay / basic salary
The basic salary is shown in this table.

pay scale / salary scale
pay rise
pay by the hour
hourly rate
well-paid job

sich kümmern um, erledigen, sich
  befassen mit

Herr Riedel hier wird sich um alle
  Fragen bezüglich der Verträge und
  des Gehalts kümmern.
fertig werden mit, zurechtkommen
  mit
Er weiß, wie man mit schwierigen
  Kunden fertig wird.
Buch führen, (schriftlich) festhalten

Urlaub, Ferien

Die Belegschaft richtet ihre Urlaubstermine so ein, dass das Büro
  immer besetzt ist.
im Urlaub sein, Urlaub haben
Mutter- / Vaterschaftsurlaub
Urlaubsanspruch
Ihnen stehen 25 Tage Urlaub im Jahr
  zu.
Urlaubstermine
zeitversetzte Ferien
Jahresurlaub
Beurlaubung
freie Tage
frei bekommen, freigestellt werden
krankgeschrieben
Krankenversicherung

Attest, Krankschreibung
Beiträge zur Sozialversicherung

Rentenversicherung

Bezahlung / Lohn / Gehalt
Gehalt
Grundgehalt
Das Grundgehalt ist in dieser Tabelle
  aufgeführt.
Lohn- / Gehaltsskala, Gehaltstabelle
Gehaltserhöhung
pro Stunde bezahlen
Stundenlohn
gut bezahlte Arbeit

take-home pay	Nettoverdienst / -lohn
performance-related pay (= PRP)	leistungsbezogenes Gehalt
wage [weɪdʒ] / **wages** ['weɪdʒiz]	Lohn / Löhne
wage earner	Lohnempfänger
minimum wage	Mindestlohn
tax deductions ['tæks dɪˌdʌkʃnz]	Steuerabzüge
earnings ['ɜːnɪŋz]	Einkommen, Verdienst
actual earnings	Effektivlohn
average earnings	Durchschnittsverdienst
additional earnings	Nebenverdienste
bonus ['bəʊnəs]	Prämie, Zulage, Zuschlag
Each month there's a bonus for the highest-selling rep.	Es gibt jeden Monat eine Prämie für den Vertreter mit den höchsten Verkaufsraten.
special bonus	Sondervergütung, -zuschlag
incentive bonus [ɪn'sentiv ˌbəʊnəs]	Anreizprämie
output bonus	Produktionsprämie
There's a Christmas bonus for the retail staff.	Es gibt einen Weihnachtsbonus für die Mitarbeiter im Einzelhandel.
gratuity [grə'tjuːəti]	Sondervergütung, Zuwendung
commission [kə'mɪʃn]	Provision
commission of 15%, a	eine Provision von 15%
season ticket (AE: commuter ticket) ['siːzn ˌtɪkɪt]	Saisonkarte
meal ticket	Essensmarke
canteen [kæn'tiːn]	Kantine
assistance [ə'sɪstəns]	Unterstützung, Zuschuss
car allowance ['kɑː əˌlaʊəns]	*in etwa*: Kilometergeld
company car	Firmenwagen
You'd have the use of a company car.	Es stünde Ihnen ein Firmenwagen zur Verfügung.
commute [kə'mjuːt]	pendeln
park and ride (= P&R) [ˌpɑːk ənd 'raɪd]	*in etwa:* parken und pendeln
relocation costs / removal expenses	Umzugskosten

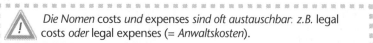

⚠ *Die Nomen* costs *und* expenses *sind oft austauschbar: z.B.* legal costs *oder* legal expenses *(=* Anwaltskosten*).*

dismiss [dɪs'mɪs]	entlassen
dismissal	Entlassung
unfair dismissal	ungerechtfertigte Entlassung
get the sack / be dismissed	entlassen werden / gekündigt werden

A rep can be dismissed, if he fails to meet his month's quota.	Ein Vertreter kann entlassen werden, wenn er das monatliche Verkaufsziel nicht erreicht.
give sb the sack	jdn entlassen

notice ['nəʊtɪs] / **period of notice** [ˌpɪəriəd əv 'nəʊtɪs]

A month's notice can be given on either side.	Beide Seiten haben eine Kündigungsfrist von einem Monat.
at a week's notice	mit einwöchiger Kündigungsfrist
short notice	kurzfristig
give notice / hand in one's notice / quit / resign	kündigen

job cuts ['dʒɒb ˌkʌts]	Stellenkürzungen
make sb redundant [ˌmeɪk sʌmbədi rɪ'dʌndənt]	jdn entlassen
redundant staff	entlassene Arbeitskräfte
redundancy payment / severance payment	Abfindung(szahlung)
early retirement [ˌɜːli rɪ'taɪəmənt]	Vorruhestand
take early retirement	vorzeitig in Rente gehen / in den Vorruhestand treten

employment contract [ɪmˌplɔɪmənt 'kɒntrækt]	Arbeitsvertrag
short-term contract	Vertrag mit kurzer Laufzeit
probation period [prə'beɪʃn ˌpɪəriəd] / **trial period** ['traɪəl ˌpɪəriəd]	Probezeit
There's a 3 months probation period for all new appointments.	Für alle Neueinstellungen gibt es eine dreimonatige Probezeit.

trade/s union (= TU) (AE: labor union) [ˌtreɪd/z 'juːnjən]	Gewerkschaft
union member	Gewerkschaftsmitglied
membership	Mitgliedschaft
voluntary membership	freiwillige Mitgliedschaft

length of service [ˌleŋθ əv 'sɜːvɪs]	Dienstzeit

FAQs

What are "perks"?

Perks (short for "perquisites") are advantages (= *Vorteile*) which come with the job, apart from the pay. Examples of perks are free health insurance (= *Krankenversicherung*), free meals, a company car. Perks are also known as "fringe benefits".

Training
Aus- & Fortbildung

→ 1.3 Personnel / Personal

Give a man a fish and you feed him for a day. Teach a man to fish and you feed him for a lifetime. (Chinese proverb)

settle in [ˌsetl ˈɪn]	sich einleben
get to know / learn the ropes [ˌget tə nəʊ ðə ˈrəʊps]	sich in etwas einarbeiten
be familiar with sth [fəˈmɪljə wɪθ] / **to know the ropes**	sich mit etw auskennen / mit etw vertraut sein
It's important for all new staff to be familiar with graphs and statistics.	Es ist wichtig, dass sich alle neuen Mitarbeiter mit graphischer Darstellung und Statistik auskennen.
familiarize oneself with a new job [fəˈmɪljəraɪz wʌnself wɪð ə ˌnjuː ˈdʒɒb]	sich in einen neuen Job einarbeiten
learning-by-doing [ˌlɜːnɪŋ baɪ ˈduːɪŋ]	Lernen durch praktische Anwendung
train [treɪn]	ausbilden, schulen
We train staff in the necessary technical skills.	Wir bilden das Personal in den notwendigen technischen Kenntnissen aus.
training course	Ausbildung, Lehre
training programme	Ausbildungsprogramm
We're gradually integrating computer graphics work into our training programme.	Wir integrieren schrittweise Computergraphik in unser Ausbildungsprogramm.
training officer / training manager	Ausbildungsleiter(-in)
vocational training / further vocational training	berufliche Bildung, Berufsausbildung
on-the-job training [ˌɒn ðə ˈdʒɒb ˌtreɪnɪŋ]	Ausbildung am Arbeitsplatz
in-house training / in-service training	innerbetriebliche Ausbildung
Our representatives first receive in-house training.	Zuerst erhalten unsere Vertreter eine innerbetriebliche Ausbildung.
Our training base is in Hamburg.	Unser Schulungszentrum ist in Hamburg.
training contract	Ausbildungsvertrag
foreign language training	Fremdsprachentraining
retrain [ˌriːˈtreɪn]	umschulen
retraining	Umschulung
day release [ˌdeɪ rɪˈliːs]	(tageweise) Freistellung (im dualen Ausbildungssystem)

practical, (period of) practical training ['præktɪkl, (ˌpɪərɪəd əv) ˌpræktɪkl 'treɪnɪŋ] — Praktikum

apprentice [ə'prentɪs] / **trainee** [ˌtreɪ'niː] — Auszubildende(r), Lehrling

apprenticeship — Lehre

serve an apprenticeship — Lehre absolvieren

enrol (AE: enroll) **in a course** [ɪnˌrəʊl ɪn ə 'kɔːs] — sich für einen Lehrgang / Kurs einschreiben

take a course in electronics — an einem Elektronik-Lehrgang / -Kurs teilnehmen

refresher course — Auffrischungskurs

evening course — Abendkurs

exam [ɪg'zæm] / **examination** [ˌɪgzæmɪ'neɪʃn] — Prüfung

sit / take an exam — eine Prüfung machen

study for an exam — für eine Prüfung lernen

pass an exam / fail an exam — eine Prüfung bestehen / durchfallen

examination board — Prüfungsbehörde

final examination — Abschlussprüfung

grade [greɪd] — benoten, zensieren

arrive at (a grade) — (eine Note) bestimmen

entrance requirements ['entrəns rɪˌkwaɪəmənts] — Aufnahmebedingungen

achievement [ə'tʃiːvmənt] — Leistung

practise ['præktɪs] — üben

improve [ɪm'pruːv] — verbessern

FAQs

What are National Vocational Qualifications (= NVQs)?

They are British qualifications based on skills (= *Fähigkeiten*) and work done in the workplace, in industry and commerce. You cannot get NVQs by going to classes (= *Unterricht besuchen*).

Conferences & Meetings
Konferenzen & Besprechungen

4

Conferences
Konferenzen

→ 4.2 Formal Meetings / Sitzungen

No grand idea was ever born in a conference. But a lot of foolish ideas have died there. (F. Scott Fitzgerald, US novellist, 1896–1940)

conference ['kɒnfrəns]	Konferenz
conference facilities	Konferenzeinrichtung
conference report	Konferenzbericht
stage a conference	eine Konferenz veranstalten
You'll get a copy of the conference report.	Sie werden eine Kopie des Konferenzberichts erhalten.
welcome to a conference	zu einer Konferenz willkommen heißen
On behalf of the company, I'd like to welcome you to our trades conference.	Im Namen unserer Firma heiße ich Sie zu unserer Handelskonferenz willkommen.
participate [pɑː'tɪsɪpeɪt]	teilnehmen
participant [pɑː'tɪsɪpənt] / **delegate** ['delɪgət]	Teilnehmer(-in)
We're expecting 75 participants, apart from the speakers.	Wir erwarten außer den Sprechern 75 Teilnehmer.
attend [ə'tend]	anwesend sein, teilnehmen, besuchen
attendance	Anwesenheit
attendance list	Anwesenheitsliste
venue ['venjuː]	Tagungsort
turn up [ˌtɜːn 'ʌp]	erscheinen
If an extra ten or twenty people turned up, could you fit them in?	Falls weitere zehn oder zwanzig Leute erscheinen würden, könnten Sie sie aufnehmen?
take place [ˌteɪk 'pleɪs]	stattfinden
gather ['gæðə]	sich treffen
small talk ['smɔːl ˌtɔːk]	oberflächliche Konversation
arrange [ə'reɪndʒ]	veranlassen
Would you please arrange the room in advance?	Würden Sie den Raum bitte vorher herrichten?
make arrangements [ˌmeɪk ə'reɪndʒmənts]	organisieren
seating arrangement	Sitzordnung

We prefer a frontal / round table / U-form seating arrangement.	Wir bevorzugen eine frontal ausgerichtete / kreisförmig angeordnete / hufeisenförmige Sitzordnung.
keep to arrangements	sich an Vereinbarungen halten
timetable ['taɪmteɪbl]	terminieren / einen Zeitplan aufstellen, Zeitplan / Stundenplan
We'll stick to the timetable as closely as we can.	Wir werden uns so gut wie möglich an den Zeitplan halten.
conference timetable	Konferenzprogramm
session ['seʃn]	Sitzung
opening / closing session	Eröffnungs- / Schlusssitzung
host [həʊst]	Gastgeber(-in) sein
get things started [ˌget θɪŋz 'stɑːtɪd]	einen Anfang machen
Let's get started.	Lassen Sie uns beginnen.
kick-off [ˌkɪk 'ɒf]	Beginn, Anstoß
speech [spiːtʃ]	Vortrag
speech of welcome	Willkommensgruß
punctuality [ˌpʌnktʃu'æləti]	Pünktlichkeit
name card ['neim ˌkɑːd] / **name tag** ['neim ˌtæg]	Namenskärtchen / Namensschild
May I ask you all to wear your name tags, please?	Darf ich Sie bitten, Ihre Namensschilder zu tragen?
topic ['tɒpɪk] / **subject** ['sʌbdʒɪkt]	Thema
introduction [ˌɪntrə'dʌkʃn]	Vorstellung; Einleitung, Einführung
introductory [ˌɪntrə'dʌktri]	Einführungs-
speaker ['spiːkə]	Redner(-in)
keynote speaker	Hauptredner(-in)
introduce the speakers	die Redner vorstellen
It's my great pleasure to introduce to you Mr Tim Harvey.	Es freut mich sehr, Ihnen Herrn Tim Harvey vorstellen zu dürfen.
attention [ə'tenʃn]	Aufmerksamkeit
May I have your attention, please? Can you all hear me?	Darf ich um Ihre Aufmerksamkeit bitten? Können Sie mich alle hören?
need help [ˌniːd 'help]	Hilfe benötigen
Should you need any help, please see Frau Weil.	Sollten Sie Hilfe benötigen, wenden Sie sich bitte an Frau Weil.
to your satisfaction [ˌsætɪs'fækʃn]	zu Ihrer Zufriedenheit
I hope you find everything to your satisfaction.	Ich hoffe, es ist alles zu Ihrer Zufriedenheit.

raise questions [ˌreɪz ˈkwestʃnz]
Feel free to raise questions at any time.

Are there any (further) questions?

Fragen stellen
Zögern Sie nicht, jederzeit Fragen zu stellen.

Gibt es (noch weitere) Fragen?

break [breɪk]
We'll have a break at about 10.30.

coffee / tea break
lunch break

Pause
Wir werden gegen 10.30 Uhr eine Pause machen.

Kaffee- / Teepause
Mittagspause

Wollen Sie eine Konferenz veranstalten? Hier eine Checkliste der Einrichtungen, die Sie eventuell buchen müssen:

CHECKLIST

Meeting room	Sitzungszimmer / Tagungsraum
Conference room	Konferenzraum
Auditorium	Saal
– for how many people?	– für wie viele Personen?
– seating capacity	– Sitzkapazität
Seating arrangement	Sitzordnung
– lecture style	– Anordnung wie für einen Vortrag (mit nach vorne gerichteten Stuhlreihen)
– meeting style	– Anordnung wie für eine Sitzung
– horseshoe arrangement	– Anordnung in Hufeisenform
Smaller rooms for group meetings / "break-out" rooms	Kleinere Räume für informelle Gespräche
Stage	Bühne
Rostrum	Podest
Amenities / facilities	Einrichtungen
Restaurant / bar	Restaurant / Bar
Refreshments	Erfrischungen
Drinks machine	Getränkeautomat
Tannoy	Lautsprecheranlage
Excellent acoustics	hervorragende Akustik

Flip chart	Flip-chart
Audio-visual facilities	Audiovisuelle Einrichtungen
– slide projector	– Diaprojektor
– video cassette recorder (= VCR)	– Videogerät, Videorekorder
– compact disk player (=CD)	– CD-Player
– overhead projector (= OHP)	– Tageslichtprojektor
– beamer	– Beamer
Folder	Mappe, Faltprospekt
Screen	Leinwand
Transparencies	Folien
Whiteboard	Tafel, weißes Brett
Photocopier	Fotokopierer
Self-dial telephone	Selbstwähltelefon
Fax	Fax
Business centre with internet facilities	Business-Center mit Internet-Verbindung
Access to airport / rail station (eg shuttle service, taxi)	Zugang zum Flughafen / Bahnhof (z.B. Pendelverkehrservice, Taxi)

FAQs

How can I start and maintain small talk?

To do this is in a polite and non-intrusive manner (= *auf höfliche und nicht aufdringliche Art*), form questions with the "five Ws" (who? what? when? where? why?). These will start the conversation and keep it going, as they cannot be answered with a straight "yes" or "no".

Formal Meetings
Sitzungen

→ 4.1 Conferences / Konferenzen

meeting ['mi:tɪŋ] — Besprechung / Tagung / Sitzung / Versammlung

preliminary meeting — Vorbesprechung

annual general meeting (= AGM) — Jahreshauptversammlung

The AGM will be held on January 30th. — Die Jahreshauptversammlung wird am 30. Januar abgehalten.

board meeting — Vorstandssitzung

boardroom — Vorstandszimmer, Führungsetage

reserve a meeting room — einen Tagungsraum reservieren

I would like to reserve a meeting room from 9.00 am to 5.00 pm. — Ich möchte einen Tagungsraum von 9.00 Uhr bis 17.00 Uhr reservieren.

call a meeting — eine Sitzung einberufen

hold a meeting — eine Besprechung abhalten

be in charge of a meeting — eine Sitzung leiten

open / close a meeting — eine Tagung eröffnen / schließen

interrupt a meeting — eine Sitzung unterbrechen

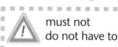

must not — *nicht dürfen*

do not have to (or: need not) — *nicht müssen*

We mustn't interrupt the meeting – let's wait till it's over. — *Wir dürfen die Sitzung nicht unterbrechen – warten wir, bis sie beendet ist.*

Page 19 has to be changed – but we needn't change page 20. — *Seite 19 muss geändert werden – Seite 20 müssen wir jedoch nicht ändern.*

---

agenda [ə'dʒendə] — Tagesordnung

keep to the agenda — sich an die Tagesordnung halten

item (on the agenda) ['aɪtəm] — Tagesordnungspunkt

That's the next item on the agenda. — Das ist der nächste Tagesordnungspunkt.

greet [gri:t] — (be)grüßen

brief [bri:f] — informieren

I'd like to brief you on the latest developments. — Ich würde Sie gerne über die neuesten Entwicklungen informieren.

break off [ˌbreɪk 'ɒf] — abbrechen

comment ['kɒmənt] — Bemerkung

comment on ['kɒment ɒn]	kommentieren, Bemerkungen machen zu
Could I just comment on that?	Könnte ich dazu etwas sagen?
contribution [ˌkɒntrɪ'bjuːʃn]	Beitrag
make a contribution	einen Beitrag leisten
go on to discuss sth [dɪs'kʌs]	als Nächstes etw diskutieren

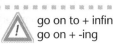

go on to + infinitive	*etw (Neues) als Nächstes tun*
go on + -ing	*etw weiterhin tun*
Right, that point has been settled – could we go on to discuss contracts now?	*In Ordnung, dieser Punkt ist geklärt – könnten wir als Nächstes die Verträge besprechen?*
It was late, but they went on talking till they came to an agreement.	*Es war spät, aber sie fuhren fort mit der Besprechung, bis sie zu einer Einigung kamen.*

motion ['məʊʃn]	Antrag
put forward / bring forward a motion	einen Antrag stellen
second a motion	einen Antrag unterstützen
speak for / against a motion	sich für / gegen einen Antrag aussprechen
reject a motion [rɪ'dʒekt ə 'məʊʃn]	einen Antrag ablehnen
carry a motion	einen Antrag durchbringen / annehmen / beschließen

take a vote [ˌteɪk ə 'vəʊt]	abstimmen
Can we vote on that?	Können wir darüber abstimmen?
vote for / against	abstimmen für / gegen
casting vote [ˌkɑːstɪŋ 'vəʊt]	ausschlaggebende Stimme
voting right / right to vote	Stimmrecht
show of hands [ˌʃəʊ əv 'hændz]	Handabstimmung / Abstimmung durch Handzeichen

ballot ['bælət]	Stimmabgabe
The ballot will be held directly after the meeting.	Die Stimmabgabe erfolgt direkt nach der Versammlung.
elect [ɪ'lekt]	wählen
gain control [ˌgeɪn kən'trəʊl]	Kontrollfunktionen übernehmen
put off [ˌpʊt 'ɒf]	jdn (auf später) vertrösten
ratify ['rætɪfaɪ]	ratifizieren, genehmigen
The decision still has to be ratified by the committee.	Die Entscheidung muss vom Ausschuss noch ratifiziert werden.

suggest [sə'dʒest]	vorschlagen
I suggest we discuss the schedule.	Ich schlage vor, dass wir den Terminplan besprechen.
suggestion / proposal	Vorschlag
recommend [ˌrekə'mend]	empfehlen

recommendation	Empfehlung
announce [ə'naʊns]	ankündigen
announcement	Ankündigung
postpone [pəʊst'pəʊn]	verschieben
reject [rɪ'dʒekt]	ablehnen
go into details [ˌgəʊ ɪntə 'diːteɪlz]	ins Einzelne / Detail gehen
Without going into details, I'd like to give you an outline of the plan.	Ohne ins Detail zu gehen möchte ich Ihnen einen Überblick über unseren Plan geben.
stick to the point [ˌstɪk tə ðə 'pɔɪnt]	bei der Sache bleiben
circulate ['sɜːkjəleɪt]	in Umlauf bringen
draw up [ˌdrɔː 'ʌp]	entwerfen
implement ['ɪmpləmənt]	aus- / durchführen
bring up [ˌbrɪŋ 'ʌp]	zur Sprache bringen
raise a question [ˌreɪz ə 'kwestʃn]	eine Frage zur Sprache bringen
I'd like to raise a question about the cost analysis.	Ich möchte gern eine Frage über die Kostenanalyse zur Sprache bringen.
consensus [kən'sensəs]	Konsens
unanimous/ly [juːˈnænɪməs] / [juːˈnænɪməsli]	einstimmig
majority [mə'dʒɒrəti]	Mehrheit
decision [dɪ'sɪʒn]	Entscheidung
majority decision	Mehrheitsbeschluss
in the majority / minority	in der Mehrheit / Minderheit
against [ə'genst]	gegen
in favour of [ɪn 'feɪvər_əv]	für
The majority is / are in favour of the idea.	Die Mehrheit ist für die Idee.
abstain [əb'steɪn]	sich (der Stimme) enthalten
abstention	Stimmenenthaltung
objection [əb'dʒekʃn]	Einwand
chair [tʃeə] / **chairman** ['tʃeəmən] / **chairwoman** ['tʃeəˌwʊmən] / **chairperson** ['tʃeəˌpɜːsn]	Vorsitzende(r), (Gesprächs)Leiter(-in)
speak through the chair	sich über den Vorsitzenden zu Wort melden
address the chair	sich an den Vorsitzenden wenden
committee [kə'mɪti]	Ausschuss
planning / finance / management committee	Planungs- / Finanz- / Führungs- ausschuss
procedure [prə'siːdʒə]	Verfahren, Ablauf
suggested procedure	vorgeschlagene Verfahrensweise
minutes ['mɪnɪts]	Protokoll
keep / take the minutes	Protokoll schreiben / führen
quorum ['kwɔːrəm]	beschlussfähige Mehrheit
have / constitute a quorum	beschlussfähig sein

adjourn [ə'dʒɜːn]	vertagen
The meeting is adjourned till tomorrow morning.	Die Sitzung wird auf morgen früh vertagt.
adjournment	Vertagung
amendment [ə'mendmənt]	(Ab)Änderung
approval [ə'pruːvl]	Genehmigung
resolution [ˌrezə'luːʃn]	Beschluss(fassung), Resolution
adopt / pass a resolution	eine Resolution annehmen
sum up [ˌsʌm 'ʌp] / **summarise** ['sʌməraɪz]	zusammenfassen
summary	Zusammenfassung
gist [dʒɪst]	die Hauptpunkte / das Wesentliche
Could you give me the gist of it?	Könnten Sie mir die Hauptpunkte / das Wesentliche erläutern?
outline ['aʊtlaɪn]	Überblick geben
clarify ['klærɪfaɪ]	klären
clarify a position	Standpunkt klarstellen
seek clarification [ˌsiːk ˌklærɪfɪ'keɪʃn]	um Klärung bitten
other business [ˌʌðə 'bɪznɪs]	Sonstiges
Any Other Business (= AOB)	Sonstiges
permission [pə'mɪʃn]	Erlaubnis
I take your point. [aɪ ˌteɪk jə 'pɔɪnt]	Das kann ich verstehen.
controversial [ˌkɒntrə'vɜːʃl]	umstritten, kontrovers
discreet/ly [dɪ'skriːtli]	diskret
secret/ly ['siːkrətli]	geheim
time to do sth [ˌtaɪm tə 'duː sʌmθɪŋ]	Zeit (sein) etw zu tun
It's about time / It's high time.	Es ist höchste Zeit.
facts [fækts]	Tatsachen
in view of these facts	angesichts dieser Tatsachen
Let's keep to the facts!	Bleiben wir auf dem Boden der Tatsachen!

FAQs

How big should the "space bubble" (ie speaking distance) be between conversation partners?

Anglo-Americans would regard about half a metre as a comfortable personal conversation space when standing and talking. This would be considered too close by Asians, who require a bigger "space bubble". On the other hand, conversation partners from South America or the Mediterranean stand extremely close to each other when talking.

Meeting Customers
Kunden treffen

3
4

→ 5.3 Negotiating / Verhandeln

The customer is an object to be manipulated, not a concrete person whose aims the businessman is interested to satisfy. (Erich Fromm, US psychoanalyst, 1900–80)

customer [ˈkʌstəmə] / **client** [ˈklaɪənt]	Kunde
satisfied customer, a	ein zufriedener Kunde
first-time customer	Neukunde
do business [ˌduː ˈbɪznɪs]	Geschäfte tätigen
do business with sb	mit jdm Geschäfte machen / tätigen
It's a pleasure to do business with you.	Es ist sehr angenehm, mit Ihnen geschäftlich zu tun zu haben.
How's business?	Wie gehen die Geschäfte?
get down to business	zur Sache kommen, an die Arbeit gehen
business matters	Geschäftsangelegenheiten
business people	Geschäftsleute
business lunch	Geschäftsessen
business call	Geschäftsbesuch
make an appointment [ˌmeɪk ən əˈpɔɪntmənt]	einen Termin vereinbaren
For our next meeting, I suggest Tuesday the 24th.	Für unser nächstes Treffen schlage ich Dienstag, den 24., vor.
cancel an appointment	einen Termin absagen
call on sb [ˈkɔːl ɒn]	jdn besuchen
call by	einen Besuch abstatten
I'll be in Leipzig next week. I'd like to call by.	Ich bin nächste Woche in Leipzig. Ich würde Ihnen gern einen Besuch abstatten.
touch base with sb (AE) [ˌtʌtʃ ˈbeɪs]	sich bei jdm melden
greet [griːt]	begrüßen
chat [tʃæt]	plaudern
socialise [ˈsəʊʃəlaɪz]	freundschaftliche Kontakte pflegen
suggest [səˈdʒest]	vorschlagen
I suggest we meet in the lounge at 8.	Ich schlage vor, wir treffen uns um 8 im Foyer.
pick up [ˌpɪk ˈʌp]	abholen
I'll pick you up in the hotel at 8 o'clock.	Ich hole Sie um 8 Uhr im Hotel ab.
invite to a drink [ɪnˌvaɪt tʊ ə ˈdrɪŋk]	zu einem Drink einladen
Why don't we meet for a drink at the bar?	Treffen wir uns doch zu einem Drink an der Bar?

invite to a meal [ɪnˌvaɪt tʊ ə 'miːl] zum Essen einladen
May I invite you to meet me for lunch? Darf ich Sie zum Mittagessen einladen?

run into difficulty [ˌrʌn ɪntə 'dɪfɪkəlti] auf Schwierigkeiten stoßen
Let me know if you run into any Lassen Sie es mich wissen, falls Sie
difficulty. auf Schwierigkeiten stoßen.

main difficulty, the [ˌmeɪn 'dɪfɪkəlti] Hauptproblem
As I understand it, the main difficulty Soweit ich es verstehe, ist der
is cashflow, right? Kapitalfluss das Hauptproblem.

main aspects, the [ˌmeɪn 'æspekts] die Hauptaspekte
OK, let's look at the main aspects to Gut, lassen Sie uns einmal die Haupt-
be dealt with here. aspekte ansehen, mit denen wir uns
hier befassen müssen.

offer help [ˌɒfə 'help] Hilfe anbieten
Perhaps I can help you. Vielleicht kann ich Ihnen helfen.

start straight away [ˌstɑːt streɪt ə'weɪ] gleich anfangen
If you're ready, we can start straight Wenn Sie bereit sind, können wir
away. gleich anfangen.

put sb in the picture [ˌpʊt sʌmbədi ɪn jdn ins Bild setzen
ðə 'pɪktʃə] / **fill sb in** [ˌfɪl sʌmbədi 'ɪn]
May I put you in the picture / fill Darf ich Sie ins Bild setzen?
you in?

run-down ['rʌndaʊn] das Wichtigste in Kürze
Let me give you a run-down on the Lassen Sie mich kurz das Wichtigste
production figures. über die Produktionszahlen
zusammenfassen.

promise ['prɒmɪs] Versprechen, versprechen

on first-name terms [ɒn 'fɜːstneɪm per du
ˌtɜːmz]

pleasant journey [ˌpleznt 'dʒɜːni] / angenehme Reise
trip [trɪp]
Did you have a pleasant journey / trip? Hatten Sie eine angenehme Reise?

say goodbye [ˌseɪ 'gʊdbaɪ] sich verabschieden

FAQs

What is "face time"?

That's the time you spend interacting with another person (eg a customer)
face-to-face. It means you're not interacting with a computer, a phone or
any other electronic device (= *Gerät*). You may say: "Yes, I know Katz – I
spent some face time with him in Birmingham".

Video Conferencing
Videokonferenz

→ 15.1 Hardware / Hardware
→ 15.2 Software / Software

Be in four places at once. (from Regus Videoconferencing's publicity leaflet)

> **Info-Box**
>
> *Mit Hilfe von Videokonferenzen können Reisezeit und Reisekosten einge-*
> *spart werden, was gerade für weltweit operierende Konzerne von Vorteil ist.*
> *Über Kameras und Bildschirme (= screens) werden die Konferenzteilnehmer*
> *(= conference participants) für alle jederzeit sicht- und hörbar (= visibly*
> and audibly) *zusammengeschaltet.*
>
> *Bei solchen Konferenzen kommen eine Vielzahl unterschiedlicher Kommuni-*
> *kationsformen zum Einsatz. So kann gemeinsam on-line an einem Dokument*
> *gearbeitet (= data conferencing), ein Konferenzgespräch geführt (= audio*
> conferencing) *oder eine Videokonferenz veranstaltet (= video conferencing)*
> *werden. Diese Formen können auch parallel eingesetzt werden (= used in*
> parallel).

video conference [ˌvɪdiəʊ ˈkɒnfrəns] Videokonferenz
take part in a video conference   an einer Videokonferenz teilnehmen
conference participant   Konferenzteilnehmer(-in)
We'll have three conference   Wir werden drei Konferenzteilnehmer
  participants at our end –   bei uns haben – und Sie?
  what about you?
video conferencing kit   Videokonferenz-Ausstattung
data conferencing   gemeinsam (on-line) an einem
                                 Dokument arbeiten
audio conferencing   Konferenzgespräche führen (on-line)

connection [kəˈnekʃn]   Verbindung
modem connection   Modemverbindung
telephone connection / line   Telefonverbindung
ISDN (= Integrated Services Digital ISDN-Verbindung
  Network) connection

compress [kəmˈpres] / **decompress** komprimieren / dekomprimieren
  [ˌdiːkəmˈpres]
compress a signal   ein Signal komprimieren
compressor program   Verdichtungsprogramm

standard ['stændəd]　　　　　　Norm, Niveau / (handels)üblich
normalize / standardize　　　　　vereinheitlichen, normen,
　　　　　　　　　　　　　　　　standardisieren
standardization　　　　　　　　Vereinheitlichung, Normierung,
　　　　　　　　　　　　　　　　Standardisierung

compatible [kəm'pætɪbl]　　　kompatibel, vereinbar
be compatible　　　　　　　　　zusammenpassen, vereinbar sein
Our systems are compatible, so let's　Unsere Systeme sind kompatibel –
　try it.　　　　　　　　　　　　lassen Sie es uns ausprobieren.
be compatible with　　　　　　　vereinbar sein mit / kompatibel sein
　　　　　　　　　　　　　　　　mit
compatibility [kəm,pætə'bɪləti]　Kompatibilität, Vereinbarkeit

requirements [rɪ'kwaɪəmənts]　Voraussetzungen
basic requirements　　　　　　　Grundvoraussetzungen
special requirements　　　　　　spezielle Voraussetzungen
hardware / software requirements　benötigte Hard- / Software
minimum system requirements　　minimale Systemvoraussetzungen

broadband ['brɔːdbænd]　　　Breitband
use in parallel [,juːz ɪn 'pærələl]　parallel einsetzen
web camera ['web ,kæmrə]　　Web-Kamera
screen [skriːn]　　　　　　　Bildschirm
built-in microphone [bɪlt,ɪn　　eingebautes Mikrofon
　'maɪkrəfəʊn]
handset ['hændset]　　　　　Hörer
picture ['pɪktʃə]　　　　　　Bild
pictures per second　　　　　　　(Anzahl der) Bilder pro Sekunde
picture quality　　　　　　　　Bildqualität
pictures of documents　　　　　Bilder von Dokumenten
serviceable pictures　　　　　　brauchbare Bilder
resolution [,rezə'luːʃn]　　　Auflösung
high resolution　　　　　　　　hohe Auflösung
This CD-ROM requires a high　　　Diese CD-ROM benötigt einen
　resolution monitor.　　　　　　Bildschirm mit hoher Auflösung.
high resolution picture performance　30 Bilder / Sekunde bei hoher
　@ 30 frames / sec　　　　　　　Auflösung

file [faɪl]　　　　　　　　　Datei
share files　　　　　　　　　　Dateien austauschen
pencil in [,pensl 'ɪn]　　　　vorläufig vormerken
Here are a few ideas I've pencilled in.　Hier sind ein paar Ideen, die ich
　　　　　　　　　　　　　　　　vorgemerkt habe.
plug in [,plʌg 'ɪn]　　　　　einstecken, einstöpseln

4

transmit [trænz'mɪt]	übertragen
rate of transmission / transmission rate	Übertragungsrate
Are the new files ready to be transmitted?	Sind die neuen Dateien bereit zur Übertragung?
interact [ˌɪntəˈækt]	interagieren
interactive	interaktiv
interaction	Interaktion
work together [ˌwɜːk təˈɡeðə]	zusammenarbeiten
Let's work together on the spreadsheet.	Lassen Sie uns zusammen an der Tabellenkalkulation arbeiten.
present [prɪˈzent]	moderieren
I'll be presenting – is that OK?	Ich werde moderieren – haben Sie etwas dagegen?
presenter	Moderator
suitable ['suːtəbl] / **suitably** ['suːtəbli]	geeignet
visible ['vɪzɪbl] / **visibly** ['vɪzɪbli]	sichtbar
audible ['ɔːdɪbl] / **audibly** ['ɔːdɪbli]	hörbar
audio-visual [ˌɔːdiəʊˈvɪzuəl] / **audio-visually** [ˌɔːdiəʊˈvɪzuəli]	audiovisuell
setting ['setɪŋ]	Rahmen, Umgebung, Schauplatz
set up [ˌset ˈʌp]	einrichten
set-up	Einrichtung
With this set-up, we can be in four places at once.	Mit dieser Einrichtung können wir an vier Orten gleichzeitig sein.
feedback ['fiːdbæk]	Rückmeldung
face-to-face [ˌfeɪs tə ˈfeɪs]	persönlich, von Angesicht zu Angesicht
real time ['riːl ˌtaɪm]	Echtzeit
video clip ['vɪdiəʊklɪp]	Videoclip
video tape	Videoband
video sequence	Videosequenz
video sequences with a presenter	moderierte Videosequenzen
commentated video sequences	kommentierte Videosequenzen
I'm afraid the first part of your sequence was garbled.	Ich fürchte, der erste Teil Ihrer Sequenz ist durcheinander geraten.
record sth on video	etw auf Video aufnehmen
edit / digitise a video	ein Video schneiden / digitalisieren
add soundtrack to a video	ein Video vertonen
video chatting	Video-Chatten
network ['netwɜːk]	Netzwerk
network server	Netzwerkserver
network technology	Netzwerktechnologie

Net, the [net]   das Internet
NetMeeting ['netmi:tɪŋ]   eine on-line Konferenzschaltung von
                                      Microsoft (Hinweis: Das entspre-
                                      chende Netscape-Produkt heißt
                                      „Conference".)

FAQs

What are VC and DTVC?

VC stands for video conference, which combines audio, video and data
communications in networking technology for real-time interaction. It is
often used by groups of people to communicate with each other.

DTVC stands for desktop video conference. It combines personal
computing with audio, video and communications technologies to provide
real-time interaction from a personal computer.

How should I dress for video conferencing?

Don't wear clothes with large areas of black, dark blue, red or white. These
colours actually prevent (= *verhindern*) viewers giving you their full
attention (= *Aufmerksamkeit*). Wear lighter colours, eg light blue, light
green, pink.

Working out Deals
Geschäfte ausarbeiten

5

Planning
Planung

→ 5.2 Proposals / Vorschläge

Plans get you into things, but you got to work your way out. (Will Rogers, US actor and humourist, 1879–1935)

planning ['plænɪŋ]	Planung
planning committee	Planungsausschuss
The planning committee's report is due next month.	Der Bericht des Planungsausschusses wird nächsten Monat erstattet.
carry out a plan [ˌkæri aʊt ə 'plæn]	einen Plan durchführen

purpose ['pɜːpəs]	Zweck
aim [eɪm] / **objective** [əb'dʒektɪv]	Ziel
We've achieved all our aims.	Wir haben alle unsere Ziele erreicht.
short-term / middle-term / long-term aim	kurzfristiges / mittelfristiges Ziel / langfristiges Ziel
main objective	Hauptziel
It's our main objective to quickly develop market-ready products.	Unser Hauptziel ist, Produkte schnell zur Marktreife zu bringen.

enable sb to do sth [ɪˌneɪbl sʌmbədi tə 'duː sʌmθɪŋ]	es jdm ermöglichen / jdn befähigen, etwas zu tun
organize ['ɔːgənaɪz]	organisieren
mean [miːn] / **intend to do sth** [ɪnˌtend tə 'duː sʌmθɪŋ]	vorhaben, etw zu tun / etw zu tun gedenken

mean to + infinitive	etw tun wollen / etw absichtlich tun
mean + -ing	bedeuten
What do you mean / intend to do about this?	Was gedenken Sie dagegen zu tun?
We've received a big order – this will mean working overtime.	Wir haben einen großen Auftrag erhalten – das bedeutet Überstunden.

expand [ɪk'spænd]	erweitern
We're about to expand our market into Britain.	Wir sind gerade dabei, unseren Markt auf Großbritannien zu erweitern.

diversify [daɪ'vɜːsɪfaɪ]	diversifizieren
We might diversify – for instance, move into consulting.	Wir könnten diversifizieren – zum Beispiel in den Beratungssektor einsteigen.

diversified [daɪˈvɜːsɪfaɪd]
companies with a diverse
background [ˌdaɪvɜːs ˈbækgraʊnd]

aufgefächert, diversifiziert
Unternehmen mit einem breit-
gefächerten Hintergrund

relocate [ˌriːləʊˈkeɪt]
It would make sense to relocate, and
get rent-free premises.

verlegen / umsiedeln
Es wäre sinnvoll, unseren Standort zu
verlegen und mietfreie Grundstücke
zu bekommen.

scale down [ˌskeɪl ˈdaʊn]
The retail operation needs to be
scaled down.

herunterschrauben
Der Einzelhandelsbetrieb muss
heruntergeschraubt werden.

work on sth [ˈwɜːk ɒn]
Could you work on that, and let us
know the results?

etw bearbeiten
Könnten Sie das bearbeiten und uns
die Ergebnisse mitteilen?

consider sth [kənˈsɪdə]
The venture is too small for us to
consider.

in Erwägung ziehen
Das Unternehmen ist zu klein, als
dass wir es in Erwägung ziehen
könnten.

be willing to consider sth
[ˌwɪlɪŋ tə kənˈsɪdə]
We'd be willing to consider a part-
ownership with you.

bereit sein, etw in Erwägung zu
ziehen
Wir wären bereit, eine Miteigen-
tümerschaft mit Ihnen in Erwägung
zu ziehen.

capture [ˈkæptʃə]
capture part of the market
Our aim is to gain an 80 % share of
the market.
slice of the market
exploit [ɪkˈsplɔɪt]

erobern
Teil des Marktes erobern
Unser Ziel ist, einen Marktanteil von
80 % zu erreichen.
Marktanteil
nutzen

need time [ˌniːd ˈtaɪm]
I'll need about 10 days, so my people
can look at those figures.

Zeit benötigen / brauchen
Ich brauche ungefähr 10 Tage, damit
meine Mitarbeiter sich diese Zahlen
ansehen können.

time frame [ˈtaɪm ˌfreɪm] / **schedule**
[ˈʃedjuːl]
preliminary schedule
fall behind schedule
time scale
give an idea of the time scale

time limit
put a time limit on sth

Zeitplan

provisorischer Zeitplan
in Rückstand geraten
zeitliche Größenordnung
eine Vorstellung von der zeitlichen
Größenordnung geben
zeitliche Begrenzung
etw befristen

provisional [prə'vɪʒənl] — provisorisch

outsourcing ['aʊtsɔːsɪŋ] — Auslagerung von Unternehmens-
  aktivitäten

downsizing ['daʊnsaɪzɪŋ] — Stellenabbau, Verschlanken

gap in the market [ˌgæp ɪn ðə 'mɑːkɪt] — Marktlücke, Marktnische
fill a real gap in the market — eine richtige Marktlücke schließen

breakthrough ['breɪkθruː] — Durchbruch

postpone plans [pəʊst'pəʊn plænz] — Pläne verschieben
The rationalisation plans have had to be postponed till the market picks up. — Die Rationalisierungspläne mussten verschoben werden, bis sich der Markt erholt.

new product, a [ˌnjuː 'prɒdʌkt] — ein neues Produkt
develop a new product — ein neues Produkt entwickeln
product innovation — Produktinnovation

abandon a project [ə'bændən ə 'prɒdʒekt] — ein Vorhaben aufgeben
back to the drawing board [ˌbæk tə ðə 'drɔːɪŋ bɔːd] — noch einmal von vorne (anfangen)
We'll have to get back to the drawing board. — Wir müssen noch einmal von vorne anfangen.

research [rɪ'sɜːtʃ] — Forschung(en), -sarbeit(en) / forschen

research facilities — Forschungseinrichtungen
research unit — Forschungsgruppe
We've got our research unit looking into it. — Unsere Forschungsgruppe untersucht es gerade.
research assistant — Forschungsassistent(-in)
research & development (= R&D) — Forschung & Entwicklung (= F&E)

business and efficiency analyses [ˌbɪznɪs ənd ɪˌfɪʃənsi ə'næləsiːz] — Geschäfts- und Effizienzanalysen

restructure [ˌriː'strʌktʃə] — neuordnen, umstrukturieren
We're thinking about restructuring our sales network. — Wir denken daran, unser Vetriebsnetz umzustrukturieren.
restructuring — Neuordnung, Restrukturierung

expand into [ɪkˌspænd] — in ... expandieren

We're expanding into countries where English has developed as a second language.

Wir expandieren in Länder, in denen sich Englisch als Zweitsprache etabliert hat.

forward strategy [ˌfɔːwəd ˈstrætədʒi]
new strategies

Vorwärtsstrategie
neue Strategien

patent [ˈpeɪtənt]
patented
apply for a patent / file a patent application
We'd better apply for a patent on this design.
under patent law

patentieren, Patent
patentiert
ein Patent anmelden / beantragen

Wir sollten lieber ein Patent auf dieses Design beantragen.
patentrechtlich

field work [ˈfiːld ˌwɜːk]
dummy run [ˌdʌmi ˈrʌn] / **test run** [ˌtest ˈrʌn]

Feldforschung
Probelauf

FAQs

What is a SWOT Analysis?

It is an analysis of the **S**trengths (= *Stärken*), **W**eaknesses (= *Schwächen*), **O**pportunities (= *Möglichkeiten*) and **T**hreats (= *Gefährdungen*) to be considered when planning a business project. A SWOT analysis answers questions like these:

THE COMPANY
Strengths: What are the company's core competences?
Weaknesses: What things can the company not do well?

THE MARKET
Opportunities: Which parts of the market are attractive? What changes in it could the company exploit?
Threats: Which parts of (or changes in) the market could create difficulties or dangers for the company?

What's a 'time sink'?

Any project which takes a very long time and is therefore undesirable (= *nicht wünschenswert*).

Proposals
Vorschläge

→ 5.1 Planning / Planung

Man proposes; God disposes. (English proverb)

suggestion [sə'dʒestʃn] /   Vorschlag
  proposal [prə'pəʊzl]

look at ['lʊk ət]   anschauen
Let's first look at our fixed costs before   Lassen Sie uns zunächst unsere Fix-
  we talk about this new proposal.   kosten anschauen, bevor wir über
                                                  diesen neuen Vorschlag reden.

look into sth   etwas prüfen
Let's look into the likely costs.   Lassen Sie uns die voraussichtlichen
                                                  Kosten prüfen.

be interested in sth ['ɪntrəstɪd ˌɪn]   an etw interessiert sein
Would you be interested in an agency   Wären Sie an einer Agentur inter-
  to promote your goods in Germany?   essiert, die in Deutschland für Ihre
                                                  Waren wirbt?

take down [ˌteɪk 'daʊn]   notieren
random notes [ˌrændəm 'nəʊts]   ungeordnete Notizen

business idea [ˌbɪznɪs aɪ'dɪə]   Geschäftsidee
We've come up with a lot of ideas for   Wir haben eine Menge neuer
  new business.   Geschäftsideen erarbeitet.

on the face of it [ˌɒn ðə 'feɪs əv ɪt]   auf den ersten Blick
On the face of it, the idea looks good.   Auf den ersten Blick macht die Idee
                                                  einen guten Eindruck.

be worth doing [ˌwɜːθ 'duːɪŋ] /   sich lohnen
  be worthwhile [ˌwɜːθ'waɪl]
Do you think it's worth doing /   Meinen Sie, dass sich das lohnt?
  worthwhile?
It's worth exploring the Portuguese   Es lohnt sich, den portugiesischen
  market.   Markt zu erkunden.
try out sth [ˌtraɪ 'aʊt]   etw ausprobieren
to be certain ['sɜːtn]   um sicher zu gehen
To be certain, we'd need an   Um sicher zu gehen, brauchen wir
  independent analysis.   ein unabhängiges Gutachten.
take as a basis [ˌteɪk əz ə 'beɪsɪs]   zu Grunde legen

co-operate [kəʊˈɒpəreɪt] /
collaborate [kəˈlæbəreɪt] /
work together [ˌwɜːk təˈgeðə]
The three companies have co-operated on the project.
co-operation

Thanks for your co-operation.
complement [ˈkɒmplɪment]
Our companies' product ranges complement each other perfectly.

complementary [ˌkɒmplɪˈmentri]

zusammenarbeiten

Die drei Firmen haben bei dem Projekt zusammengearbeitet.
Unterstützung / Zusammenarbeit / Mitarbeit
Vielen Dank für Ihre Unterstützung.
sich ergänzen
Die Produktpaletten unserer Unternehmen ergänzen sich hervorragend.
ergänzend, komplementär

merge [mɜːdʒ]
merger / amalgamation
We hope the merger will strengthen our competitiveness.

European company mergers

cross-border business merger
joint venture [ˌdʒɔɪnt ˈventʃə]

zusammenschließen / fusionieren
Zusammenschluss / Fusion
Wir hoffen, der Zusammenschluss wird unsere Wettbewerbsfähigkeit stärken.
europäische Firmenzusammenschlüsse
grenzüberschreitende Fusion
Beteiligungs- / Gemeinschaftsunternehmen

partner company [ˈpɑːtnə ˌkʌmpəni]
trading partner
trading links
consortium [kənˈsɔːtiəm]
on both sides [ɒn ˌbəʊθ ˈsaɪdz]
A merger would mean substantial savings on both sides.

Partnerfirma
Handelspartner
Handelsverbindungen
Konsortium
auf / für beide Seiten
Eine Fusion würde für beide Seiten wesentliche Einsparungen bedeuten.

profit from sth [ˈprɒfɪt frəm]
There's a good chance of both companies profiting from this.

von etw profitieren
Es ist wahrscheinlich, dass beide Firmen davon profitieren.

start-up costs [ˈstɑːtʌp ˌkɒsts]
cost-benefit analysis (= CBA)
cost-sharing
We're sharing the production costs.
likely costs
rough calculation of costs
total costs

Anlaufkosten
Kosten-Nutzen-Analyse
Kostenteilung
Wir teilen uns die Produktionskosten.
voraussichtliche Kosten
Vorkalkulation
Gesamtkosten

takeover [ˈteɪkˌəʊvə]
hostile takeover
protect oneself against unwanted takeovers

Übernahme einer Gesellschaft
feindliche Übernahme
unerwünschte Firmenübernahmen vereiteln

risk [rɪsk]	Risiko
In sharing the project, we'll be sharing the risk.	Indem wir das Projekt teilen, teilen wir auch das Risiko.
financial risk	finanzielles Risiko
take a risk / run a risk	ein Risiko eingehen
carry a risk	ein Risiko auf sich nehmen
The question is: are we willing to carry the risk?	Die Frage lautet: Sind wir bereit, das Risiko auf uns zu nehmen?
reduce the risk	das Risiko vermindern / verringern
spread the risk	das Risiko verteilen
slight / considerable risk	geringes / beträchtliches Risiko
declaration of intent	Absichtserklärung
[ˌdekləreɪʃn əv ɪn'tent] / **letter of intent**	
incentive [ɪn'sentɪv]	Antrieb, Anreiz
It will be an incentive for further steps.	Es wird ein Antrieb für weitere Schritte sein.
close business relations	intensive Geschäftsbeziehungen
[kləʊs 'bɪznɪs rɪˌleɪʃnz]	

FAQs

How is a joint venture started?

The first step is to find a suitable (= *geeignet*) partner company. Officially, negotiations begin with a Letter of Intent. This states that both companies are interested in starting a joint venture together. It also states the basis for further discussion.

Questions of law (= *Recht*) and contracts (= *Verträge*) have to be settled. For example, if the companies are in different countries, country A's laws may require the company in country B to invest at least a quarter (= *ein Viertel*) of the capital. Before the joint venture can really get started, the companies have to agree on the sharing of profits (= *Gewinnbeteiligung*), the sharing of risks and losses (= *Verluste*), the method of management and the ownership (= *Besitz*) of properties.

What does 'kudos' mean?

It means approval (= *Zustimmung*) or congratulations (= *Glückwünsche*). You may say "Staiger's proposal was quite brilliant. No wonder she got kudos from the CEO."

What does 'give the nod' mean?

To give the nod to someone or something means to agree, believing the person or plan is a winner (= *Gewinner*).

Negotiating
Verhandeln

→ 4.3 Meeting Customers / Kunden treffen

There are two fools in every market: one who asks too little, one who asks too much. (Russian proverb)

deal [di:l] Geschäft
strike [straɪk] / clinch a deal ein Geschäft abschließen
  [ˌklɪntʃ ə 'di:l]
It's a deal! Abgemacht!
offer a deal ein Angebot machen
The French company have offered Die französische Firma hat uns ein
  us a deal. Angebot gemacht.
do a deal ein Abkommen treffen
package deal Pauschalangebot

propose next steps [prə'pəʊz] die nächsten Schritte vorschlagen
So what's the next step? Was ist also der nächste Schritt?

negotiate [nɪ'gəʊʃieɪt] verhandeln, aushandeln
negotiate with sb mit jdm verhandeln
negotiate a deal ein Geschäft aushandeln
Would you negotiate the freight rate, Würden Sie bitte die Frachttarife
  please? aushandeln?
negotiating partner Verhandlungspartner

negotiation [nɪˌgəʊʃi'eɪʃn] Verhandlung
conduct negotiations Verhandlungen führen
matter for negotiation, a eine Verhandlungssache

exchange of views Meinungsaustausch
  [ɪksˌʃteɪndʒ əv 'vju:z]

bargain ['bɑ:gɪn] handeln, feilschen
make a bargain ein gutes Geschäft machen
drive a hard bargain harte Bedingungen stellen

make headway [ˌmeɪk 'hedweɪ] vorankommen, Fortschritte machen
We made headway in the talks, but a Wir haben Fortschritte in den
  lot still needs to be discussed. Gesprächen gemacht, aber es gibt
  noch viel zu besprechen.

break down [ˌbreɪk 'daʊn] / scheitern
  fall through [ˌfɔ:l 'θru:]
breakdown of negotiations Scheitern der Verhandlungen

start all over again
[stɑːt ˌɔːl ˌəʊvə əˈgen]
starting point

wieder von vorne anfangen

Ausgangspunkt

review one's options
[rɪˌvjuː wʌnz ˈɒpʃnz]
We need to review our options before
we decide.

die eigenen Optionen überprüfen

Wir müssen unsere Optionen noch
einmal überprüfen, bevor wir uns
entscheiden.

give sth in return for sth else
[gɪv ɪn rɪˈtɜːn fə sʌmθɪŋ ˈels]

etw für etw anderes geben

change one's mind [ˌtʃeɪndʒ
wʌnz ˈmaɪnd]
If you change your mind, please let us
know as soon as possible.

seine Meinung ändern

Falls Sie Ihre Meinung ändern, lassen
Sie es uns bitte so bald wie möglich
wissen.

have priority [ˌhæv praɪˈɒrəti]

Vorrang haben

request [rɪˈkwest]
stress [stres]
pool resources [ˌpuːl rɪˈsɔːsɪz]
come to terms [ˌkʌm tə ˈtɜːmz]
agree [əˈgriː]
We can agree to that.
Can we agree on that?
agreed
It's agreed then.
By all means!
Yes, certainly.

bitten
betonen
Ressourcen zusammenlegen
sich einigen
sich einigen, zustimmen
Wir können dem zustimmen.
Können wir uns darauf einigen?
vereinbart
Wir sind uns also einig.
Aber natürlich!
Ja, sicher.

agreement [əˈgriːmənt]

under the agreement …
Under the agreement, you'll have to
provide one third of the cost.
reach an agreement
stick to an agreement
break an agreement
gentleman's agreement [ˌdʒentlmənz
əˈgriːmənt]
binding agreement [ˌbaɪndɪŋ
əˈgriːmənt]
reciprocal agreement
written agreement

Vereinbarung / Abmachung /
Abkommen
nach (unserer) Vereinbarung …
Nach (unserer) Vereinbarung müssen
Sie ein Drittel der Kosten tragen.
eine Vereinbarung treffen
sich an eine Abmachung halten
ein Abkommen brechen
Vereinbarung auf Treu und Glauben

verbindliche Vereinbarung

gegenseitiges Abkommen
schriftliche Vereinbarung

unwritten agreement / verbal agreement	mündliche Vereinbarung
hammer out an agreement	eine Vereinbarung unter Schwierig-keiten zustande bringen
It was difficult, but we finally hammered out an agreement.	Es war schwierig, aber schließlich haben wir eine Vereinbarung zustande gebracht.

approve a project [ə'pruːv ə 'prɒdʒekt]   ein Projekt genehmigen

approval   Genehmigung, Zustimmung

go-ahead ['gəʊ əhed]   grünes Licht

lapse [læps]   verfallen / ablaufen / hinfällig werden

The agreement will lapse in 3 months.   Die Vereinbarung wird in drei Monaten hinfällig.

misunderstanding [ˌmɪsʌndə'stændɪŋ]   Missverständnis

solve a problem [ˌsɒlv ə 'prɒbləm]   ein Problem lösen

main problem, the   das Hauptproblem

problem area, a   ein Problembereich

The two remaining problem areas are transport costs and safety.   Die beiden verbleibenden Problem-bereiche sind Transportkosten und Sicherheit.

find a solution [ˌfaɪnd ə sə'luːʃn]   eine Lösung finden

I hope that, between us, we'll find a solution.   Ich hoffe, dass wir unter uns eine Lösung finden werden.

persuade [pə'sweɪd]   überreden

Couldn't you persuade your manager to agree?   Könnten Sie Ihren Manager nicht dazu überreden, zuzustimmen?

meet sb halfway [ˌmiːt hɑː'fweɪ]   jdm auf halbem Wege entgegen-kommen

I'm willing to meet you halfway on this.   Ich bin bereit, Ihnen hier auf halbem Wege entgegenzukommen.

keep an offer open [ˌkiːp ən ɒfə 'əʊpn]   ein Angebot aufrechterhalten

Can you keep that offer open for two months?   Können Sie das Angebot zwei Monate aufrechterhalten?

interrupt [ˌɪntə'rʌpt]   unterbrechen

Excuse me for interrupting, but we've overlooked this item.   Entschuldigen Sie, dass ich unter-breche, aber wir haben diesen Posten übersehen.

refer back to [rɪˌfɜː 'bæk tʊ] / **come back to** [ˌkʌm 'bæk tʊ]
I'd like to come back to this point.

auf etw zurückkommen

Ich würde gerne auf diesen Punkt zurückkommen.

see eye-to-eye [ˌsiː aɪ tə 'aɪ]
I'm glad we see eye-to-eye on this.

der gleichen Ansicht sein
Ich freue mich, dass wir hierüber der gleichen Ansicht sind.

without obligation [wɪˌðaʊt ɒblɪ'geɪʃn]

unverbindlich

first option [ˌfɜːst 'ɒpʃn]
If you give us first option, we'll agree to pay for future orders in advance.

Vorkaufsrecht
Wenn Sie uns das Vorkaufsrecht geben, werden wir zukünftige Bestellungen im Voraus bezahlen.

favourable ['feɪvrəbl] / **unfavourable** [ʌn'feɪvrəbl]

günstig / ungünstig

joint/ly ['dʒɔɪntli]

gemeinsam

plus [plʌs]
on the plus side

Pluspunkt
als Pluspunkt

aim [eɪm]
The aim would be to introduce both products to the German public.

Ziel
Ziel wäre es, beide Produkte der deutschen Öffentlichkeit vorzustellen.

interpreter [ɪn'tɜːprɪtə]
We need an interpreter who speaks German.

Dolmetscher(-in)
Wir brauchen einen Dolmetscher, der Deutsch spricht.

FAQs

What does it mean to give someone the raspberry? [rasbəri]

It means to disagree with or disapprove of somebody (= *jdn missbilligen*) or somebody's suggestions. You may say: "The Board of Directors has given our CEO the raspberry".

Consultants & Advice
Berater & Beratung

5

4

→ 10.1 Market Research / Marktforschung

No enemy is worse than bad advice. (Sophocles, Greek dramatist, 5th century BC)

advice [əd'vaɪs]	Rat / Empfehlung
offer advice	Beratung anbieten
investment advice	Anlageberatung
take legal advice	sich juristisch / rechtlich beraten lassen
advise [əd'vaɪz]	raten / empfehlen
advise sb	jdn beraten
Could you advise us?	Könnten Sie uns beraten?
We'll be happy to advise you on your hardware needs.	Wir beraten Sie gerne hinsichtlich Ihres Hardwarebedarfs.
advisory [əd'vaɪzəri]	beratend
make use of [ˌmeɪk 'juːs əv]	in Anspruch nehmen
We make use of interpreting and translating services.	Wir nehmen Dolmetscher- und Übersetzungsdienste in Anspruch.
consult with [kən'sʌlt]	sich beraten mit
consultant [kən'sʌltənt] /	Berater(-in)
advisor [əd'vaɪzə] /	
adviser [əd'vaɪzə]	
Should you have further questions, please conact your personal consultant.	Bei Rückfragen wenden Sie sich bitte an Ihren persönlichen Berater.
tax / marketing / management consultant	Steuer- / Vertriebs- / Unternehmens- berater(-in)
I'd advise you to let a tax consultant handle this.	Ich rate Ihnen, dies von einem Steuerberater erledigen zu lassen.
employ / engage / take on a consultant	einen Berater einstellen / bemühen
We're employing a British consultant to help us enter the British market.	Wir stellen einen britischen Berater ein, der uns helfen soll, in den britischen Markt einzusteigen.
consultant's fee	Beraterhonorar
consultancy costs [kən'sʌltnsi ˌkɒsts]	Beratungskosten
Is there any chance of sharing consultancy costs with other local companies?	Besteht irgendeine Möglichkeit, die Beratungskosten mit anderen ortsansässigen Firmen zu teilen?

expert knowledge [ˌekspɜːt 'nɒlɪdʒ] /   Fachwissen
  special knowledge [ˌspeʃl 'nɒlɪdʒ]
business specialist ['bɪznɪs ˌspeʃəlɪst]   Geschäftsfachmann / -frau
lawyer ['lɔːɪə]   Rechtsanwalt / Rechtsanwältin

bring sb up to date   jdn auf den neuesten Stand bringen
  [ˌbrɪŋ sʌmbədi ʌp tə 'deɪt]
keep sb up-to-date   jdn auf dem Laufenden halten
Our management consultant keeps us   Unser Unternehmensberater versorgt
  up-to-date with any information   uns mit den neuesten Informa-
  that might be useful to us.   tionen, die für uns von Nutzen sein
  könnten.

depend on [dɪ'pend ɒn]   darauf ankommen, davon abhängen
muddle through [ˌmʌdl 'θruː]   sich durchwursteln, sich durchschla-
  gen
We don't have all the necessary   Wir verfügen nicht über alle notwen-
  information, so we'll have to muddle   digen Informationen, daher müssen
  through.   wir uns (irgendwie) durchwursteln.

company law ['kʌmpəni ˌlɔː]   Unternehmensrecht
contract law / law of contract   Vertragsrecht / Schuldrecht
copyright law   Urheberrecht
commercial law   Handelsrecht
lawful practice   rechtmäßiges Handeln
code of practice   Verhaltensregeln
Companies Act, the ['kʌmpəniz ˌækt]   Gesetz über die Kapitalgesellschaften
legal questions ['liːgl ˌkwestʃnz]   Rechtsfragen
The legal questions may take some   Die Klärung der Rechtsfragen kann
  time to clear up.   einige Zeit in Anspruch nehmen.

instructions [ɪn'strʌkʃnz]   Anweisungen
We await your instructions.   Wir warten auf Ihre Anweisungen.

FAQs

What's a 'hired gun'?

This is a lawyer, an accountant (= *Buchhalter(-in)*) or any consultant or
advisor who defends (= *verteidigt*) your company and attacks (= *greift an*)
others for you.

Expressions of Quantity
Mengenangaben

6

Money Quantities
Geldbeträge

→ 6.4 Numerical Expressions / Zahlwörter

Number rules the universe. (*Motto of the Pythagoreans*)

$11.75	eleven dollars and seventy-five cents (or: eleven seventy-five)
£3.90	three pounds and ninety p (p = pence) (or: three pounds ninety)
$2,517	two thousand five hundred and seventeen dollars (or: twenty-five hundred and seventeen dollars)
150 kg @ $4.20 per kg	a hundred and fifty kilos at four dollars twenty per kilo
14.5%	fourteen point five per cent
14.35%	fourteen point three five per cent
14.05%	fourteen point oh five per cent
2% x $210	two per cent of two hundred and ten dollars
€1,000,000	a (or: one) million euros (= eine Million)
€1,000,000,000	a (or: one) billion euros (= eine Milliarde)
at any price [ət ˌeni 'praɪs] / **at all costs** [æt ˌɔːl 'kɒsts]	um jeden Preis

Genaue Geldbeträge Einzahlverb: A hundred and fifty dollars **was** too much to pay.

Unbestimmte Geldbeträge Pluralverb: A lot of dollars **were** spent on this.

Weights & Measures
Gewichte & Maße

kilo- (= 1000 times) ['ki:ləʊ] Kilo- (= 1000mal)
deci- (= one tenth) ['desi] Dezi- (= ein Zehntel-)
centi- (= one hundredth) ['senti] Zenti- (= ein Hundertstel-)
milli- (= one thousandth) ['mɪli] Milli- (= ein Tausendstel-)

Info-Box

In Großbritannien werden Entfernungen (= distance), Körpergrößen (= height) und Gewichte (= weight) normalerweise in den traditionellen Maßeinheiten mile, inch, pound usw gemessen. Mit zunehmender Europäisierung des Landes wird das metrische System (= the metric system) mehr und mehr an den Schulen unterrichtet und in Handel und Technik verwendet. In den USA wird das metrische System allerdings nicht so oft benutzt wie in Großbritannien.

Weights   ## Gewichte

gross weight (= gr wt) [ˌgrəʊs 'weɪt] Bruttogewicht
net weight (= nt wt) [ˌnet 'weɪt] Nettogewicht
in excess of [ɪn ɪk'ses əv] über(steigen)

1 grain [greɪn] 0,0648 Gramm
1 gram [græm] = 15.4 grains ein Gramm
1 pound (= lb) [paʊnd] ein britisches Pfund (453,6 Gramm)
1 kilogram ['kɪləgræm] ein Kilogramm
  = 2.2046 pounds
1 metric ton [ˌmetrɪk 'tɒn] eine Tonne
  = 2204.62 pounds
1 ton [tɒn] 1,016 Kilogramm

Info-Box

Die britische Tonne, „ton" genannt (= 1,016 Kilogramm), wird auch als „long ton" bezeichnet. In den USA wird normalerweise die „short ton" (= 907 Kilogramm) verwendet. Die metrische Tonne, „metric ton" genannt, entspricht 1000 Kilogramm.

Die Einheiten „ton" bzw „Tonne" werden normalerweise durch ein kleines „t" nach der Zahlenangabe dargestellt, z.B. 30t.

Linear measures	Längenmaße
1 millimetre (= 0.03937 inch) ['mɪlɪmi:tə]	Millimeter
1 centimetre (= 0.3937 inch) ['sentɪmi:tə]	Zentimeter
1 metre (= 39.37 inches) ['mi:tə]	Meter
1 kilometre (= 0.6214 mile) [kɪ'lɒmɪtə]	Kilometer
1 inch [ɪntʃ]	2,54 Zentimeter (= Zoll)
12 inches / **1 foot** [fʊt]	30,48 Zentimeter (= Fuß)
1 mile [maɪl]	1,609 Kilometer (= Meile)

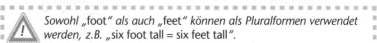

Sowohl „foot" als auch „feet" können als Pluralformen verwendet werden, z.B. „six foot tall = six feet tall".

Square measures	Flächenmaße
1 square centimetre [ˌskweə 'sentɪmi:tə]= 0.155 square inch	ein Quadratzentimeter
1 square metre [ˌskweə 'mi:tə] = 10.764 square feet	ein Quadratmeter
1 square kilometre [ˌskweə 'kɪlɒmɪtə] = 0.3861 square mile / 247.1 acres	ein Quadratkilometer
1 hectare ['hekteə] = 2.471 acres	ein Hektar
1 square inch [ˌskweə 'ɪntʃ] = 6,45 cm²	ein Quadratzoll
1 square foot [ˌskweə 'fʊt] = 929,03 cm²	ein Quadratfuß
1 square mile [ˌskweə 'maɪl] = 2,59 km²	eine Quadratmeile

Cubic measures	Raummaße
1 cubic centimetre [ˌkju:bɪk 'sentɪmi:tə] = 0.061 cubic inch	ein Kubikzentimeter
1 cubic metre [ˌkju:bɪk 'mi:tə] = 35.315 cubic feet	ein Kubikmeter
1 cubic inch [ˌkju:bɪk 'ɪntʃ] = 16,387 cm²	ein Kubikzoll
1 cubic foot [ˌkju:bɪk 'fʊt] = 0,028 m²	ein Kubikfuß

Measures of capacity

1 litre ['liːtə] = 1.76 pints /
  0.22 gallon
1 pint [paɪnt] = 0,57 Liter
1 gallon ['gælən] = 4,546 Liter

Temperature Conversion

Fahrenheit > Centigrade (Celsius):
Subtract 32, then multiply by 5/9.

Centigrade (Celsius) > Fahrenheit:
Multiply by 9/5, then add 32.

Hohlmaße

ein Liter

eine Pinte
eine Gallone

Temperaturumrechnung

32 abziehen und mit 5/9 multiplizieren.

Mit 9/5 multiplizieren und
  32 addieren.

Calculating
Rechnen

Subtracting / Deducting

65 minus / less 40 makes /equals /
  is 25.
Take 40 from 65.
40 from 65 leaves 25.
If you take / deduct 40 from 65, you
  get 25.

Adding

53 added to / plus / and 20 makes /
  equals / is 73.
Add 53 and / to 20.
If you add 53 to / and 20, you get 73.

Dividing

60 divided by 5 makes /equals / is 12.
Divide 60 by 5.
If you divide 60 by 5, you get 12.

Multiplying

3 times 15 makes /equals / is 45.
Multiply 3 by 15.
If you muliply 3 by 15, you get 45.

three times as many
  [ˌθriː taɪmz əz ˈmeni] /
  twice as much [ˌtwaɪs əz ˈmʌtʃ]
half as many
three times a month [ˌθriː taɪmz
  ə ˈmʌnθ]
once [wʌns] / **twice** [twaɪs]
twice the amount
doubled [ˈdʌbld] / **tripled**
  [ˈtrɪpld] (or: **trebled**) /
  quadrupled [ˈkwɒdrʊpld]

Subtrahieren / Abziehen

$$65 - 40 = 25$$

Addieren

$$53 + 20 = 73$$

Dividieren

$$60 \div 5 = 12$$

Multiplizieren

$$3 \times 15 = 45$$

dreimal so viele / doppelt so viel

halb so viele
dreimal im Monat

einmal / zweimal
die doppelte Summe
verdoppelt / verdreifacht /
  vervierfacht

Numerical Expressions
Zahlwörter

→ 6.1 Money Quantities / Geldbeträge

quantity [ˈkwɒntəti]	(Bestell-)Menge
equation [ɪˈkweɪʃn]	Gleichung
fraction [ˈfrækʃn]	Bruchteil
ratio [ˈreɪʃiəʊ]	Verhältnis
a ratio of 50 to 1	im Verhältnis 50 zu 1
percentage [pəˈsentɪdʒ]	Prozentsatz
percentage point	Prozentpunkt
even [ˈiːvn] / **odd numbers** [ˈɒd ˌnʌmbəz]	gerade / ungerade Zahlen
huge numbers	riesige Zahlen
in round figures [ɪn ˌraʊnd ˈfɪgəz]	in runden Zahlen
digit [ˈdɪdʒɪt]	Stelle, Ziffer
single-digit / double-digit	einstellig / zweistellig
double-digit inflation	zweistellige Inflationsrate
zero [ˈzɪərəʊ] / **nil** [nɪl] / **nought** [nɔːt]	Null
in numerical order [ˌnjuːˈmerɪkl ˈɔːdə]	nach Nummern geordnet

---

Info-Box

122	a / one hundred and twenty-two
1,355	one thousand three hundred and fifty-five
200,000	two hundred thousand
199,000	one hundred and ninety-nine thousand

1st = first • 2nd = second • 3rd = third • 4th = fourth • 5th = fifth • 6th = sixth
7th = seventh • 8th = eighth • 9th = ninth • 10th = tenth • 11th = eleventh •
12th = twelfth • 13th = thirteenth

Ab 13th *gilt, wenn die Zahl mit 1, 2 oder 3 endet, wird* -first (= -1st),
-second (= -2nd), -third (= -3rd) *benutzt.*

31st = thirty-first 22nd = twenty-second

133rd = one hundred and thirty-third

Wenn die Zahl nicht mit 1, 2 oder 3 endet, wird ein –th *angefügt.*
4th = fourth • 35th = thirty-fifth • 50th = fiftieth

the 50th day ['fɪftiəθ 'deɪ]	der 50ste Tag
every three months [ˌevri θri: 'mʌnθs]	alle drei Monate
every third doctor [ˌevri θɜ:d 'dɒktə] / **one doctor in every three** [ˌwʌn dɒktər ɪn evri 'θri:]	jeder dritte Arzt
two-thirds [ˌtu: 'θɜ:dz]	zwei Drittel
six metres by four [ˌsɪks ˌmi:təz baɪ 'fɔ:]	sechs mal vier Meter
up to 30% [ʌp tə ˌθɜ:ti pə'sent]	bis zu 30 %
to 2% [tə ˌtu: pə'sent]	auf 2 %
by 25 [ˌbaɪ ˌtwenti'faɪv]	um 25
50 metres of cable	50 Meter Kabel
some crates of beer	einige Kisten Bier
20 Kilos of fax paper	20 Kilo Faxpapier
10% of the price	10 % des Preises
80p a pound [eɪti ˌpens ə 'paʊnd]	80 Pence das Pfund
half a pound [ˌhɑːf ə 'paʊnd]	ein halbes Pfund
half an hour [ˌhɑːf ən 'aʊə]	eine halbe Stunde
quarter of an hour	eine Viertelstunde
three quarters of an hour	eine Dreiviertelstunde
as a whole [æz ə 'həʊl]	als Ganzes

Info-Box

½ = a / one half • ¾ = three quarters • ⁵/₈ = five eighths •
³/₁₆ = three-sixteenths • 1½ = one and a half • 2 ¾ = two and three
quarters • 3 ¹/₃ = three and a third

rank among sth [ˌræŋk ə‚mʌŋ]	zu etw. zählen
rank second / occupy second place	an zweiter Stelle stehen
second-biggest [ˌseknd 'bɪgɪst]	zweitgrößte
third-best	drittbeste
comprise [kəm'praɪz]	umfassen
be six pounds short [ˌsɪks paʊndz 'ʃɔːt]	sechs Pfund fehlen
The money paid was six pounds short.	Es wurden sechs Pfund zu wenig bezahlt.
average ['ævrɪdʒ] / **on average** [ˌɒn 'ævrɪdʒ]	durchschnittlich
an average wage of four dollars an hour	ein durchschnittlicher Stundenlohn von vier Dollar
Our workers earn about 5 % above the national average.	Unsere Arbeiter verdienen ungefähr 5 % mehr als im Landesdurchschnitt.

> ⚠️ Bei kleinen Zahlenangaben steht im Englischen ein Punkt, wo im Deutschen ein Komma gesetzt wird. Wenn es sich um höhere Zahlen handelt (ab 1000), steht im Englischen ein Komma, wo im Deutschen ein Punkt steht.

12.9%	12,9 %
$1,022.25	$1.022,25
1,000,000	1.000.000

a million = 1,000,000	*eine Million*
a billion = 1,000,000,000	*eine Milliarde*
(Old use (BE) = 1,000,000,000,000)	

rectangular [ˌrek'tæŋgjələ]	rechteckig
round [raʊnd]	rund
short [ʃɔːt] / **long** [lɒŋ]	kurz / lang
square [skweə]	viereckig

clockwise ['klɒkwaɪz]	mit dem Uhrzeigersinn
anticlockwise (AE: counterclockwise)	gegen den Uhrzeigersinn

Jahreszahlen

the 1990s [ðə ˌnaɪntiːn 'naɪntiz]	die 90er
in the 20th century [ɪn ðə ˌtwentiəθ 'sentʃəri]	im 20. Jahrhundert
from the Thirties [ˌfrəm ðə 'θɜːtiz]	aus den dreißiger Jahren
in / during the 1930s	in den 30er Jahren / während der 30er Jahre
in 1930-something	irgendwann in den 30er Jahren

1903 = nineteen oh-three	neunzehnhundertdrei
1999 = nineteen ninety-nine	neunzehnhundertneunundneunzig
2001 = two thousand and one	zweitausendeins

The Date
Das Datum

→ 6.6 The Time / die Zeitangabe

Info-Box

amerikanisches Englisch:
month - day - year   10.12.99 = October 12, 1999
britisches Englisch:
day - month - year   10.12.99 = 10 December 1999

Im internationalen Schriftverkehr können Sie Verwechslungen vermeiden,
indem Sie eine dieser (unzweideutigen) Formen benutzen:
Ausgeschriebene Form:
16 June 1999 • 20 September 2001
(Auch: the 16 [th] of June, 1999 • September 20th, 2001)
Kurzform:
16 Jun 99 • 20 Sep 01

---

on June 16th / on 16th of June   am 16. Juni
from the 16th to the 20th   vom 16. bis (zum) 20.

What's the date (today)?   Welches Datum haben wir (heute)?
Today's the sixteenth.   Heute ist der 16.
about the third of March   etwa am 3. März

today [tə'deɪ]   heute
this morning [ˌðɪs 'mɔːnɪŋ]   heute Morgen
tonight [tə'naɪt] / **this evening**   heute Abend
  [ˌðɪs 'iːvnɪŋ]
yesterday ['jestədi]   gestern
the day before yesterday   vorgestern
three days ago [ˌθriː ˌdeɪz ə'gəʊ]   vorvorgestern
three years ago   vor drei Jahren
last week [ˌlɑːst 'wiːk]   letzte Woche
a week ago today   heute vor einer Wolche
a fortnight ago yesterday   gestern vor zwei Wochen
some sixty years ago   vor etwa sechzig Jahren
for some time now [fə sʌm 'taɪm   seit einiger Zeit
  naʊ]
recently ['riːsntli] / **lately** ['leɪtli]   in der letzten Zeit / in letzter Zeit

tomorrow [tə'mɒrəʊ]   morgen
the day after tomorrow   übermorgen
tomorrow week   morgen in acht Tagen

in three days time [ɪn ˌθriː ˌdeɪz 'taɪm] in drei Tagen

two days later zwei Tage später

in a fortnight ['fɔːtnaɪt] / **in two weeks** [ɪn ˌtuː 'wiːks] in zwei Wochen

within three weeks [wɪ'ðɪn] innerhalb von drei Wochen

within the next two months innerhalb der nächsten zwei Monate

in the near future [ɪn ðə ˌnɪə 'fjuːtʃə] in der nächsten Zeit

daily ['deɪli] täglich

hourly ['aʊəli] stündlich

every week [ˌevri 'wiːk] jede Woche

during the day [ˌdjʊərɪŋ ðə 'deɪ] tagsüber

in the morning [ˌɪn ðə 'mɔːnɪŋ] / **evening** ['iːvnɪŋ] morgens / abends

at any time [æt 'eni 'taɪm] jederzeit / zu jeder Zeit

at a certain point in time zu einem bestimmten Zeitpunkt

at noon mittags

at night nachts

at midnight um Mitternacht

for two days [fə ˌtuː 'deɪz] seit zwei Tagen

since nine o'clock [sɪns ˌnaɪn ə 'klɒk] seit neun Uhr

on Tuesdays [ˌɒn 'tjuːzdiz] dienstags

three clear days ['θriː 'klɪə 'deɪz] drei ganze / volle Tage

three successive months ['θriː sək'sesɪv 'mʌnθs] drei aufeinanderfolgende Monate

by the end of the week [baɪ ðɪˍ ˌend əv ðə 'wiːk] / **of the month** [əv ðə 'mʌnθ] bis Ende der Woche / des Monats

in the meantime [ˌɪn ðə 'miːntaɪm] in der Zwischenzeit

Daten = dates *oder* data ?

dates (sg: date) [deɪts] *Kalenderdaten*

On which dates does Whitsun fall this year? Auf welche Kalenderdaten fällt Pfingsten in diesem Jahr?

data ['deɪtə] *Daten, wissenschaftliche Angaben*

In der Regel im Plural, im Singular aber, wenn es um Computer geht.

Look at these data. *Sehen Sie sich diese Daten an.*

Is this data new? *Sind diese Daten neu?*

The Time
Die Zeitangabe

→ 6.5 The Date / das Datum

What's the time	Wie spät ist es?
What time do you make it?	Wie spät haben Sie es?
Do you have the right / exact time?	Haben Sie die richtige / genaue Zeit?

Info-Box

9.45 am
nine forty-five (am) / a quarter to ten (BE) / a quarter of ten (AE) (in the morning)
10.13 pm
ten thirteen (pm) / thirteen minutes past ten (BE) / thirteen minutes after ten (AE) (in the evening)

Obwohl sie in der englischen Alltagssprache weniger üblich ist, kann die „24-Stunden-Uhr" dazu benutzt werden, sich auf gedruckte Zeitpläne zu beziehen.
09.00
oh-nine-hundred
22.13
twenty-two thirteen

The train leaves at eighteen thirty-five.	Der Zug fährt um 18 Uhr 35 ab.

It's ...	Es ist ...
seven o'clock.	7 Uhr.
ten past seven.	10 (Minuten) nach 7.
half past six.	halb 7.
(a) quarter past three.	viertel nach 3.
(a) quarter to four.	viertel vor 4.
just after five.	5 (Uhr) vorbei.
nearly ten.	fast 10 (Uhr).

I make it seven twenty.	Nach meiner Uhr ist es 7 Uhr 20.
What time does it start?	Um wie viel Uhr fängt es an?
The clock is five minutes fast / slow.	Die Uhr geht fünf Minuten vor / nach.

at nine am [ət ˌnaɪn eɪˈem]	um 9 Uhr (morgens)
at 5 pm	um 5 Uhr nachmittags, um 17 Uhr

at exactly four o´clock	
at four o´clock sharp	um Punkt 4 Uhr
at four on the dot	
at / by three o´clock at the latest	spätestens um 3 Uhr
at midnight	um Mitternacht
about three o´clock	etwa / ungefähr 3 Uhr
[əˌbaʊt ˌθriː əˈklɒk]	
till [tɪl] / **until eleven o´clock**	bis 11 Uhr
[ʌnˌtɪl ɪˌlevn əˈklɒk]	
before midday, before noon	vormittags, am Vormittag
[bɪˌfɔː mɪdˈdeɪ, bɪˌfɔː ˈnuːn]	

Info-Box

Wenn es in Deutschland 12.00 Uhr ist, dann ist es in ...

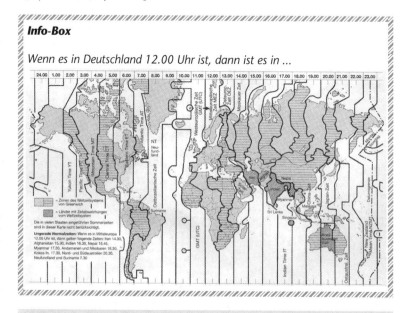

FAQs

What's a zillion or a gazillion?

They're expressions for huge numbers (= *für riesige Zahlen*). You may say:
"We spent zillions / gazillions on software, but only $8,000 on training."

What's a sagan?

This, too, means a large quantity. The expression is taken from a TV series
(= *Fernsehserie*) by cosmologist (= *Kosmologe*) and writer Carl Sagan. You
may say "The company has spent sagans on customized (= *maßgeschneiderte*) software", or "There's a sagan difference in quality between their
goods and ours".

Trade
Handel

7

Prices & Pricing
Preise & Preisfestsetzung

→ 6.1 Money Quantities / Geldbeträge
→ 6.3 Calculating / Rechnen

Everything is worth what its purchaser will pay for it. (Publilius Syrus, Latin writer, 1st century BC)

price [praɪs]	Preis
purchase price	Kaufpreis
market price	Marktpreis
We'll sell below market price to get rid of the stock.	Wir werden unter dem Marktpreis verkaufen, um Lagerbestände loszuwerden.
fair price	angemessener Preis
competitive price	wettbewerbs- / konkurrenzfähiger Preis
competitively priced	wettbewerbsfähig im Preis
buying / selling price	Einkaufs- / Verkaufspreis
retail price (= RP)	Einzelhandelspreis
wholesale price	Großhandelspreis
trade price	Händlerpreis
fixed / favourable / asking price	fester / günstiger / geforderter Preis
Manufacturer's Recommended Price (= MRP)	Preisempfehlung des Herstellers
average price	Durchschnittspreis
$450 for 10 – that's an average price of $4.50.	$450 für 10 Stück – das ist ein Durchschnittspreis von $4,50.
special price	Sonderpreis
unit price / price per unit	Stückpreis / Preis je Einheit
consumer price	Verbraucherpreis
firm price	Festpreis
net price (= N/P)	Nettopreis
at half price	zum halben Preis
total price / all-in price	Gesamtpreis
list price / catalogue price	Katalogpreis
contract price	Vertragspreis
bottom price	niedrigster Preis
rock-bottom price	Tiefstpreis
price ex warehouse	Preis ab Lager
price reduction	Preisnachlass
price increase	Preiserhöhung
increase in price	teurer werden
price maintenance [ˌpraɪs ˈmeɪntənəns]	Preisbindung
price range	Preisklasse

I'm pretty certain we'll find something in your price range.	Ich bin ziemlich sicher, dass wir etwas in Ihrer Preislage finden.
price list	Preisliste
We'll fax you our export price list immediately.	Wir werden Ihnen unsere Export-preisliste sofort zufaxen.
price-sensitive product	preisempfindliches Produkt
budget price ['bʌdʒɪt ˌpraɪs]	Sparpreis
establish a price	einen Preis festlegen
We've established the price at €3.75.	Wir haben den Preis auf €3,75 festgelegt.
mark a price down	einen Preis heruntersetzen
want to know a price	einen Preis wissen wollen
Our customers want to know the price of the product and when it will be delivered.	Unsere Kunden wollen den Preis des Produkts wissen und wann es geliefert wird.

prices ['praɪsiz]	Preise
at competitive prices	zu konkurrenzfähigen Preisen
mark prices up	Preise erhöhen
adjust / beat prices	Preise ausgleichen / unterbieten
Prices are subject to change.	Preisänderungen vorbehalten.

pricing ['praɪsɪŋ]	Preisfestsetzung
pricing strategy	Preisgestaltung / -strategie
overpriced goods [ˌəʊvəpraɪst 'gʊdz]	überteuerte Ware(n)
dumping ['dʌmpɪŋ]	zum Schleuderpreis verkaufen

discount ['dɪskaʊnt]	Rabatt
We'll place an order, provided you can give us a discount.	Wir werden eine Bestellung auf-geben, wenn wir von Ihnen einen Rabatt bekommen.
allow sb a discount	jdm Rabatt gewähren
sell goods at a discount	Waren mit Rabatt verkaufen
cash discount / quantity discount	Barzahlungs- / Mengenrabatt
5 % cash discount	5 % Skonto / 5 % bei Barzahlung
discount period	Skontofrist / Frist für Barzahlung
trade discount / special discount	Handelsrabatt / Sonderrabatt
claim a discount	einen Rabatt fordern
We'll claim a 5% discount.	Wir fordern einen 5%igen Rabatt.
at a discount of 10%	mit einem Rabatt von 10 %
We try to encourage sales by giving high discounts.	Wir versuchen, den Umsatz durch hohe Rabatte zu fördern.
introductory discount	Einführungsrabatt
As a first-time customer, you receive an introductory discount of 4%.	Als Neukunde erhalten Sie einen 4%igen Einführungsrabatt.

charge [tʃɑːdʒ]	erheben / berechnen
charge €10 for delivery	€10 Liefergebühren erheben

costing ['kɒstɪŋ]
break even [ˌbreɪk 'i:vn]
We'll need to make another $400 to break even.

Kostenrechnung
kostendeckend arbeiten
Wir müssen noch weitere $400 verdienen, um kostendeckend zu arbeiten.

expensive [ɪk'spensɪv] / **dear** [dɪə]
inexpensive [ˌɪnɪk'spensɪv] / **cheap** [tʃi:p]
That would be the cheapest / most expensive / slowest / quickest way.

teuer
preiswert / billig

Das wäre der billigste / teuerste / langsamste / schnellste Weg.

quote prices [ˌkwəʊt 'praɪsɪz] / **a price** [praɪs]
quote / quotation / estimate
accept the lowest quotation

Preise angeben / ein Preisangebot machen
Kostenvoranschlag, Preisangebot
das niedrigste Preisangebot annehmen

estimate ['estɪmət, 'estɪmeɪt]
a rough / conservative estimate
I can give you a close estimate.

Schätzung / schätzen, abschätzen
eine grobe / vorsichtige Schätzung
Ich kann Ihnen eine gute Schätzung geben.

estimated (= est)
estimate of costs
put in an estimate
We've been able to estimate the likely costs.
according to our estimate

geschätzt
Kostenvoranschlag
einen Kostenvoranschlag abgeben
Wir waren in der Lage, die voraussichtlichen Kosten abzuschätzen.
nach unserer Schätzung

overestimate [ˌəʊvər'estɪmeɪt] / **underestimate** [ˌʌndər'estɪmeɪt]
Don't underestimate the competition in the Japanese market.

über- / unterschätzen

Unterschätzen Sie nicht die Konkurrenz auf dem japanischen Markt.

FAQs

What should I consider when pricing for a foreign market (= *Auslandsmarkt*)?

- Whether my prices will be competitive
- What discounts I should offer my foreign customers
- What pricing options (= *Möglichkeiten*) I will have if costs increase or decrease
- Whether the demand (= *Nachfrage*) in the foreign market is steady or elastic (= *stabil oder elastisch*)
- How the prices will be viewed by the foreign government (= *Regierung*).

Buying & Selling
Ankauf & Verkauf

→ 5.3 Negotiating / Verhandeln

Looking at bargains from a purely commercial point of view, someone is always cheated, but looked at with the simple eye, both seller and buyer always win. (David Grayson, US journalist & biographer, 1870–1946)

buy [baɪ]	kaufen
buy for cash	gegen Bar kaufen
two hundred pounds in cash	200 Pfund in bar
buy back	zurückkaufen
buy-back deal	Gegengeschäft
buy second-hand	aus zweiter Hand kaufen
buy / sell forward	auf Termin kaufen / verkaufen
a good / bad buy	ein guter / schlechter Kauf
buying power / purchasing power / spending power	Kaufkraft
We underestimated the buying power of the Euro.	Wir haben die Kaufkraft des Euros unterschätzt.
bulk buying	Massenankauf / Mengeneinkauf
buyer ['baɪə]	Käufer(-in)
internet buyer	Internetkäufer(-in)
repeat buyer	Wiederholungskäufer(-in)
buyers' market	Käufermarkt
spend [spend] / **save money** [ˌseɪv 'mʌnɪ]	Geld ausgeben / sparen
spend a lot / a little on sth	viel / wenig für etw ausgeben
We'd better spend a little more on security.	Wir sollten besser etwas mehr für die Sicherheit ausgeben.
overspend	zu viel ausgeben
purchase ['pəːtʃəs]	Kauf / kaufen
regular purchase	regelmäßige Käufe
hire purchase	Ratenkauf
on hire purchase	auf Ratenzahlung
cash purchase	Barkauf
confirm a purchase	einen Kauf bestätigen
purchaser ['pəːtʃəsə]	Käufer(-in)
trade [treɪd]	Handel treiben
trade in	handeln mit / Handel treiben mit
We trade in semi-conductors.	Wir handeln mit Halbleitern.
foreign trade	Außenhandel

foreign trade risks	Außenhandelsrisiken
balance of trade	Handelsbilanz
trade surplus ['treɪd ˌsɜːpləs]	Handelsbilanzüberschuss
trade margin	Handelsspanne
trial shot [ˌtraɪəl 'ʃɒt]	Probeaufnahme
unit ['juːnɪt]	Einheit
units sold	verkaufte Einheiten
goods inwards [ˌɡʊdz 'ɪnwʊdz] / **outwards** ['aʊtwʊdz]	Wareneingang / -ausgang
description of goods	Warenbeschreibung
guarantee [ˌɡærən'tiː]	Garantie
The guarantee includes …	Diese Garantie schließt … ein.
a three-year guarantee	eine dreijährige Garantie
It's guaranteed for 12 months.	Darauf gibt es 12 Monate Garantie.
The guarantee will run out in 4 months.	Die Garantie läuft in 4 Monaten aus.
give a guarantee	eine Garantie geben
Could you give me a guarantee on that, please?	Könnten Sie mir darauf bitte eine Garantie geben?
provisional [prə'vɪʒnl]	provisorisch
query ['kwɪəri]	Frage / Rückfrage
I've got a couple of queries about this bill.	Ich habe ein paar Fragen zu dieser Rechnung.
inform [ɪn'fɔːm]	informieren
value ['væljuː]	Wert
in value	wertmäßig
paperwork ['peɪpəwɜːk]	Papierkram / Schreibarbeit
proforma (or: **pro-forma**) **invoice** (= p/i) [prəʊˌfɔːmə 'ɪnvɔɪs]	Pro-forma-Rechnung
enclose a proforma invoice	eine Pro-forma-Rechnung beilegen

⚠️

remember to + infinitive	*daran denken (= nicht vergessen), etw zu tun*
Please remember to enclose a proforma invoice.	*Bitte denken Sie daran, eine Pro-forma-Rechnung beizulegen.*
remember + -ing	*sich erinnern, etw getan zu haben*
Do you remember enclosing a proforma invoice?	*Erinnern Sie sich daran, eine Proforma-Rechnung beigelegt zu haben?*

sell [sel]	verkaufen
hard / soft sell	harte / weiche Verkaufsmethoden
difficult / easy to sell	schwer / leicht verkäuflich
sell direct	direkt verkaufen
sell at a loss	mit Verlust verkaufen
The new models are selling at a loss right now, but they're expected to show a profit by the end of the year.	Die neuen Modelle verkaufen sich im Moment mit Verlust, aber man erwartet, dass sie bis zum Ende des Jahres Gewinn einbringen.
sell at giveaway prices	zu Schleuderpreisen verkaufen
sell to the trade	an Wiederverkäufer verkaufen
selling	Verkauf, verkaufen
seller	Verkäufer(-in)
sellers' market	Verkäufermarkt
sales pitch ['seɪlz ˌpɪtʃ]	Verkaufsargument
buy wholesale [ˌbaɪ 'həʊaseɪl] / **sell retail** [ˌsel 'riːteɪl]	im Großhandel einkaufen / im Einzelhandel verkaufen
telesales ['telɪseɪlz]	Telefon- / Televerkauf
sale [seɪl]	Verkauf
cash sale	Barverkauf
clearance sale (AE: close-out sale)	Räumungsverkauf
conditions of sale	Verkaufsbedingungen
Our conditions of sale are on page 2 of the catalogue.	Unsere Verkaufsbedingungen befinden sich auf Seite 2 des Katalogs.
commission sale / sales on commission	Kommissionsverkauf, Verkauf auf Kommissionsbasis
point of sale (= p.o.s. / POS)	Verkaufsstelle / Verkaufsort
electronic point of sale (= epos / EPOS)	elektronisches Kassenterminal
PIN (= Personal Identification Number) [pɪn]	Geheimzahl
virtual credit card [ˌvɜːtʃuəl 'kredɪtkɑːd]	virtuelle Kreditkarte
mouse [maʊs]	Maus
order form ['ɔːdəfɔːm]	Bestellformular
password ['pɑːswɜːd]	Kennwort
protected [prə'tektɪd]	geschützt

Info-Box

Um eine virtuelle Kreditkarte (= virtual credit card) zu bekommen, besucht der Kunde die geschützte (= protected) Website seiner Bank. Dort fordert er über sein eigenes Konto eine virtuelle Kreditkarte an. Über eine PIN (= Personal Identification Number) und ein weiteres individuelles Passwort erhält der Kunde Zugang zur Bank, die ihm dann die Karte ausstellt und automatisch auf dem PC des Kunden installiert.

Der Kunde bezahlt online, indem er seine virtuelle Karte auf dem Bildschirm mit der Maus (= mouse) anklickt und in das Bestellformular (= order form) des Händlers zieht. Der Kunde bestätigt (= confirms) seinen Kauf (= purchase) durch die Eingabe eines individuellen Kennworts (= password), das von der kartenausgebenden Bank geprüft wird. Die Lieferanschrift, der Name und ähnliche Angaben sind bereits vom Aussteller gespeichert und müssen nicht mehr eingegeben werden – mit einem einfachen Mausklick wird der Kauf bestätigt.

commercial directory [kəˌmɜːʃl dɪˈrektri]   Handelsverzeichnis

register of companies [ˌredʒɪstə əv ˈkʌmpəniz]   Handelsregister

business to business (= B2B, BTB) [ˌbɪznɪs tə ˈbɪznɪs]   von Unternehmen zu Unternehmen

Almost all our Internet trade is business to business.   Fast unser gesamter Handel im Internet läuft von Unternehmen zu Unternehmen.

business to customer (= B2C, BTC)   vom Unternehmen zum Kunden

cheat [tʃiːt]   betrügen
fraud [frɔːd]   Betrug
fraudulent [ˈfrɔːdjələnt]   betrügerisch

FAQs

What's a "garage sale"?

When a company has collected a lot of unwanted goods (= *unerwünschte Waren*), it tries to sell them at giveaway prices. There's no real hope of much profit – the main motive is to get rid of the goods (= *die Waren loswerden*).

What's "bait and switch"?

A retailer (= *Einzelhändler*) advertises goods at a very low price, but when a customer tries to buy these goods, they're not available (= *verfügbar*). By this trick, the retailer tries to get customers into his or her store or shop, hoping they'll buy a different product which is in stock (= *vorrätig*).

Offers & Orders
Angebote & Aufträge / Bestellungen

7

3

→ 7.4 Contracts & Conditions / Verträge & Bedingungen

We'll make you an offer you can't refuse. (from the film The Godfather, 1972)

offer [ˈɒfə]	Angebot
firm offer	Festangebot
written offer / binding offer	schriftliches / verbindliches Angebot (Siehe Musterbriefe & -faxe, S. 287)
submit / accept / revoke an offer	ein Angebot unterbreiten / annehmen / widerrufen
acceptance of an offer	Annahme eines Angebotes
or near(est) offer (o.n.o) / AE: or best offer (o.b.o)	oder gegen Höchstgebot
bargain offer / special offer	Sonderangebot
Call this number to get information about the week's special offers.	Rufen Sie diese Nummer an, um sich über die Sonderangebote der Woche zu informieren.
introductory offer	Einführungsangebot
offer subject to availability	Angebot gilt solange der Vorrat reicht
subject to prior sale [ˌsʌbdʒəkt tə praɪə ˈseɪl]	Zwischenverkauf vorbehalten
item no longer available [ˌaɪtəm nəʊ lɒŋgə əˈveɪləbl]	Artikel nicht mehr erhältlich
order [ˈɔːdə]	Auftrag, Bestellung
order sth	etw bestellen
You can order goods by e-mail 7 days a week.	Sie können Waren per E-Mail bestellen – 7 Tage die Woche.
take an order	Bestellung annehmen
We can take orders over the phone, but not from first-time customers.	Wir nehmen telefonische Bestellungen an, jedoch nicht von Neukunden.
place an order	einen Auftrag erteilen / eine Bestellung aufgeben (Siehe Musterbriefe & -faxe, S. 288)
If you wish to place an order, please dial 1.	Wenn Sie eine Bestellung aufgeben möchten, wählen Sie bitte die Taste / Ziffer 1.
handle (an order)	sich befassen mit, bearbeiten (Auftrag)
fulfil / deal with / execute an order	einen Auftrag ausführen
execution of an order	Auftragsausführung

cancel an order	einen Auftrag / eine Bestellung stornieren
If I don't get those goods by the end of next week, I'll have to cancel the order.	Wenn ich diese Waren bis Ende nächster Woche nicht erhalten habe, muss ich den Auftrag stornieren.
process an order	einen Auftrag bearbeiten
lose an order	einen Auftrag verlieren
initial order / first-time order	Erstauftrag
order number	Auftragsnummer
order book	Auftragsbuch
We have a full order book right up to the end of the year.	Wir haben bis zum Ende des Jahres ein volles Auftragsbuch.
on order	bestellt
receipt of order [rɪˌsiːt əv ˈɔːdə]	Auftragserhalt
mail order	Postversand
mail-order company / mail-order catalogue	Versandhaus / Versandhauskatalog
advance order	Vorausbestellung
rush order	Eilbestellung
credit card order	Bestellung per Kreditkarte / Kreditkartenbestellung
You should allow 14 days for delivery for credit card orders.	Für die Lieferung von Kreditkartenbestellungen sollten Sie 14 Tage gewähren.
bulk order	Groß- / Mengenbestellung
We'd like to place a bulk order rightaway.	Wir würden gerne sofort eine Großbestellung aufgeben.
firm order	Festauftrag
follow-up order / repeat order	Nachbestellung / Wiederholungsauftrag
trial order [ˌtraɪəl ˈɔːdə]	Probebestellung
Would you like to place a trial order?	Möchten Sie eine Probebestellung aufgeben?
If you ordered today, we could deliver tomorrow.	Würden Sie heute bestellen, könnten wir morgen liefern.
fax an order	eine Bestellung faxen
I'll fax you the order right now.	Ich faxe Ihnen die Bestellung sofort (zu).
confirm an order	einen Auftrag / eine Bestellung bestätigen
I'll call you in a few minutes to confirm that order.	Ich rufe Sie in ein paar Minuten an, um die Bestellung zu bestätigen.
confirmation / acknowledgement	Bestätigung
I look forward to your confirmation.	Ich erwarte Ihre Bestätigung.

consignment [kən'saɪnmənt] /   Warensendung, Lieferung
  shipment ['ʃɪpmənt]
send a consignment   eine Lieferung schicken
Could you send a consignment by air / Könnten Sie sofort eine Lieferung per
  by sea right away?   Luftfracht / per Schiff schicken?

require [rɪ'kwaɪə]   erfordern, verlangen
requirements / needs   Bedarf
With the right arrangements, we could Bei entsprechender Vorbereitung
  possibly supply up to 50 % of your   könnten wir möglicherweise bis zu
  needs.   50 % Ihres Bedarfs decken.

obtain [əb'teɪn]   bekommen, erhalten
quantity ['kwɒntəti]   Menge
in accordance with your   gemäß Ihren Anweisungen
  instructions [ɪn ə'kɔːdəns wɪð]
on approval (= on appro)   zur Ansicht / auf Probe
  [ˌɒn ə'pruːvl]
You may keep the goods up to   Sie können die Waren bis zu
  14 days on approval.   14 Tage zur Ansicht behalten.

FAQs

What important details should appear in a written order?

- type and quantity of goods ordered,
- unit price (= *Stückpreis*) and total price,
- terms of delivery (= *Lieferbedingungen*),
- special requirements (= *spezielle Voraussetzungen*), eg packing,
- action taken (or to be taken) to pay for the goods.

Contracts & Conditions
Verträge & Bedingungen

→ 7.3 Offers & Orders / Angebote & Aufträge / Bestellungen

A verbal contract isn't worth the paper it's written on. (Samuel Goldwyn, 1882–1974, US film producer)

contract ['kɒntrækt]	Vertrag
draw up / enter into a contract	einen Vertrag aufsetzen / abschließen
be under contract	vertraglich verpflichtet sein
break a contract	einen Vertrag brechen
pull out of a contract	aus einem Vertrag aussteigen
The terms of the contract allow either side to pull out at a month's notice.	Die Vertragsbedingungen erlauben es beiden Seiten, nach einmonatiger Kündigungsfrist auszusteigen.
have a contract ready	einen Vertrag fertig haben
I'm sure we'll have the contracts ready in two weeks.	Ich bin sicher, wir haben die Verträge in zwei Wochen fertig.
cancel a contract	einen Vertrag aufheben
sign a contract	einen Vertrag unterzeichnen
Before I sign (the contract), I've got a couple of questions.	Bevor ich (den Vertrag) unterschreibe, habe ich noch ein paar Fragen.
signing of / award of a contract	Unterzeichnung / Vergabe eines Vertrags
breach of contract [ˌbriːtʃ əv 'kɒntrækt]	Vertragsbruch
period of contract	Vertragsdauer
fulfilment of contract	Vertragserfüllung
completion of a contract	Vertragsabschluss
as per contract [æz pə 'kɒntrækt]	laut Vertrag
We'll deliver on the 15th, as per contract.	Wir liefern laut Vertrag am 15.
sales contract / contract of sale / sales agreement	Kaufvertrag
contractual obligation	vertragliche Verpflichtung
clause (in a contract) [klɔːz]	Klausel (in einem Vertrag)
cancellation clause / escape clause	Rücktrittsklausel
contracting parties [kənˌtræktɪŋ 'pɑːtnəz]	vertragsschließende Parteien
draft [drɑːft]	Entwurf
draft contract	Vertragsentwurf
small print ['smɔːl prɪnt] / **fine print** ['faɪn prɪnt]	das Kleingedruckte

proviso [prə'vaɪzəʊ]
He delivers only with the proviso that we pay in advance.

Vorbehalt
Er liefert nur unter dem Vorbehalt, dass wir im Voraus bezahlen.

point out [ˌpɔɪnt 'aʊt]
We should like to point out that the deadline must be kept.

hinweisen auf
Wir möchten darauf hinweisen, dass der Termin eingehalten werden muss.

terms [tɜːmz] / **conditions** [kən'dɪʃnz]
define the conditions
terms of contract

Bedingungen
die Bedingungen festlegen
Vertragsbedingungen / -bestimmungen

The terms of the contract are quite clear.

Die Vertragsbedingungen sind völlig klar.

our usual terms
agreed terms
under the terms of / according to the contract

unsere üblichen Bedingungen
vereinbarte Bedingungen
vertragsgemäß / gemäß den Vertragsbestimmungen

According to the contract, they should have arrived by the 15th.

Vertragsgemäß hätten sie bis zum 15. eintreffen müssen.

alter the terms of a contract

die Bedingungen / Bestimmungen eines Vertrages ändern

on easy / favourable / soft terms
terms of sale
cash terms
trading terms
with effect from (= wef)
take effect / come into effect / come into force

zu günstigen Bedingungen
Verkaufsbedingungen
Barzahlungsbedingungen
Handelsbedingungen
mit Wirkung vom
in Kraft treten

These terms will take effect / come into effect on 1st July.

Diese Bedingungen werden am 1. Juli in Kraft treten.

be in force
effective date

in Kraft sein
Tag des Inkrafttretens / Stichtag

expire [ɪk'spaɪə]
The contract expires on 31 December unless it is renewed.

aus- /ablaufen
Der Vertrag läuft am 31. Dezember aus, es sei denn, er wird erneuert.

expiry / expiration
expiry date
The expiry date is 31 December.

Ablauf
Ablauftermin
Ablauftermin ist der 31. Dezember.

deadlines ['dedlaɪnz]

Vertragsfristen für Leistungen

FAQs

What is "force majeure"?

It means external influences such as war (= *Krieg*), gales (= *Orkane*), earthquakes (= *Erdbeben*) and the like. Such events may make it impossible to meet the terms of a contract.

Import / Export

Import / Export

Import / Export Documents
Import- / Exportunterlagen

→ 8.2 Transport / Transport
→ 8.3 Delivery / Lieferung

It's all papers and forms, the entire Civil Service is like a fortress made of papers, forms and red tape. (Alexander Ostrovsky, Russian playwright, 1823–86)

consignor [kən'saɪnə] / **consigner** [kən'saɪnə]	Absender(-in) einer Sendung
consignee [ˌkənsaɪ'niː]	Empfänger(-in) einer Sendung
document of title [ˌdɒkjəmənt əv 'taɪtl]	Traditionspapier
shipping documents	Versanddokumente / Transport-papiere
air waybill (= AWB) ['eəweɪˌbɪl] / **air freight bill** (= afb) ['eəfreɪtˌbɪl]	Luftfrachtbrief
freight note / waybill	Frachtbrief
bill of lading (= B/L) [ˌbɪl əv 'leɪdɪŋ]	Konnossement
clean bill of lading	reines Konnossement
foul / dirty / unclean bill of lading	unreines Konnossement
delivery order (= D/O) [dɪ'lɪvri ˌɔːdə]	Lieferauftrag / -schein
delivery receipt	Warenempfangsschein
certificate of seaworthiness [səˌtɪfɪkət əv 'siːwɜːðɪnəs] / **airworthiness** ['eəwɜːðɪnəs]	See- / Lufttüchtigkeitszeugnis
health certificate	Gesundheitszeugnis
insurance certificate	Versicherungszertifikat
certificate of origin (= C/O)	Ursprungszeugnis, Herkunfts-bescheinigung
Without a C/O, these goods will be held up at Customs.	Ohne Herkunftsbescheinigung werden diese Güter am Zoll aufgehalten.
country of origin	Ursprungs- / Herkunftsland
invoice ['ɪnvɔɪs]	Rechnung
commercial invoice	Handelsrechnung
consular invoice (= CI)	Konsulatsfaktura
freight invoice / freight bill	Frachtrechnung
export invoice	Ausfuhrrechnung

contract of carriage [ˌkɒntrækt əv 'kærɪdʒ]   Frachtvertrag

duplicate consignment note   Frachtbriefdoppel
[ˌdjuːplɪkət kənˈsaɪnmənt nəʊt]
goods received note   Wareneingangsanzeige
release note (= RN)   Freigabebescheinigung
despatch note / consignment note /   Avis / Versandanzeige / Versand-
advice note (= AN) /   schein / Frachtbrief
advice of despatch

itemised list [ˌaɪtəmaɪzd 'lɪst]   Detailaufstellung
packing list   Packliste

import permit ['ɪmpɔːt ˌpɜːmɪt] /   Import- / Exportgenehmigung
export permit ['ekspɔːt ˌpɜːmɪt]
import licence (= I/L)   Einfuhr- / Importlizenz
export licence (= E/L)   Ausfuhr- / Exportlizenz
individual licence   Einzelgenehmigung (Import / Export)

 current, up-to-date   *aktuell*
actual / actually   *tatsächlich*

They won't do anything till they've   *Sie werden nichts unternehmen,*
received an up-to-date health   *bevor sie ein aktuelles Gesund-*
certificate.   *heitszeugnis erhalten haben.*
So what is the actual destination of   *Was ist also der tatsächliche*
the goods?   *Bestimmungsort für diese Waren?*
How can we decide what certificates   *Wie können wir entscheiden, welche*
are actually needed?   *Zeugnisse tatsächlich benötigt*
    werden?

free trade area [ˌfriː 'treɪd ˌeərɪə]   Freihandelszone
What papers are needed if the goods   Welche Dokumente werden benötigt,
are moved within the free trade area?   wenn die Waren innerhalb der
    Freihandelszone bewegt werden?

third party [ˌθɜːd 'pɑːti]   Dritter

import restrictions ['ɪmpɔːt rɪˌstrɪkʃnz]   Einfuhrbeschränkungen
trade restrictions   Handelsbeschränkungen
Are there any restrictions affecting   Gibt es irgendwelche
the importation of window frames   Beschränkungen, für den Import
into Brazil?   von Fensterrahmen nach Brasilien?
impose restrictions on ...   Einfuhrbeschränkungen für ... ver-
    hängen / einführen

The Argentinian Government has imposed restrictions on the import of CDs.	Die argentinische Regierung hat Einfuhrbeschränkungen für Cds verhängt.
protectionism [prə'tekʃənɪzm]	Protektionismus
trade sanctions ['treɪd ˌsæŋkʃnz]	Wirtschaftssanktionen
trade barriers	Handelsschranken / -hemmnisse
lift trade barriers	Handelsschranken aufheben
Our long-term aim is to abolish all remaining trade barriers.	Langfristig zielen wir darauf ab, alle noch vorhandenen Handelsschranken abzuschaffen / abzubauen.
import quota ['ɪmpɔːt ˌkwəʊtə]	Importquote
quota system	Quotensystem
operate a quota system	ein Quotensystem anwenden
undermine [ˌʌndə'maɪn]	untergraben
This is beginning to undermine our export position.	Dies schädigt unsere Exportposition allmählich.
prohibited item [prəˌhɪbɪtɪd 'aɪtəm]	unzulässiger Gegenstand
licence (AE: license) ['laɪsəns]	Lizenz
subsidy ['sʌbsɪdi]	Subvention
red tape [ˌred 'teɪp]	Bürokratie, bürokratischer Kleinkram
With that country, we always get a lot of red tape to deal with.	Bei diesem Land müssen wir uns immer um viel bürokratischen Kleinkram kümmern.

Info-Box

Die Deutsch-Britische Industrie- und Handelskammer (= German-British Chamber of Industry and Commerce) bietet ein umfassendes Dienstleistungsangebot im gesamten Bereich der Außenwirtschaft: Regeln und Bestimmungen (= rules and regulations), Sicherheitsvorschriften (= safety regulations), Hilfe bei Kooperation, Lizenzgeschäften, Unterstützung bei der Zahlungsabwicklung, usw. Adresse: Siehe S. 279.

Die zum Geschäftsbereich des Bundesministers für Wirtschaft gehörende Bundesstelle für Außenhandelsinformation (BfAI) unterrichtet die deutsche Wirtschaft und deutsche amtliche Stellen weltweit über alle bedeutsamen außenwirtschaftlichen Bereiche. Adresse: Siehe S. 281.

Chamber of Commerce (= C of C) [ˌtʃeɪmbər əv 'kɒmɜːs]	Handelskammer
Chamber of Commerce and Industry	Industrie- und Handelskammer (= IHK)
International Chamber of Commerce (= ICC)	Internationale Handelskammer

regulations [ˈreɡjəleɪʃnz]
Could you advise me on US Government Regulations on international trade?
rules and regulations

safety regulations

Bestimmungen
Können Sie mich zu Bestimmungen der US-Regierung über den internationalen Handel beraten?
Regeln und Bestimmungen / Vorschriften
Sicherheitsvorschriften

customs [ˈkʌstəmz]
customs and excise [ˈeksaɪz] duties
customs officer
customs declaration
customs invoice
customs receipt
customs / customs clearance
clearance certificate
clear goods through customs

I'll fax you as soon as the goods are cleared.

Zoll
Zölle und Abgaben
Zollbeamter / -beamtin
Zollanmeldung / -erklärung
Zollfaktura
Zollquittung
Zollabfertigung
Zollabfertigungsschein
Güter zollamtlich abfertigen / verzollen

Ich schicke Ihnen ein Fax, sobald die Waren abgefertigt sind.

import [ˈɪmpɔːt] / **export duty** [ˈekspɔːt ˌdjuːti]
subject to import / export duty
prohibitive duty / prohibitive tariff
duty-free
duty-paid goods
additional duty
tariff (= tax on imported goods) [ˈtærɪf]
of no commercial value [əv nəʊ kəˌmɜːʃl ˈvæljuː]
port of entry [ˌpɔːt əv ˈentri]

Einfuhr- / Ausfuhrzoll

einfuhr- / ausfuhrzollpflichtig
Prohibitiv- / Sperrzoll
zollfrei
verzollte Waren
zusätzliche Zollgebühren
Zolltarif

ohne Handelswert

Zollabfertigungsstelle

FAQs

What are the main restrictions to international trade?

1. tariffs on imported goods
2. import quotas
3. exchange controls (See page 171)
4. subsidies to home-produced goods

What shipping documents should accompany a Letter of Credit (= *Akkreditiv*)?

Normally, an insurance certificate, air waybill, bill of lading, freight note and certificate of origin are needed.

→ 8.3 Delivery / Lieferung

Dirty British coaster with a salt-caked smoke stack
Butting through the Channel in the mad March days,
With a cargo of Tyne coal,
Road-rail, pig-lead,
Firewood, iron-ware, and cheap tin trays.

(John Masefield, English poet, 1878–1967)

ship [ʃɪp]	schicken, versenden, transportieren
shipping ['ʃɪpɪŋ]	Schifffahrt, Versand
shipping instructions	Versandanweisungen
shipment ['ʃɪpmənt] / **consignment** [kən'saɪnmənt]	Warensendung, Lieferung
bulk shipment	Massengutversand
consolidated shipment	Sammelladung
date of shipment	Versanddatum
transshipment	Umladung
despatch [dɪ'spætʃ]	schicken, versenden, transportieren
place of despatch	Versandort
modes of despatch	Versandarten
destination [ˌdestɪ'neɪʃn]	Bestimmungsort
country of destination	Bestimmungsland
place of destination	Bestimmungsort
freight [freɪt] / **cargo** ['kɑːgəʊ] / **carriage** ['kærɪdʒ]	Fracht
freight collect	Fracht gegen Nachname / unfrei
freight included	Fracht inbegriffen
freight costs / freight rate / forwarding charges	Frachtkosten / -tarife
freight handling facilities	Güterverladeanlage
Where are your nearest freight handling facilities?	Wo befindet sich Ihre nächste Güterverladeanlage?
hazardous cargo [ˌhæzədəs 'kɑːgəʊ]	Gefahrgut / gefährliche Güter
carrier ['kæriə] / **freight forwarder** ['freɪt ˌfɔːwədə] / **forwarding agent** ['fɔːwədɪŋ ˌeɪdʒənt]	Frachtführer(-in), Spediteur(-in)

Any complaints should be addressed to the forwarding agent.	Bei Beschwerden wenden Sie sich bitte an den Spediteur.
freight forwarding	Spedition
foreign freight forwarder	Auslandsspediteur(-in)
bulk carrier	Massengutfrachter
courier ['kʊriə]	Kurier(-in)
conveyor [kən'veɪə]	Überbringer(-in)
mode of transport [ˌməʊd əv 'trɑːnspɔːt] / **transportation** [ˌtrænspə'teɪʃn]	Transportart
What's the most efficient mode of transportation?	Welche Transportart ist am wirtschaftlichsten?
air transport	Lufttransport
water transport	Wassertransport
inland transport	Inlandstransport
road transport	Transport auf der Straße
rail transport	Transport per Schiene
What would be better – road or rail?	Was wäre besser – Straße oder Schiene?
pick-up point ['pɪkʌp ˌpɔɪnt]	Abholstelle
weight limit ['weɪt ˌlɪmɪt]	Höchstgewicht
minimum weight (= min. wt.)	Mindestgewicht
maximum permissible weight (= MPW)	zulässiges Höchstgewicht
haulier ['hɔːliə]	LKW-Unternehmer
road haulage ['rəʊd ˌhɔːlɪdʒ]	Güterkraftverkehr
haulage contractor	LKW-Transportunternehmen
bulk haulage	Massengütertransport
long hauls / short hauls	Güterfernverkehr / -nahverkehr
load [ləʊd]	beladen / Ladung
unload	ausladen
The goods were unloaded in Hamburg.	Die Waren wurden in Hamburg ausgeladen.
lorry load	LKW-Ladung
van [væn] / **delivery van** [dɪ'lɪvri ˌvæn]	Lieferwagen
by air [ˌbaɪ 'eə]	auf dem Luftweg / per Luftfracht
send goods by air	Waren auf dem Luftweg versenden
air freight / air cargo	Luftfracht
air freight charges	Luftfrachtkosten
by sea [ˌbaɪ 'siː]	auf dem Seeweg / per Schiff
send goods by sea	Waren auf dem Seeweg versenden
sea freight	Seefracht

vessel ['vesl]	Schiff
port [pɔ:t] / **dock** [dɒk]	Hafen
port to port (= P to P)	von Hafen zu Hafen
inland waterway port	Binnenhafen
docking facilities [ˌdɒkɪŋ fəˈsɪlətiz]	Hafenanlagen
shipowner [ˈʃɪpəʊnə]	Schiffseigner(-in)
shipping company [ˌʃɪpɪŋ ˈkʌmpəni]	Reederei
roll-on roll-off service [rəʊl ˌɒn rəʊl ˈɒf sɜːvɪs]	Ro-Ro-Verkehr
by rail [ˌbaɪ ˈreɪl]	per Bahn
railway (AE: railroad)	Eisenbahn
railhead	Gleisanschluss
goods train (AE: freight train) [ˈɡʊdz treɪn]	Güterzug
in transit [ɪn ˈtrænzɪt]	unterwegs, auf dem Transport
How long will they be in transit?	Wie lange werden sie unterwegs sein?
route [ruːt]	Route
en route [ˌɒn ˈruːt]	unterwegs
specify delivery route	Versandweg angeben
Please specify the delivery route with your estimate.	Bitte geben Sie mit Ihrem Kostenvoranschlag den Versandweg an.
via (Hamburg) [ˌvaɪə ˈhæmbɜːɡ]	über (Hamburg)
consolidations [kənˌsɒlɪˈdeɪʃnz]	Sammelladungen
treat sth with special care [ˌtriːt sʌmθɪŋ wɪð ˌspeʃl ˈkeə]	etw mit besonderer Sorgfalt behandeln
reach [riːtʃ]	erreichen
content [ˈkɒntənt]	Inhalt

FAQs

Exactly what does a freight forwarder do?

A freight forwarder is an agent who helps exporters to transport cargo. He or she assists and advises the exporter on import / export regulations (= *Bestimmungen*), optimal packaging, ways of shipping and the required documentation, such as packing lists. A freight forwarder may also reserve space (= *Platz reservieren*) for the goods on an ocean vessel or a cargo plane. In addition, he or she advises on the costs (eg charges for freight and handling, insurance payments, consular fees). A freight forwarder also helps the exporter to prepare pro-forma invoices (= *Proformarechnungen*) and price quotations (= *Preisangebote*).

Are shipments sent only by ship?

No, shipments are sent by air, road, rail, sea or by a combination of these.

Delivery
Lieferung

→ 8.2 Transport / Transport

Person-to-person delivery – that's our business. (Public notice in the maternity ward of a London hospital)

deliver [dɪ'lɪvə]   (aus)liefern, zustellen
deliver sth to sb   etw an jdn liefern
deliver within the specified time   innerhalb der Lieferzeit liefern
I'd like to make this order on the   Ich möchte diese Bestellung unter
    condition that the goods are   der Bedingung aufgeben, dass die
    delivered by Monday.   Waren bis Montag geliefert
    werden.

delivery [dɪ'lɪvri]   Lieferung
delivery note   Lieferschein
accept delivery of a shipment   eine Warensendung abnehmen
take delivery of   in Empfang nehmen
guarantee delivery   Lieferung garantieren
effect delivery   Lieferung durchführen
door-to-door / house-to-house delivery   Haus-zu-Haus-Lieferung
We can offer you door-to-door   Wir können Ihnen (eine) Lieferung
    delivery.   von Haus zu Haus anbieten.
delivery charge   Liefergebühr
There's a delivery charge of 3.95   Für jede Bestellung wird eine Liefer-
    pounds for each order.   gebühr von 3,95 Pfund erhoben.
delivery instructions   Liefervorschriften
part delivery   Teillieferung
point of delivery   Zustellungsort
I need a carrier to take this   Ich brauche einen Spediteur, der
    consignment from the port to the   diese Lieferung vom Hafen zum
    point of delivery.   Zustellungsort bringt.
delivery date / date of delivery   Liefertermin
delivery time   Lieferzeit
terms of delivery / delivery terms   Lieferbedingungen
The new delivery terms have been   Die neuen Lieferbedingungen
    faxed to all the distributors.   wurden allen Großhändlern
    zugefaxt.
delivery deadline   Lieferfrist
next-day delivery   Lieferung am nächsten Tag
express delivery   Eilsendung
express delivery contract   Expressliefervertrag
just-in-time delivery / JIT delivery   wartezeitfreie Lieferung /
    JIT-Lieferung

just in time (= JIT) [ˌdʒʌst ɪn 'taɪm]   genau rechtzeitig

3

 in time | *rechtzeitig*
on time | *pünktlich*

We need those goods in time for the Trades Fair. | *Wir benötigen diese Waren rechtzeitig zur Handelsmesse.*
He arrived on time – exactly at 9 o'clock. | *Er kam pünktlich an – genau um 9 Uhr.*
We must get to the station in time because the train will leave on time. | *Wir müssen rechtzeitig am Bahnhof sein, weil der Zug pünktlich abfahren wird.*

not to arrive on time | *nicht pünktlich ankommen*
The semi-conductors didn't arrive on time. | *Die Halbleiter kamen nicht pünktlich an.*
at the right time | *zur richtigen Zeit*
Everything has to arrive at the right time in the right place. | *Alles muss zur richtigen Zeit an der richtigen Stelle ankommen.*

give sb time [ˌgɪv sʌmbədi 'taɪm] | jdm Zeit geben
I can give you time till the end of next week. | Ich gebe Ihnen bis Ende nächster Woche Zeit.

bring forward [ˌbrɪŋ 'fɔːwəd] | vorverlegen
Delivery has to be brought forward two months. | Die Lieferungen müssen zwei Monate vorverlegt werden.
hold up [ˌhəʊld 'ʌp] | aufhalten
The consignment has been held up at Customs. | Die Sendung wurde am Zoll aufgehalten.

urgent ['ɜːdʒənt] | dringend
Tell them it's urgent, will you? | Sagen Sie ihnen bitte, dass es dringend ist.

short notice [ˌʃɔːt 'nəʊtɪs] / **at short notice** [ət ˌʃɔːt 'nəʊtɪs] | kurzfristig
rapid /ly ['ræpɪdli] | schnell, zügig
smooth/ly ['smuːðli] | glatt, problemlos
regular/ly ['regjələli] | regelmäßig
free of damage (= fod) [ˌfriː əv 'dæmɪdʒ] | frei von Beschädigung / Beschädigung nicht zu unseren Lasten

arrange shipment [əˌreɪndʒ 'ʃɪpmənt] | Versand arrangieren / veranlassen
We'll arrange the shipment. | Wir werden den Versand arrangieren.

prepare documentation [prɪˌpeə ˌdɒkjəmenteɪʃn] | Unterlagen vorbereiten
We'll prepare the documentation for you. | Wir werden die Unterlagen für Sie vorbereiten.

Info-Box

Incoterms (= International Commercial Terms)
Internationale Handelsbezeichnungen, auch als trade terms *(= handels-übliche Vertragsklauseln) bekannt:*

CFR (= Cost and Freight)	*Kosten und Fracht*
CIF (= Cost, Insurance and Freight)	*Kosten, Versicherung und Fracht*
CIP (= Carriage and insurance paid to …)	*frachtfrei versichert*
CPT (= Carriage paid to …)	*frachtfrei*
DAF (= Delivered at frontier)	*geliefert Grenze*
DDP (= Delivered duty paid)	*geliefert verzollt*
DDU (= Delivered duty unpaid)	*geliefert unverzollt*
DEQ (= Delivered ex quay) (duty paid)	*geliefert ab Kai (verzollt)*
DES (= Delivered ex ship)	*geliefert ab Schiff*
EXW (= Ex works)	*ab Werk*
FCA (= Free carrier)	*frei Frachtführer*
FOB (= Free on board)	*frei an Bord*
FAS (= Free alongside ship)	*frei Längsseite Seeschiff*

FAQs

What does "mode of delivery" mean when listed on a quotation (= *Preisangebot*)?

Ready delivery = the goods will be sent upon receipt of order (= *bei Auftragserhalt*);
Prompt delivery = the goods will be delivered within (= *innerhalb*) a few days of receipt of order;
forward delivery = the goods are not in stock (= *nicht vorrätig*), so the date of delivery will be stated later (= *später mitgeteilt*).

What's the difference between CIF (Cost, Insurance and Freight) and DDP (Delivered Duty Paid)?

Both include the cost of the goods, transport of the goods to the dock, loading them, the forwarder's fees for preparing the shipping documents, freight and insurance premium (= *Versicherungsbeitrag*). In addition (= *außerdem*), DDP includes the import duty (= *Einfuhrzoll*) and the delivery to the named place of destination (= *Bestimmungsort*).

What's the difference between CFR (Cost and Freight) and FOB (Free on Board)?

Both include the cost of the goods, transport of the goods to the dock, loading them and the forwarder's fees for preparing the shipping documents. In addition, CFR includes sea freight.

Supply, Storage, Packaging
Angebot, Lagerung, Verpackung

→ 8.2 Transport / Transport
→ 8.3 Delivery / Lieferung

God will provide – if only God would provide until he provides. (Yiddish proverb)

demand [dɪ'mɑːnd]	Nachfrage
strong / high / soaring demand for	hohe / starke / steigende Nachfrage nach
We're expecting a very strong demand for the summer.	Wir erwarten eine sehr starke Nachfrage für den Sommer.
steady / elastic demand	stabile / elastische Nachfrage
extra demand	zusätzliche Nachfrage
excess demand	Nachfrageüberschuss
future demand	zukünftige Nachfrage
What about future demand?	Wie steht es mit der zukünftigen Nachfrage?
likely demand, the	die voraussichtliche Nachfrage
We want to know the likely demand for our products.	Wir möchten die voraussichtliche Nachfrage nach unseren Produkten erfahren.
meet the demand	die Nachfrage / den Bedarf decken
satisfy the demand for sth	den Bedarf / die Nachfrage an etw decken
seasonal demand	saisonbedingte Nachfrage
Christmas season, the ['krɪsməs ˌsiːzn]	die Weihnachtssaison
pre-Christmas period, the	die Vorweihnachtszeit
stock [stɒk]	Lagerbestand
excess stock	Überbestand
out of stock (= o/s)	ausverkauft, nicht vorrätig
discuss stock	über den Warenbestand diskutieren
have in stock	vorrätig / auf Lager haben
We have a lot of generators in stock.	Wir haben eine Menge Generatoren auf Lager.
stock up	aufstocken
We also need to stock up on labels.	Wir müssen auch den Bestand an Etiketten aufstocken.
take stock (AE: take inventory)	Inventur machen
take stock of	eine Bestandsaufnahme machen
total inventories	Gesamtbestände

stocks [stɒks]	Vorräte
existing stocks	vorhandene Vorräte
while stocks last	solange der Vorrat reicht
Order now while stocks last.	Bestellen Sie jetzt, solange der Vorrat reicht.
shelf life ['ʃelflaɪf]	Haltbarkeit / Lagerfähigkeit
store [stɔ:]	lagern
storage ['stɔ:rɪʤ]	Lagerung
storage facilities	Lagermöglichkeiten
storage capacity	Lagerkapazität
I'd say we'll need around 20 % extra capacity.	Ich würde sagen, wir brauchen ungefähr 20 % zusätzliche Kapazität.
goods depot [ˌgʊdz 'depəʊ]	Warenlager
warehouse ['weəhaʊs]	Lager
warehousing	Lagerhaltung
wharfage ['wɔ:fɪʤ]	Kaigeld / -gebühren
supply [sə'plaɪ]	Angebot, Lieferung, beliefern
excess supply	Überangebot
supply with	beliefern mit
available [ə'veɪləbl]	verfügbar
unavailable / unobtainable	nicht verfügbar / nicht erhältlich
shortage ['ʃɔ:tɪʤ]	Fehlmenge / Engpass / Mangel
packing costs ['pækɪŋ ˌkɒsts] / **packing charges** ['pækɪŋ ˌtʃɑ:dʒiz]	Verpackungskosten
postage and packing (= p&p)	Porto und Verpackung
packing included	einschließlich Verpackung
Is the labelling and packaging included?	Sind Etikettierung und Verpackung im Preis inbegriffen?
package goods ['pækɪʤ gʊdz] / **pack goods** ['pæk gʊdz]	Waren verpacken
packaging	Verpackung
airtight / waterproof packaging	luftdichte / wasserdichte Verpackung
packaging material	Verpackungsmaterial
package	Paket, Verpackung
bubble pack	Luftpolster-Versandtasche
box [bɒks]	Kästchen, Kasten, Kiste, Box
cardboard ['kɑ:dbɔ:d]	Pappe, Karton
container [kən'teɪnə]	Container, Behälter
pallet ['pælɪt]	Palette

marking ['mɑːkɪŋ]	Beschriftung
Do not bend.	Bitte nicht knicken.
This side up.	Hier oben.
labelling ['leɪbəlɪŋ]	Etikettierung
measurements ['meʒəmənts]	Maße
contain [kən'teɪn]	enthalten
suitable ['suːtəbl]	passend
be suitable	passen
breakages ['breɪkɪdʒiz]	Bruchschäden
prevent breakages	Bruchschäden vermeiden
protect [prə'tekt]	schützen
fragile ['frædʒaɪl]	zerbrechlich
We're specialists in the transport of fragile goods.	Wir sind auf den Transport zerbrechlicher Güter spezialisiert.

FAQs

What should I consider when packing goods for export?

- Use suitable proper packing, to prevent breakages;
- Keep to the measurement limits;
- Various marking and labelling are required for international transport. Print the labelling in the languages of the countries of origin and destination (= *Ursprungs- und Bestimmungsländer*);
- Many countries require the country of origin to be marked on the package or container;
- Food and drugs (= *Medikamente*) require special labelling, depending on the country of destination;
- In addition, shipping instructions (= *Versandanweisungen*) often require special properties (= *Besonderheiten*) to be marked, eg radiation (= *Strahlung*) or fragile nature.

The European Union
Die Europäische Union

→ 7.4 Contracts & Conditions / Verträge & Bedingungen

Behold, how good and pleasant it is for brethren to dwell together in unity!
(The Bible, Psalms 133, 1)

Info-Box

Unsere Gesellschaft ist vom Handel abhängig (= depends on trade). Der Handel hat einerseits eine zentrale Bedeutung für die europäische Wirtschaft (= the European economy), andererseits kommt ihm auch eine wichtige gesellschaftliche (= social) Funktion zu. Es ist den 22 Millionen Beschäftigen im Handel zu verdanken, dass uns die breite Warenpalette (= wide range of goods) zur Verfügung steht, die in und außerhalb der Europäischen Union (= the European Union / EU) produziert wird. Wir müssen Wege finden, die dem europäischen Handel helfen, sich an den rasch entwickelnden globalen Markt anzupassen.

Aus: „Die Herausforderungen des 21. Jahrhunderts" (European Commission 1999)

Die Mitgliedsstaaten der EU führen mehr Handel untereinander als mit jeder anderen Region der Welt:

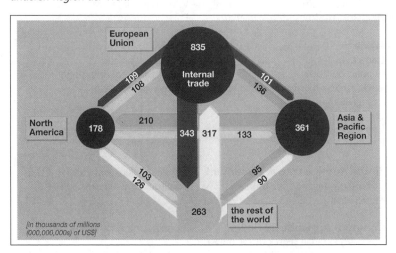

society [sə'saɪəti]   Gesellschaft
social ['səʊʃl]   gesellschaftlich

European Union, the (= EU)   die Europäische Union (= EU)
   [ˌjʊərəˌpiːən 'juːnjən]
EU citizenship   EU-Bürgerschaft
European economy, the   die europäische Wirtschaft
European Monetary Union   Europäische Währungsunion (= EWU)
   (= EMU)
European Central Bank (= ECB)   Europäische Zentralbank (= EZB)
single European market   Europäischer Binnenmarkt
European markets   europäische Märkte
Around 55 % of our exports go to   Ungefähr 55 % unserer Exporte
   European markets.   gehen auf europäische Märkte.
in three leading markets in Europe   auf drei führenden Märkten in
                                                            Europa
European Regional Development Fund   Europäischer Regionalentwicklungs-
   (= ERDF)   fonds
Europeanisation [ˌjʊərəˌpiːənaɪ'zeɪʃn]   Europäisierung
member state ['membə ˌsteɪt]   Mitgliedsstaat

deregulation [ˌdiːregjə'leɪʃn]   Deregulierung

government ['gʌvnmənt]   Regierung
head of government   Regierungschef
summit meeting ['sʌmɪt ˌmiːtɪŋ]   Gipfeltreffen
Economic Summit   Wirtschaftsgipfel
decision-makers [dɪ'sɪʒn ˌmeɪkəz]   Entscheidungsträger

trade [treɪd]   Handel
trade talks   Handelsgespräche
depend on trade   vom Handel abhängig sein
wide range of goods [ˌwaɪd reɪndʒ   breite Warenpalette
   əv 'gʊdz]

key sector [ˌkiː 'sektə]   Schlüsselsektor
key role   Schlüsselrolle

Single Administrative Document   Einheitspapier / einheitliches EU-Be-
   (= SAD) [ˌsɪŋgl ədˌmɪnɪstrətɪv   gleitpapier (Siehe FAQs, S. 128)
   'dɒkjəmənt]

Common Agricultural Policy   gemeinsame Agrarpolitik
   (= CAP) [ˌkɒmən ˌægrɪˌkʌltʃrəl 'pɒləsi]
Common External Tariff (= CET)   gemeinsamer Außenzolltarif

euro zone ['jʊərəʊ ˌzəʊn]   Eurozone
free trade area [ˌfriː 'treɪd ˌeəriə]   Freihandelszone

Info-Box

Membership of the EU   Mitgliedschaft in der EU

Country	Nationality	Citizens
The original Six		
Belgium (Belgien) ['beldʒəm]	Belgian	a Belgian / the Belgians
Germany (Deutschland) ['dʒɜːməni]	German	a German / the Germans
France (Frankreich) [frɑːns]	French	a Frenchman/ -woman / the French
Italy (Italien) ['ɪtəli]	Italian	an Italian / the Italians
Luxembourg (Luxemburg) ['lʌksəmbɜːg]	Luxembourg	a Luxembourger / the Luxembourgers
the Netherlands (die Niederlande) ['neðələndz]	Dutch	a Dutchman / the Dutch
Admitted 1973		
Denmark (Dänemark) ['denmɑːk]	Danish	a Dane / the Danes
Republic of Ireland (Irland) [rɪ,pʌblɪk əv 'aɪələnd]	Irish	an Irishman/-woman / the Irish
United Kingdom (das Vereinigte Königreich) [juː,naɪtɪd 'kɪŋdəm]	British	a Briton / the British
Admitted 1981		
Greece (Griechenland) [griːs]	Greek	a Greek / the Greeks
Admitted 1986		
Portugal (Portugal) ['pɔːtʃəgl]	Portugese	a Portugese / the Portugese
Spain (Spanien) [speɪn]	Spanish	a Spaniard / the Spanish
Admitted 1995		
Austria (Österreich) ['ɒstriə]	Austrian	an Austrian / the Austrians
Finland (Finnland) ['fɪnlənd]	Finnish	a Finn / the Finns
Sweden (Schweden) ['swiːdən]	Swedish	a Swede / the Swedes

Waiting list
Bulgaria [bʌl'geəriə] (Bulgarien)
Cyprus ['saɪprəs] (Zypern)
Czech Republic [,tʃek rɪ'pʌblɪk] (Tschechische Republik)
Estonia [es'təʊniə] (Estland)
Hungary ['hʌŋgari] (Ungarn)
Latvia ['lætviə] (Lettland)
Lithuania [,lɪθjuː'eɪniə] (Litauen)
Malta ['mɔːltə] (Malta)
Poland ['pəʊlənd] (Polen)
Rumania [rʊ'meɪniə] (Rumänien)
Slovakian Republic [slə,vækiən rɪ'pʌblɪk] (Slowakische Republik)
Slovenia [slə,viːniə] (Slowenien)
Turkey ['tɜːki] (Türkei)

FAQs

What is the Single Administrative Document (= SAD)?

Since 1988, EU member countries have used a single export, transit and import document for consignments (= *Sendungen*) moving within those countries. The SAD is now used among many non-EU countries too.

What is the timetable for integrating the euro?

The member states of the European Monetary Union (= EMU) formally introduced (= *führten ein*) the euro (= €) on 1 January 1999. The European Central Bank (= ECB) was given the task of introducing euro notes and coins in the EMU. The euro was to replace (= *ersetzen*) the currencies (= *Währungen*) of the member states by July 2002.

What is the G7/G8 Group?

G7 is a group of seven leading western industrial states. Their heads of government (= *Staatsoberhäupter*) meet every year to discuss the world's economy and to agree on policies *(= politische Maßnahmen)*. The seven member states are the Federal Republic of Germany, the UK, France, Italy, Japan, Canada and the US. Russia has a special relationship with the G7 and is sometimes invited to take part in discussions. The 1998 Birmingham Summit saw full Russian participation (= *Teilnahme*), giving birth to the G8.

Complaints & Compensation
Beschwerden & Vergütungen

Making & Handling Complaints
Beschwerden vorbringen und bearbeiten

→ 9.2 Compensation / Vergütung

When people cease to complain, they cease to think. (Napoleon Bonaparte, Emperor of France, 1769–1821)

delay [dɪˈleɪ] — Verzögerung, Verspätung
hold up / delay — verzögern
overlook a delay — über eine Verspätung hinwegsehen
I'm prepared to overlook this delay. — Ich bin bereit, über diese Verspätung hinwegzusehen.

delay in delivery — Lieferverzögerung

delayed [dɪˈleɪd] — verspätet, aufgehalten
If the goods are delayed, storage costs will arise. — Falls die Waren aufgehalten werden, entstehen Lagerungskosten.
not yet arrived [ˌnɒt jet əˈraɪvd] — noch nicht eingetroffen
still waiting for sth [stɪl ˈweɪtɪŋ] — immer noch auf etw warten

complain [kəmˈpleɪn] — sich beklagen / beschweren
have reason / cause to complain — Anlass zu einer Beschwerde haben
Should you have any cause to complain about our service, please see the head of department. — Wenn Sie Anlass zu einer Beschwerde über den Service in unserem Hause haben, wenden Sie sich bitte an den Abteilungsleiter.

complain by phone — sich telefonisch beschweren
complain in writing — sich schriftlich beschweren
call to complain about sth — anrufen, um sich über etw zu beschweren

complaint [kəmˈpleɪnt] — Reklamation, Beschwerde
letter of complaint — Beschwerdebrief (Siehe Musterbriefe & -faxe, S. 289)

express / register a complaint — Beschwerde vorbringen
deal with / handle a complaint — Beschwerde bearbeiten
complaints procedure [prəˈsiːdʒə] — Reklamationsvorgang

discover [dɪˈskʌvə] — entdecken
I've only just discovered this. — Ich habe dies gerade erst entdeckt.

damage [ˈdæmɪdʒ] — Schaden, Schäden, Beschädigung / schaden, beschädigen

damaged [ˈdæmɪdʒd] — beschädigt

seriously damaged	schwer beschädigt
The goods arrived in a seriously damaged condition.	Die Waren kamen schwer beschädigt an.
harm [hɑːm]	schaden
harmful [ˈhɑːmfʊl]	schädlich
crushed [krʌʃd]	zerquetscht / zerdrückt
destroyed [dɪˈstrɔɪd]	vernichtet
defective [dɪˈfektɪv]	defekt, fehlerhaft
goods in bad order (= gbo) [gʊdz ɪn ˌbæd ˈɔːdə]	Ware in schlechtem Zustand
not up to standard [ˌnɒt ʌp tə ˈstændəd]	nicht der Norm entsprechend
below standard / sub-standard	minderwertig
The execution of this order was way below your usual standard.	Bei der Durchführung dieses Auftrags sind Sie weit unterhalb Ihres gewohnten Standards geblieben.
missing [ˈmɪsɪŋ]	fehlend
disappeared [dɪsəˈpɪəd]	verschwunden
undelivered [ˌʌndɪˈlɪvəd]	nicht geliefert
unusable [ʌnˈjuːzəbl]	unbrauchbar
unsaleable [ʌnˈseɪləbl]	unverkäuflich
imperfect [ɪmˈpɜːfɪkt]	fehlerhaft, mangelhaft
dispute [dɪˈspjuːt]	Disput / Streitfall
settle a dispute	einen Disput / Streit beilegen
criticism [ˈkrɪtɪsɪzm]	Kritik
lose customers [ˌluːz ˈkʌstəməz]	Kunden verlieren
With mistakes like that, you're in danger of losing customers.	Mit solchen Fehlern laufen Sie Gefahr, Kunden zu verlieren.
perishable goods [ˌperɪʃəbl ˈgʊdz]	verderbliche Waren
unreliable [ˌʌnrɪˈlaɪəbl]	unzuverlässig
careless [ˈkeələs]	fahrlässig
It seems to me you've been pretty careless.	Mir scheint, Sie waren ziemlich fahrlässig.
fault [fɔːlt]	Schuld
Obviously, it's your fault.	Es ist offensichtlich Ihre Schuld.
at fault	schuld(ig)
faulty [ˈfɔːlti]	fehlerhaft
unexpected [ˌʌnɪkˈspektɪd]	unerwartet
disappointed [ˌdɪsəˈpɔɪntɪd]	enttäuscht
I must say – I'm very disappointed.	Ich muss sagen, ich bin sehr enttäuscht.
extremely concerned [ɪkˌstriːmli kənˈsɜːnd]	äußerst besorgt
dissatisfied [dɪsˈsætɪsfaɪd]	unzufrieden
angry [ˈæŋgri]	ärgerlich

annoyed [ə'nɔɪd]	verärgert, ärgerlich
annoyance	Verärgerung
be irritating ['ɪrɪteɪtɪŋ]	ärgern, ärgerlich sein
trouble ['trʌbl]	Ärger, Schwierigkeiten
inconvenience [ˌɪnkən'vi:niəns]	Umstände machen, Umstände
responsible [rɪ'spɒnsəbl]	verantwortlich
hold sb responsible for sth	jdn für etw verantwortlich machen
I am holding you responsible.	Ich mache Sie verantwortlich.
responsibility [rɪˌspɒnsə'bɪləti]	Verantwortung
quite frankly [ˌkwaɪt 'fræŋkli]	ehrlich gesagt
just not good enough [ˌdʒʌst nɒt 'gʊd ɪˌnʌf]	einfach nicht akzeptabel
irregularity [ɪˌregjə'lærəti]	Störung
set a deadline [ˌset ə 'dedlaɪn]	eine Frist setzen
meet a deadline	eine Frist einhalten
warning ['wɔ:nɪŋ]	Warnung
express a warning	eine Warnung aussprechen
threaten ['θretn]	drohen
threat of court action	Androhung eines Gerichtsverfahrens
take legal action [teɪk ˌli:gl 'ækʃn]	gerichtlich vorgehen, gerichtliche Schritte unternehmen
take legal steps	rechtliche Schritte einleiten
I shall have no alternative but to take legal steps.	Ich werde keine andere Wahl haben, als rechtliche Schritte einzuleiten.
sue [su:]	gegen jdn gerichtlich vorgehen, (ver)klagen
press for payment [ˌpres fə 'peɪmənt]	auf Zahlung drängen
refuse to pay [rɪˌfju:z tə 'peɪ]	sich weigern zu zahlen
count on sb [ˌkaʊnt ɒn]	sich auf jdn verlassen
error ['erə] / **mistake** [mɪ'steɪk]	Irrtum, Fehler
This was clearly the result of your error.	Das ergab sich eindeutig aus einem Fehler / Irrtum Ihrerseits.
in error / by mistake	versehentlich / irrtümlich
mistakenly	irrtümlicherweise
packing error	Packfehler
in any event [ɪn ˌeni ɪ'vent]	auf jeden Fall
proof [pru:f] / **evidence** ['evɪdəns]	Nachweis, Beweis(e)
documentary proof / documentary evidence	Urkundenbeweis

insist on [ɪn'sɪst ɒn]
request action [rɪ‚kwest 'ækʃn]
take action
What action should be taken now?

bestehen auf
verlangen, dass etw getan wird
vorgehen
Wie sollten wir jetzt vorgehen?

look into sth for sb [lʊk 'ɪntu]
Could you look into that for me, please?
look for another supplier

etw für jdn untersuchen
Könnten Sie das für mich untersuchen?
sich nach einem neuen Zulieferer umsehen

know what happened [‚nəʊ wɒt 'hæpnd]
Let me know what's happened.

wissen, was passiert ist

Teilen Sie mir mit, was passiert ist.

handle a matter ['hændl ə 'mætə]
I think you've handled this matter badly.

eine Aufgabe erledigen
Ich glaube, Sie haben diese Aufgabe schlecht erledigt.

comment ['kɒment]
admit [əd'mɪt]
return [rɪ'tɜːn]
prevent [prɪ'vent]
give an assurance [ə'ʃʊərəns]
response [rɪ'spɒns]
embarrassed [ɪm'bærəsd]
I'm most embarrassed to say that there was a mistake in our office.

Stellung nehmen
zugeben
zurückbringen, zurückschicken
vorbeugen, verhindern
versichern
Antwort
beschämt
Es ist mir äußerst peinlich, Ihnen sagen zu müssen, dass in unserem Büro ein Fehler aufgetreten ist.

embarrassment
unfortunate [ʌn'fɔːtʃnət]

Verlegenheit
bedauerlich

leave it at that [liːv]
I'll be happy to leave it at that.

die Sache auf sich beruhen lassen
Ich lasse die Sache gerne auf sich beruhen.

expect an explanation [ɪk‚spekt ən ‚eksplə'neɪʃn]
offer an explanation

eine Erklärung erwarten

eine Erklärung anbieten

cool [kuːl] / **calm sb down** [‚kɑːm 'daʊn]
blame sb else [bleɪm]
predicament [prɪ'dɪkəmənt]

jdn beruhigen

jd anderem die Schuld geben
schwierige Lage / Dilemma

circumstances beyond our control [‚sɜːkəmstæntsɪz bɪjɒnd aʊə kən'trəʊl]
due to [djuː]

von uns nicht zu vertretende Umstände
wegen, infolge

cause [kɔːz]
cause difficulty
The strike has really caused a lot of difficulty.

verursachen
Schwierigkeiten verursachen
Der Streik hat wirklich große Schwierigkeiten verursacht.

backlog ['bæklɒg]
backlog of work
industrial action [ɪnˌdʌstriəl 'ækʃn]

Rückstand
Arbeitsrückstand
Protestaktionen

apology [ə'pɒlədʒi] / **apologies** [ə'pɒlədʒiz]
write a letter of apology
Please accept our apologies.

Entschuldigung

einen Entschuldigungsbrief schreiben
Bitte nehmen Sie unsere Entschuldigung an.

apologize for

sich entschuldigen für

 apologize (to sb for sth)

excuse sb / sth

I really have to apologise for a very unfortunate mistake.

We do apologise.
Excuse me for interrupting, but we don't have a quorum yet.

sich entschuldigen; (jdn) um Verzeihung bitten (wegen)
jdn / etw entschuldigen

Ich muss mich für einen sehr bedauerlichen Fehler entschuldigen.

Wir entschuldigen uns vielmals.
Entschuldigen Sie, dass ich unterbreche, aber wir sind noch nicht beschlussfähig.

be sorry ['sɒri]
We're really very sorry about this.
I'm sorry if there has been an error.

Leid tun
Das tut uns wirklich sehr Leid.
Es tut mir Leid, wenn da ein Fehler aufgetreten ist.

regret sth [rɪ'gret]
We do regret this very much.
I'm afraid ... [ə'freɪd]

etwas bedauern
Wir bedauern dies sehr.
leider

FAQs

What points should be considered when handling a complaint?

If the complaint is justified, all these points should be considered:
• explanation
• apology
• replacement(s) (= *Ersatz*)
• compensation (= *Entschädigung*)

Compensation
Vergütung

→ 9.1 Making & Handling Complaints / Beschwerden vorbringen & bearbeiten

Recompense injury with justice, and recompense kindness with kindness. (Confucius, Chinese philosopher, circa 551– circa 479 BC)

compensate ['kɒmpənseɪt]
compensate sb for sth
We shall, of course, compensate you for the damage.

entschädigen
jdn für etw entschädigen
Wir werden Sie natürlich für den Schaden entschädigen.

compensation (AE: remuneration) [ˌkɒmpən'seɪʃn]
claim compensation
claim
claimant

Vergütung, Entschädigung

Entschädigung fordern
Forderung, Reklamation
Antragsteller(-in), Forderungsberechtigte(r)

 possible (adj) / possibly / probably (adv)

eventuell

Any possible claims will be dealt with at once.
Could you possibly lend me 200 pounds?

Eventuelle Reklamationen werden sofort bearbeitet.
Könnten Sie mir eventuell 200 Pfund leihen?

eventual (adj) / eventually (adv)
After several hours delay, the plane eventually took off at 2p.m.

schließlich / am Ende
Mit mehreren Stunden Verspätung startete das Flugzeug schließlich um 2.00 Uhr nachmittags.

reimburse [ˌriːɪm'bɜːs]
We'll certainly reimburse you for the loss.

erstatten
Wir werden Ihnen bestimmt den Verlust erstatten.

repair (of goods) [rɪˌpeə əv 'gʊdz]

Aus- / Nachbesserung

compromise ['kɒmprəmaɪz]
solution [sə'luːʃn]
concession [kən'seʃn]

Kompromiss
Lösung
Zugeständnis

share [ʃeə]
discount ['dɪskaʊnt]

teilen
Ermäßigung, Rabatt

amicable ['æmɪkəbl] / **amicably** ['æmɪkəbli]	einvernehmlich, gütlich
satisfied ['sætɪsfaɪd]	zufrieden
settle ['setl]	regeln
sort out [ˌsɔːt 'aʊt]	in Ordnung bringen
put the matter right ['mætə]	die Sache in Ordnung bringen
come to an arrangement [ə'reɪndʒmənt]	Vereinbarung(en) treffen
Perhaps we could come to some arrangement.	Vielleicht könnten wir eine Vereinbarung treffen.
come to an understanding about sth [ˌʌndə'stændɪŋ]	zu einer Übereinkunft über etw kommen
undertake to [ˌʌndə'teɪk]	versprechen, sich verpflichten
waive [weɪv]	verzichten auf
You can rest assured … [ə'ʃʊəd]	Sie können sicher sein …
at your / our expense [ət … ɪk'spens]	auf Ihre / unsere Kosten
exchange [ɪks'tʃeɪndʒ]	austauschen
replace [rɪ'pleɪs]	ersetzen
replacement / substitute	Ersatz
replacement consignment	Ersatzlieferung
carriage forward [ˌkærɪdʒ 'fɔːwəd]	unfrei, Kosten zu Lasten des Empfängers

FAQs

What is the procedure for claiming compensation?

Contact the Claims Department (= *Schadensabteilung / -büro*) and ask for a claim form. If no form is available, make your claim in the form of a letter or fax, together with documentary evidence (= *Urkundenbeweis*).

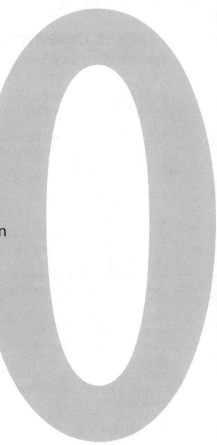

Marketing
Vertrieb

Market Research
Marktforschung

→ 5.1 Planning / Planung
→ 5.2 Proposals / Vorschläge

A market is the combined behaviour of thousands of people responding to information, disinformation and whim. (Kenneth Chang, quoted in www.quoteland.com)

market ['mɑːkɪt]	Markt, Absatzgebiet
market a product	Produkt vermarkten
market research	Marktforschung
Our market research shows that your felt tip pens have caught on in this part of the world.	Unsere Marktforschung zeigt, dass Ihre Filzschreiber in diesem Teil der Welt Anklang finden.
market research for exporters	Marktforschung für Exporteure
commission a market research study	eine Marktforschungsstudie in Auftrag geben
market analysis / analyst	Marktanalyse / -analytiker(-in)
market situation	Marktlage
market survey [ˌmɑːkɪt sɜːˈveɪ]	Marktumfrage
survey results	Umfrageergebnisse
market size	Marktgröße
We definitely want to know the size of the market.	Wir wollen auf jeden Fall die Größe des Marktes kennen lernen.
market-oriented	marktorientiert
test market	Testmarkt
target market	Zielmarkt
top end of the market	oberer Marktbereich
investigate a market	einen Markt untersuchen
Our sales people have investigated potential markets in France.	Unsere Mitarbeiter vom Verkauf haben potenzielle Märkte in Frankreich untersucht.
break into a market	in einen Markt eindringen
German market, the	der deutsche Markt
We have a good 15% share of the German market.	Wir haben einen gut 15%igen Anteil am deutschen Markt.
British market, the	der Markt in Großbritannien
The British market has turned out to be larger than expected.	Der Markt in Großbritannien ist offenbar größer als erwartet.
market share analysis [ˌmɑːkɪt ʃeə əˈnæləsɪs]	Marktanalyse
other markets	andere Märkte
We're looking for convenient openings into other markets.	Wir überprüfen die Möglichkeit andere geeignete Märkte zu erschließen.

access a market	*in einen Markt einsteigen*
We've been considering whether to access this market for some time.	*Wir überlegen uns seit einiger Zeit, ob wir in diesen Markt einsteigen.*
access to a market	*Zugang zu einem Markt*
We'd have shared access to the Japanese market.	*Wir hätten gemeinsam den japanischen Markt erschlossen.*

Info-Box

Besondere Zielgruppen für Werbestrategen:

dinks:
double income, no kids

doppeltes Einkommen, keine Kinder (= Paare, die keine Kinder haben und viel Geld verdienen, da beide Partner berufstätig sind.)

woopies:
well-off older people

wohlhabende ältere Menschen

yuppie:
young urban professional

eine junge, dynamische und gut verdienende Person

---

marketing strategy [ˈmɑːkətɪŋ ˌstrætədʒi]	Vertriebsstrategie
relationship marketing	Beziehungs-Marketing
opinion [əˈpɪnjən]	Meinung
Your opinion is important to us.	Wir legen Wert auf Ihre Meinung.
opinion poll	Meinungsumfrage
public opinion	die öffentliche Meinung
random sample [ˌrændəm ˈsɑːmpl]	Stichprobe
random sampling	Entnahme von Stichproben
age group [ˈeɪdʒ gruːp]	Altersgruppe
income group	Einkommensgruppe
60% of the population here are in the middle income group.	60 % der hiesigen Bevölkerung gehören der mittleren Einkommensgruppe an.
earner [ˈɜːnə]	Verdiener(-in)
high-income earner	Großverdiener(-in)

low-income earner	Kleinverdiener(-in)
sole earner	Alleinverdiener(-in)
monopoly [məˈnɒpəli]	Monopolstellung
consumer [kənˈsjuːmə]	Verbraucher(-in)
average consumer	Durchschnittsverbraucher(-in)
consumer behaviour	Verbraucherverhalten
consumer spending	Verbraucherausgaben
spending behaviour [ˈspendɪŋ bɪˌheɪvjə]	Kaufverhalten
spending habits	Kaufgewohnheiten
consumption [kənˈsʌmpʃn]	Konsum / Verbrauch
mass consumption	Massenkonsum
domestic consumption	Inlandsverbrauch
business with foreign customers [ˌbɪznɪs wɪð ˌfɒrən ˈkʌstəməz]	Geschäfte mit ausländischen Kunden
business environment, the [ˌbɪznɪs ɪnˈvaɪrənmənt]	das unternehmerische Umfeld
core competences [ˌkɔː ˈkɒmpɪtənsiz]	Kernkompetenzen
core activity	Haupttätigkeit / Kerngeschäft
have a preference [ˈprefrəns]	etw bevorzugen
feasibility report [ˌfiːzəˈbɪləti rɪˌpɔːt] / **feasibility study** [ˌfiːzəˈbɪləti ˌstʌdi]	Durchführbarkeitsbericht / -studie
questionnaire [ˌkwestʃəˈneə]	Fragebogen
positive [ˈpɒzətɪv] / **negative feedback** [ˌnegətɪv fiːdˈbæk]	positives / negatives Echo
new territory, a [ˈterɪtri]	ein neues Gebiet
We're dealing with an entirely new territory.	Wir haben es mit einem völlig neuen Gebiet zu tun.

FAQs

What is online market research?

In online market research, information is collected from consumers by means of an internet server; questionnaires collect up-to-date information, adapted to (= *angepasst an*) specific needs (= *Bedarf*) and consumers; there is greater speed and flexibility, compared with traditional (paper and pencil) methods; questionnaires can be distributed (= *verteilt*) worldwide at little cost, and can contain multi-media components (= *Bestandteile*).

What's database marketing?

It's a method of marketing as shown in this diagram:

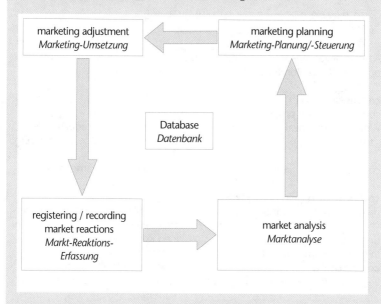

Competition
Konkurrenz

→ 7.1 Prices & Pricing / Preise & Preisfestsetzung
→ 10.1 Market Research / Marktforschung

A horse never runs so fast as when he has other horses to catch up and outpace. (Ovid, Roman poet, c.43 BC – AD c.17)

compete [kəm'piːt]	konkurrieren
competing / rival product	Konkurrenzprodukt
What similar or rival products are on the market?	Welche ähnlichen Produkte oder Konkurrenzprodukte sind auf dem Markt?
competing / rival firms	konkurrierende Unternehmen
competitor [kəm'petɪtə] / **rival** ['raɪvl]	Konkurrent(-in)
drive a competitor out of business	einen Konkurrenten vom Markt verdrängen
undercut a rival	einen Konkurrenten unterbieten
in order to harm competitors	um Konkurrenten zu schaden
competition [ˌkɒmpə'tɪʃn]	Konkurrenz / Wettbewerb
fierce / keen / dangerous competition	heftige / scharfe / gefährliche Konkurrenz
main competition / main competitors, the	die Hauptkonkurrenten
Who do you see as the main competition?	Wen halten Sie für den Hauptkonkurrenten?
free / keen / cutthroat ['kʌtθrəʊt] competition	freier / scharfer / mörderischer Wettbewerb
domestic competition	inländische Konkurrenz
competitive [kəm'petətɪv]	wettbewerbs- / konkurrenzfähig
Howe's prices are extremely competitive.	Howes Preise sind äußerst konkurrenzfähig.
competitive market	wettbewerbsintensiver Markt
competitive edge / competitiveness	Wettbewerbsfähigkeit
competitive advantage	Wettbewerbsvorteil
maintain a competitive edge	Konkurrenzfähigkeit erhalten
price cuts / cuts in prices ['praɪs kʌts / ˌkʌts ɪn 'praɪsɪz]	Preissenkungen
take €10 off the price	€10 vom Preis nachlassen
Price-cutting would pay off – it would certainly kill off competition.	Preisnachlässe würden sich auszahlen – sie würden mit Sicherheit die Konkurrenz ausschalten.

strategic weapon [strə,tiːdʒɪk ˈwepən] — strategische Waffe

appear on the market — auf den Markt kommen
New models are sure to appear on the market every year. — Mit Sicherheit werden jedes Jahr neue Modelle auf den Markt kommen.

comparison [kəmˈpærɪsn] — Vergleich
by way of comparison — vergleichsweise
compare with [ˈkɒmprəbl wɪð] — vergleichen mit
comparable [ˈkɒmprəbl] — vergleichbar
Lawson sells toys comparable with ours. — Lawson verkauft Spielzeuge, die mit unseren vergleichbar sind.
revise a catalogue — ein Katalog überarbeiten
Harveys revise their catalogues every few months. — Harveys überarbeitet seine Kataloge alle paar Monate.
offer a discount [ˌɒfər‿ ə ˈdɪskaʊnt] — einen Rabatt anbieten
Regal Furnishing offers a 5% discount on first-time orders. — Regal Furnishing bietet einen 5%igen Rabatt auf alle Erstbestellungen.
look at what sb is doing — beobachten, was jmd tut
Look at what Greene & May are doing – they have ten agents around the country. — Beobachten Sie, was Greene & May tun. Sie haben zehn Vertreter im Land verteilt.

FAQs

What does it mean if the management say they "take no prisoners"?

It means they practice extreme, cutthroat competition.

How can I evaluate my product's chances of success in a competitive market?

- List all competing products and define the gap in the market (= *Marktlücke*) yours may fill.
- Determine how unique (= *einzigartig*) your product is by listing its advantages and disadvantages, compared to your competitor's product.
- Define your target group (= *Zielgruppe*).
- Find out who will use your product and how often they will buy it.
- Calculate a profit margin (= *Gewinnspanne*) which fits the spending behaviour (= *Kaufverhalten*) of your target group and takes account of (= *berücksichtigt*) your competitor's prices.
- Set a time limit (= *zeitliche Begrenzung*) for the product to be a financial success.
- Define this success in net profit (= *Nettogewinn*).

Franchising & Distribution
Franchising & Vertrieb

→ 5.3 Negotiating / Verhandeln

He that resolves to deal with none but honest men must leave off dealing.
(Thomas Fuller, M.D., English physician & writer, 1654 – 1734)

distribute goods [ˌdɪˌstrɪbjuːt 'gʊdz]	Waren vertreiben / ausliefern
distributor [dɪ'strɪbjətə]	Vertriebsagent(-in) / Vertrags-händler(-in)
distributorship [dɪ'strɪbjətəʃɪp]	Vertrieb(srecht)
distribution [ˌdɪstrɪ'bjuːʃn] distribution network / network of distributors	Vertrieb, Verteilung Vertriebsnetz
We have a network of 10 distributors covering the whole territory.	Wir haben ein Vertriebsnetz mit 10 Vertragshändlern, die das ganze Gebiet abdecken.
sole distribution distribution agreement	Alleinvertretung / -vertrieb Vertriebsvereinbarung
dealership ['diːləʃɪp] **agency** ['eɪdʒənsi] **agent** ['eɪdʒənt] Contact the agents and distributors.	Vertretung Agentur Vertreter(-in) Nehmen Sie Kontakt mit den Vertretern und Vertragshändlern auf.
sell as sole agent grant sole selling rights Larsson has sole selling rights for the whole of Scandinavia.	als Alleinvertreter(-in) vertreiben Alleinverkaufsrecht vergeben Larsson hat das Alleinverkaufsrecht für ganz Skandinavien.
franchise ['fræntʃaɪz] **franchisor** ['fræntʃaɪzə] / **franchiser** ['fræntʃaɪzə] **franchisee** [ˌfræntʃaɪ'ziː] **franchising** ['fræntʃaɪzɪŋ]	Franchise, Lizenz, Konzession Franchise-Geber(-in) Franchise-Nehmer(-in) Franchising / Lizenzkonzessionserteilung
franchised dealer [ˌfræntʃaɪzd 'diːlə]	Vertragshändler(-in)
Shops & traders	*Läden und Geschäfte*
bakery ['beɪkəri] **bookshop** ['bʊkʃɒp] **chemist's (shop)** ['kemɪst]	Bäckerei Buchhandlung Apotheke / Drogerie

department store [dɪ'pɑːtmənt ˌstɔː] Kauf- / Warenhaus

dry cleaners [ˌdraɪ'kliːnəz] Chemische Reinigung

electrical supplies [ɪˌlektrɪkl sə'plaɪz] Elektrogeschäft

electronic goods shop [ˌɪlek'trɒnɪk ˌgʊdz ʃɒp] Elektronikgeschäft

florist ['flɒrɪst] Blumengeschäft

gift shop ['gɪft ʃɒp] Geschenkladen

grocer's (shop) ['grəʊsə] Lebensmittelgeschäft

hairdresser ['heədresə] Friseur / Friseuse

health food shop ['helθ fuːd ʃɒp] Reformhaus

laundry ['lɔːndri] / **laundrette** [ˌlɔːn'dret] Wäscherei

market ['mɑːkɪt] Markt

newsagent ['njuːzˌeɪdʒənt] Zeitungshändler

off licence ['ɒfˌlaɪsəns] Spirituosengeschäft

optician [ɒp'tɪʃn] Optiker

shoe shop ['ʃuːʃɒp] Schuhgeschäft

shopping centre ['ʃɒpɪŋ ˌsentə] Einkaufszentrum

sports goods shop ['spɔːts ˌgʊdz ʃɒp] Sportgeschäft

stationer's (shop) ['steɪʃənə] Schreibwarengeschäft

supermarket ['suːpəmɑːkɪt] Supermarkt

toy shop ['tɔɪ ʃɒp] Spielwarengeschäft

travel agent ['trævlˌeɪdʒənt] Reisebüro

wine merchant ['waɪn ˌmɜːtʃnt] Weinhandlung

licence (AE: license) ['laɪsəns] Lizenz

acquire a licence Lizenz erwerben

manufacture under licence in Lizenz herstellen

duration of licence Lizenzdauer

extension of licence Lizenzverlängerung

Can we agree to a two-year licence, with the possibility of an extension? Können wir uns auf eine Zwei-Jahres-Lizenz einigen, mit der Möglichkeit auf Verlängerung?

licensing contract Lizenzvertrag

licensing agreement Lizenzvereinbarung

technology licensing Technologie-Lizenzvergabe

legal obligations [ˌliːgl ɒblɪ'geɪʃnz] rechtliche Verpflichtungen

investment obligations Investitionsverpflichtungen

royalties ['rɔɪəltiz] Lizenzgebühren, Tantiemen

territories ['terɪtriz] Gebiete

pricing ['praɪsɪŋ] Preisfestsetzung

supply [sə'plaɪ] Versorgung

pooling information [ˌpuːlɪŋ ɪnfə'meɪʃn] Zusammenführen von Informationen

dispute [dɪˈspjuːt]
The dispute will have to go to
   arbitration.
settle a dispute
amicable [ˈæmɪkəbl] / **amicably**
   [ˈæmɪkəbli]

Disput / Streitfall
Der Disput muss vor eine Schlich-
   tungskommission gebracht werden.
einen Disput / Streitfall beilegen
einvernehmlich, gütlich

FAQs

How does franchising work?

Under a franchise, you (the franchisee) buy the right to use the trading
name and system of another business (the franchisor). The franchisor also
supplies you with products, services, advertising, cheap supplies,
managerial guidance (= *Führung*) and know-how. You promise to use all
(or some) of these in agreed (= *vereinbart*) ways.

What points should be covered in a licensing agreement?

* legal obligations in both countries
* each party's responsibilities (= *Verantwortung*)
* products, trademarks (= *Warenzeichen*), patents
* territories
* exports to other countries
* finance, methods of payment (= *Zahlungsweisen*), currency (= *Währung*)
* pooling information
* quality control
* procedures for settling disputes
* investment obligations
* special clauses (= *Klauseln*), eg secrecy (= *Geheimhaltung*)
* pricing and supply
* duration of licence

Global Concerns
Globale Interessen

10

4

→ 8.5 The European Union / Die Europäische Union

The more we get out of the world, the less we leave, and in the long run, we may have to pay our debts at a time that may be very inconvenient for our own survival. (Norbert Wiener, US mathematician, 1894–1964)

global position [ˌgləʊbl pəˈzɪʃn]
We must strengthen the company's global position.
global market, the
global economy
global company
global village
go global

weltweite, globale Position
Wir müssen die globale Markt-position des Unternehmens stärken.
der globale Markt
Weltwirtschaft
globales Unternehmen
globales Dorf
weltweit agieren

world trade [ˌwɜːld ˈtreɪd]
world leader in textiles

world's population, the

Welthandel
weltweit die Nummer eins im Textil-handel
die Weltbevölkerung

country [ˈkʌntri]
First World country / industrial country / developed country (= DC)
newly industrializing country (= NIC) / threshold country
developing country / less developed country (= LDC)
Third World [ˌθɜːd ˈwɜːld]
Third World debt
per capita [pə ˈkæpɪtə]
highest per capita income, the
standard of living [ˌstændəd əv ˈlɪvɪŋ]
rich [rɪtʃ] / **poor** [pʊə]
wealth [welθ]
wealthy
well-off
poverty [ˈpɒvəti]
poverty line

Land
Industrieland

Schwellenland

Entwicklungsland

Dritte Welt
Schulden der dritten Welt
pro Kopf
das höchste Pro-Kopf-Einkommen
Lebensstandard
reich / arm
Reichtum
reich, begütert
wohlhabend
Armut
Armutsgrenze

economic growth [ˌiːkəˌnɒmɪk ˈgrəʊθ]
We've seen rapid economic growth in the region over the last six months.

Wirtschaftswachstum
Wir haben in den letzten sechs Monaten ein schnelles Wirtschafts-wachstum in der Region beobach-tet.

Globale Interessen 147

balance of payments [ˌbæləns əv ˈpeɪmənts] — Zahlungsbilanz

foreign aid [ˌfɒrən ˈeɪd] / **development aid** [dɪˈveləpmənt ˌeɪd] — Entwicklungshilfe

---

Info-Box

Einige Teilnehmer am globalen Markt (= global market) profitieren deutlich mehr als andere. Zwar sind immer mehr Länder in den Welthandel (= world trade) einbezogen worden, aber gut drei Viertel des Handels finden unter den Industrieländern (= industrial countries) statt. Dagegen vereinen die 48 ärmsten Länder der Welt – in denen ein Zehntel der Weltbevölkerung (= the world's population) lebt – gerade ein halbes Prozent des Welthandels.

---

energy policy [ˈenədʒi ˌpɒləsi] — Energiepolitik
common energy strategy — gemeinsame Energiestrategie
nuclear energy — Kernenergie
sustainable development [səˌsteɪnəbl dɪˈveləpmənt] — nachhaltige Entwicklung
recycle [ˌriːˈsaɪkl] — recyceln, wieder verarbeiten
recycled product — recyceltes Produkt
biodegradeable [ˌbaɪəʊ dɪˈgreɪdəbl] — biologisch abbaubar
non-degradeable [ˌnɒn dɪˈgreɪdəbl] — (biologisch) nicht abbaubar

green issue [ˌgriːn ˈɪʃuː] — Umweltfrage
green point — grüner Punkt / grünes Anliegen
green tax — Umweltsteuer
greenhouse effect, the — der Treibhauseffekt

ecological concerns [iːkəˌlɒdʒɪkl kənˈsɜːnz] — ökologische Belange
climatic conditions [klaɪˌmætɪk kənˈdɪʃnz] — klimatische Bedingungen
climate change / climatic change — Klimaveränderung
Scientists are trying to measure the effects of climatic change. — Wissenschaftler versuchen, die Auswirkungen der Klimaveränderung zu messen.

changes in the world's climate — Veränderungen des Weltklimas
ozone hole [ˈəʊzəʊn ˌhəʊl] — Ozonloch
ozone depletion — Ozonabbau
ozone layer — Ozonschicht
global warming [ˌgləʊbl ˈwɔːmɪŋ] — weltweiter Temperaturanstieg, weltweite Erwärmung

contaminate [kənˈtæmɪneɪt] — verseuchen
contamination — Verseuchung

pollute [pə'luːt]	verschmutzen
polluter	Verschmutzer(-in)
It's a widely held principle that the polluter must pay.	Es ist ein allgemein anerkanntes Prinzip, dass der Verschmutzer zahlen muss.
pollutants [pə'luːtənts]	Schadstoffe
pollution	Verschmutzung
environmental pollution	Umweltverschmutzung
noise pollution ['nɔɪz pə,luːʃn]	Lärmbelastung
noise level	Geräuschpegel
waste disposal ['weɪst dɪ,spəʊzl]	Abfallentsorgung
waste disposal site	Mülldeponie
hazardous waste	Sondermüll
wastage	Verschwendung
sewage ['suːɪdʒ]	Abwasser
environment [ɪn'vaɪrənmənt]	Umwelt, Umgebung
environmental technology	Umwelttechnik
environmentally friendly / ecofriendly	umweltfreundlich
environmentalist	Umweltschützer(-in)
GM foods [,dʒiː ,em 'fuːdz]	genmanipulierte Lebensmittel
technology transfer [tek,nɒlədʒi 'trænsfɜː]	Technologietransfer
fossil fuels [,fɒsl 'fjuːəlz]	fossile Brennstoffe
exhaust gases [ɪg'zɔst ,gæsɪz]	Abgase
carbon dioxide (= CO_2) [,kɑːbn daɪ'ɒksaɪd]	Kohlendioxid
chlorofluorocarbon (= CFC)	Fluorkohlenwasserstoff (= FCKW)
CFC-free	ohne FCKW

FAQs

What are developing, newly industrializing and industrial countries?

Developing countries, or less developed countries (= LDCs), are collectively known as the Third World. Characteristically, they have a low per capita income, bad infrastructure, unfavourable (= *ungünstig*) balance of payments and low economic growth. They are made up of countries that need time and technology (rather than massive foreign aid) to build modern, developed economies. Examples: Afghanistan, Ethiopia, Mali.

Newly industrializing countries (= NICs) are also known as threshold countries. These are not less developed countries any more, and they are no longer poor. But they are still below the development level of highly industrialized countries. Examples: Brazil, Mexico, South Korea.

Industrial countries (also known as First World countries, developed countries or DCs) are countries with advanced production techniques, a high per capita income, excellent infrastructure, favourable (= *günstig*) balance of payments and a high degree of foreign trade (= *Außenhandel*). Examples: the EU member countries, Japan, the US.

How can I find out my company's prospects in the global market?

- Gather data on import / export statistics from a suitable (= *geeignet*) organisation.
- Order a market research study (= *Marktforschungsstudie*) – or read existing ones for free (= *kostenlos*).
- Read government market studies in your line of business (= *Branche*) and the countries you intend to invest in or export to.

Publicity & Advertising
Werbung

11

Advertising Tactics & Methods
Werbestrategien & Methoden

→ 10.1 Market Research / Marktforschung
→ 10.2 Competition / Konkurrenz

Promise, large promise, is the soul of an advertisement. (Dr Samuel Johnson, British author and commentator, 1709–84)

advertise ['ædvətaɪz]	inserieren / werben
advertising ['ædvətaɪzɪŋ]	Werbung
international advertising	internationale Werbung
customised advertising	kundenspezifische Werbung
word-of-mouth advertising	Mund-zu-Mund-Propaganda
advertising agency / publicity agency	Werbeagentur
advertising budget / promotion budget	Werbeetat
Advertising takes up 10% of our total budget.	Die Werbung nimmt 10 % unseres Gesamtetats ein.
ad [æd] / **advert** ['ædvɜ:t] / **advertisement** [əd'vɜ:tɪsmənt]	Anzeige / Zeitungsinserat
display ad	Großanzeige
banner ad	Werbeband, ein auf einer Web-Seite integriertes Werbeband
Internet ad	Internetanzeige
place an ad	eine Anzeige schalten
attract attention [ə,trækt ə'tenʃn]	Aufmerksamkeit erregen
First and foremost, we want to attract the reader's attention.	Zuallererst wollen wir die Aufmerksamkeit des Lesers erregen.
paper ['peɪpə] / **newspaper** ['nju:zpeɪpə]	Zeitung
newspaper ad	Zeitungsinserat
section of a newspaper	Teil einer Zeitung
national / regional / local (paper)	überregionale Zeitung / regionale Zeitung / Lokalzeitung
We should advertise our leader product in the regional press.	Wir sollten mit unserem führenden Produkt in der Regionalpresse werben.
daily / weekly (paper)	Tageszeitung / Wochenzeitung
popular press / tabloid ['tæblɔɪd] press	die Boulevardpresse
quality press	die seriöse Presse
news item	Nachricht
story	Bericht, Meldung

| front page, the | die Titelseite |
| headline | Schlagzeile |

magazine [ˌmægə'ziːn] / **periodical**	Zeitschrift
[ˌpɪəri'ɒdɪkl] **journal** ['dʒɜːnl]	
trade journal	Fachzeitschrift
weekly / monthly (magazine)	Wochen- / Monatszeitschrift
news magazine	Nachrichtenmagazin
e-zine (= electronic magazine)	elektronische Zeitschrift
['iːzaɪn]	
heading ['hedɪŋ]	Überschrift
business section ['bɪznɪs ˌsekʃn]	Wirtschaftsteil
international edition	internationale Ausgabe
[ɪntəˌnæʃnl ɪ'dɪʃn]	

Info-Box

Classified ads (AE: small ads) — Kleinanzeigen

Accommodation for Rent	Mietangebote
[əˌkɒməˌdeɪʃn fə 'rent]	
Accommodation Wanted	Mietgesuche
[əˌkɒməˌdeɪʃn 'wɒntɪd]	
Appointments [ə'pɔɪntmənts]	Stellenangebote
Buy and Sell [ˌbaɪ nd 'sel]	An- und Verkauf
Events [ɪ'vents]	Veranstaltungen
For Hire [fə 'haɪə]	zu vermieten
For Sale [fə 'seɪl]	zu verkaufen
Miscellaneous [ˌmɪsə'leɪniəs]	Verschiedenes
Relationships [rɪ'leɪʃnʃɪps] /	Bekanntschaften
Contacts ['kɒntækts]	
Services ['sɜːvɪsiz]	Dienstleistungen
Situations Vacant [ˌsɪtjuˌeɪʃnz	offene Stellen
'veɪknt]	
Tuition [tju:'ɪʃn]	Unterricht

Yellow Pages [ˌjeləʊ 'peɪdʒiz]	Gelbe Seiten
advertainment (= advertising +	Werbung + Unterhaltung
entertainment) [ˌædvə'teɪnmənt]	

| **commercial** [kə'mɜːʃl] | Werbespot, Werbesendung (Radio / TV) |

| **informercial** (= information + | „seriös" vermittelte Produktinforma- |
| commercial) [ˌɪnfə'mɜːʃl] | tion |

| **update** [ʌp'deɪt / 'ʌpdeɪt] | aktualisieren, auf den aktuellen Stand bringen / Aktualisierung |

It would cost 500 to 600 pounds to update this video.

Eine Aktualisierung dieses Videos würde uns 500 bis 600 Pfund kosten.

special sales campaign [ˌspeʃl 'seɪlz kəmˌpeɪn]
publicity campaign / advertising campaign

Verkaufssonderaktion

Werbekampagne

The campaign should emphasize the quality.

Die Kampagne sollte die Qualität betonen.

Could you explain the thinking behind the campaign?

Könnten Sie das Konzept erläutern, das hinter der Kampagne steht?

publicity expenditure [pʌb'lɪsəti ɪkˌspendɪtʃə]

Werbekosten

promote a product [prə'məʊt ə 'prɒdʌkt]

für ein Produkt Werbung machen

We want to find an agent to promote our products.

Wir möchten einen Vertreter finden, der für unsere Produkte wirbt.

promote an image

ein Image pflegen

Wouldn't it be best to promote a corporate image for future products?

Wäre es nicht am besten, für zukünftige Produkte ein Firmenimage zu entwickeln?

sales promotion ['seɪlz prəˌməʊʃn]
promotion team

Verkaufsförderung
Werbeteam

information pack [ˌɪnfə'meɪʃn pæk]
product guide
promotional materials / sales literature

Informationsmaterial
Produktanzeiger
Werbematerial / -unterlagen

feedback ['fiːdbæk]
Have you had any feedback about the advert yet?

Rückmeldung
Hatten Sie schon Rückmeldungen auf die Anzeige?

slogan ['sləʊgn]
The idea is right – but the slogan should be more prominent.

Werbespruch
Die Idee ist richtig – aber der Werbespruch sollte mehr hervorstechen.

model ['mɒdl]
our latest model
some of our latest models
launch [lɔːntʃ] / **bring out a new model** [ˌbrɪŋ aʊt ə njuː 'mɒdl]
We're launching the new model on Day 1 of the Fair.
launching date

Modell
unser neuestes Modell
einige unserer neuesten Modelle
ein neues Modell herausbringen

Wir bringen das neue Modell am ersten Tag der Messe heraus.
Markteinführungstermin

freebie ['fri:bi] / **freebee** ['fri:bi] /   Werbegeschenk
  giveaway ['gɪvəweɪ]
hype [haɪp]   reißerische Publicity oder Werbe-
      rummel

showroom ['ʃəʊruːm]   Ausstellungsraum
main advantage, the [,meɪn   der Hauptvorteil
  əd'vɑ:ntɪdʒ]
That's the main advantage of this   Das ist der Hauptvorteil dieses
  particular model.   speziellen Modells.
logo ['ləʊgəʊ]   Logo
company logo   Firmenlogo, Firmenzeichen
The design should give more   Das Design sollte das Firmenzeichen
  prominence to the company logo.   mehr hervorheben.
loss-leader ['lɒsˌliːdə]   Lockartikel
consumer [kən'sjuːmə]   Verbraucher(-in)
consumer spending   Verbraucherausgaben
consumer protection   Verbraucherschutz
purchasing power ['pɜːtʃəsɪŋ ˌpaʊə]   Kaufkraft
impression [ɪm'preʃn]   Eindruck
choice [tʃɔɪs]   (Aus)Wahl
convincing [kən'vɪnsɪŋ]   überzeugend, auf überzeugende Art
      und Weise
select [sɪ'lekt]   auswählen
compare [kəm'peə]   vergleichen
The first thing the consumer will do is   Das Erste, das der Verbraucher tun
  compare the prices.   wird, ist die Preise zu vergleichen.

brand name ['brænd ˌneɪm]   Markenname
brand image   Markenimage
brand recognition   Markenwiedererkennung
brand loyalty   Markentreue

customer loyalty [ˌkʌstəmə 'lɔɪəlti]   Kundentreue
customer satisfaction   Kundenzufriedenheit
customer profile   Kundenprofil

trademark (= TM) ['treɪdmɑːk]   Warenzeichen
registered trademark   eingetragenes Warenzeichen

event [ɪ'vent]   Ereignis (= spektakuläre Veranstal-
      tung mit großer Medienwirkung)

target group ['tɑːgɪt ˌgruːp]   Zielgruppe
aim at a target group   sich an eine Zielgruppe richten
What target group are you aiming at?   An welche Zielgruppe richten Sie
      sich?
reach a target group   eine Zielgruppe erreichen

Regional TV commercials wouldn't reach our target group.	Regionale Fernsehwerbung würde unsere Zielgruppe nicht erreichen.

sample ['sɑːmpl]
sample collection
free sample

Muster
Musterkollektion
Werbemuster

demonstrate a model [ˌdemənstreɪt ə 'mɒdl]
I'll be demonstrating the new model to our retailers next week.

ein Modell vorführen

Ich werde das neue Modell nächste Woche unseren Einzelhändlern vorführen.

demonstration [ˌdemən'streɪʃn]
demonstration model [ˌdemən'streɪʃn ˌmɒdl]
demonstrator ['demənstreɪtə]
demo video [ˌdeməʊ 'vɪdiəʊ]
We have a 7-minute demo video for trade fairs and conferences.

Vorführung
Vorführmodell

Vorführer(-in)
Demo-Video
Wir haben ein 7minütiges Demo-Video für Handelsmessen und Konferenzen.

show a video [ˌʃəʊ ə 'vɪdiəʊ]
I'd like to show you a short video.

ein Video zeigen
Ich würde Ihnen gerne ein kurzes Video zeigen.

sell itself [ˌsel ɪt'self]
This product will sell itself.

sich von allein verkaufen
Dieses Produkt verkauft sich von selbst.

FAQs

What are the main points to consider when I advertise abroad (= *im Ausland*)?

1. the most suitable advertising for the foreign market (= *Auslandsmarkt*) (Think of possible cultural, religious and social differences.)
2. the best locations (= *Standorte*) and media for carrying my advertisements
3. which advertising agency to hire
4. my advertising budget
5. the amount of competition between businesses
6. the level of consumer spending

What's a "dog-and-pony show"?

It's a low-level, very simple demonstration which does not meet the expectations (= *den Vorstellungen / Erwartungen entsprechen*) of the audience. Instead, it is an insult to their intelligence (= *eine Beleidigung ihrer Intelligenz*).

→ 11.1 Advertising Tactics & Methods / Werbestrategien & Methoden

Outside show is a poor substitute for inner worth. (Aesop, Greek writer of fables, circa 620 – circa 560 BC)

fair [feə]	Messe
trade fair	(Handels-, Fach-) Messe
industrial fair	Industriemesse
visit a fair	eine Messe besuchen
represent one's company at a fair	seine Firma auf einer Messe vertreten / repräsentieren
take part in a fair / attend a fair	an einer Messe teilnehmen
We've taken part in trade fairs in Amsterdam and London.	Wir haben an Handelsmessen in Amsterdam und London teilgenommen.
We are now preparing to attend our first trade fair in Scandinavia.	Wir bereiten uns gerade darauf vor, an unserer ersten Handelsmesse in Skandinavien teilzunehmen.
fair pass	Messeausweis

venue ['venjuː]	(Austragungs-/Veranstaltungs-)Ort
stand (AE: booth) [stænd]	(Messe-)Stand
Could we meet at our stand at the Bologna Fair?	Können wir uns an unserem Stand auf der Bologna-Messe treffen?
construct a stand	einen Stand aufbauen
dismantle a stand	einen Stand abbauen / demontieren

exhibit [ɪgˈzɪbɪt]	ausstellen / Ausstellungsstück
exhibitor [ɪgˈzɪbɪtə]	Aussteller
list of exhibitors	Ausstellerverzeichnis
Would you please send or fax me a list of the exhibitors?	Würden Sie uns bitte ein Ausstellerverzeichnis schicken oder faxen?
exhibition [ˌeksɪˈbɪʃn]	Ausstellung
exhibition centre	Ausstellungs- / Messezentrum
exhibition space / floor space	Ausstellungsfläche
floor plan [ˈflɔː plæn]	Übersichtsplan
press room [ˈpres ruːm]	Presseraum

business card [ˈbɪznɪs ˌkɑːd]	Visitenkarte
exchange cards	Visitenkarten austauschen
I suggest that we exchange cards and stay in touch.	Ich schlage vor, wir tauschen Visitenkarten aus und bleiben in Verbindung.

on display [ɒn dɪ'spleɪ]	ausgestellt
display material	Ausstellungsmaterial
large display screen	Großbildschirm

catalogue (AE: catalog) ['kætəlɒg]	Katalog
official catalogue (at a fair)	Ausstellungskatalog
our latest catalogue	unser neuester Katalog
Our catalogue comes in two versions.	Unser Katalog erscheint in zwei Versionen.
Help yourself to one of our catalogues.	Nehmen Sie sich einen unserer Kataloge.
Christmas catalogue, the	der Weihnachtskatalog

brochure ['brəʊʃə] / **leaflet** ['liːflət]	Prospekt
I'll give you our brochure – it illustrates our whole range.	Ich gebe Ihnen unseren Prospekt – er veranschaulicht unser gesamtes Angebot.
mail circular [ˌmeɪl 'sɜːkjələ] / **direct mail advertising**	Postwurfsendung
poster ['pəʊstə]	Plakat
fact sheet ['fækt ʃiːt]	Info-Blatt
This fact sheet gives you a rundown on the safety measures.	Dieses Info-Blatt fasst die Sicherheitsmaßnahmen zusammen.
information bulletin [ˌɪnfə'meɪʃn ˌbʊlɪtɪn]	Mitteilungsblatt
price list ['praɪslɪst]	Preisliste

FAQs

What are the costs of taking part in an exhibition or trade fair?

Exhibitions and trade fairs are an expensive way of promoting and advertising products. You have to consider the possible costs of: researching your potential audience and the other exhibitors • designing publicity literature and exhibits • hiring furniture and equipment (= *Einrichtung / Ausrüstung*) • rental cost (= *Standmiete*) • constructing the stand • samples (= *Muster*) • travel and meals • staff • insurance (= *Versicherung*) • (at the end) dismantling, transport and storage (= *Lagerung*).

What is "brochureware"?

It is a product which is being promoted although it is non-existent (or it is still being planned). The product is being advertised – but only the brochures exist so far. The aim is to attract customers' attention (= *Aufmerksamkeit*) away from existing competing products (= *Konkurrenzprodukte*). "Brochureware" is basically a strategic weapon (= *strategische Waffe*) to harm competitors (= *um Konkurrenten zu schaden*).

Finances
Finanzen

Banking & Credit
Bankwesen & Kredite

→ 6.1 Money Quantities / Geldbeträge
→ 6.3 Calculating / Rechnen

A bank is a place that will lend you money if you can prove you don't need it.
(Bob Hope, US comedian, born 1904)

loan [ləʊn]	Darlehen / Kredit
loan capital	Fremdkapital
bank loan	Bankkredit
apply for a loan	ein Darlehen / Kredit beantragen
approach the bank for a loan	sich wegen eines Darlehens an die Bank wenden
secure a loan	ein Darlehen sichern
get a further loan	ein weiteres Darlehen bekommen
If we can convince the bank, we'll get another 3-year loan.	Wenn wir die Bank überzeugen können, bekommen wir ein weiteres 3-Jahres-Darlehen.
pay off a loan	einen Kredit zurückzahlen
raise a loan	einen Kredit aufnehmen
bridging loan ['brɪdʒɪŋ ˌləʊn] / temporary loan	Überbrückungskredit/-darlehen
short-term / long-term loan	kurz- / langfristiges Darlehen
business start-up [ˌbɪznɪs 'stɑːtʌp]	Existenzgründung, Unternehmensgründung
start-up / set-up capital	Startkapital
business plan ['bɪznɪs plæn]	Geschäftsplan
Get the bank's guidelines on business plans before you start.	Bevor Sie anfangen, holen Sie sich die Hinweise der Bank zu Geschäftsplänen.
suitable bank, a [ˌsuːtəbl 'bæŋk]	eine geeignete Bank
bank manager	Bankmanager(-in)
High Street banks, the	die Großbanken (in Großbritannien)
bank code / bank sort code	Bankleitzahl
bank charges ['bæŋk ˌtʃɑːdʒiz]	Bankgebühren
handling charge	Bearbeitungsgebühr

Info-Box

Fast jeder Existenzgründer (= anyone starting up a business) *benötigt zum Start Fremdkapital* (= loan capital), *meist in Form eines Bankkredits* (= bank loan). *Er wird also bereits in einer frühen Phase seiner Unternehmensgründung eine Bank finden müssen, die er von seinem Vorhaben überzeugen* (= convince) *kann und von der er sich gut beraten fühlt. Ein schlüssiger Geschäftsplan* (= business plan) *ist die Basis für ein erstes Gespräch.*

funds [fʌndz] / **financial resources** [faɪˌnænʃl rɪˈsɔːsiz]	Finanzmittel / finanzielle Mittel
resources employed	eingesetzte Mittel
financial assistance	Finanzhilfe
financial statement (= F/S)	Finanzaufstellung
annual financial statement	Jahresabschluss
financing / funding	Finanzierung
finance / fund a project	ein Projekt finanzieren
The shareholders have received the first estimates for the financing of the project.	Die Aktionäre haben die ersten Kostenvoranschläge zur Finanzierung des Projekts erhalten.
export financing	Ausfuhrkredite
tight money [taɪt]	Geldknappheit
Money is tight just now, but the situation should ease soon.	Das Geld ist zur Zeit knapp, aber die Situation dürfte sich bald entspannen.
borrowed money [ˈbɒrəʊd]	geliehenes Geld
borrow short [ˈbɒrəʊ] / long	einen kurz- / langfristigen Kredit aufnehmen
borrower [ˈbɒrəʊə]	Kredit- / Darlehensnehmer(-in)

 borrow *oder* lend?

borrow money from sb	*(sich) Geld von jdm borgen / leihen*
We'll have to borrow money from the bank.	*Wir müssen uns Geld von der Bank leihen.*
lend money to sb / lend sb money	*jdm Geld leihen*
If they lend us the money, we'll get the new equipment next month.	*Wenn sie uns das Geld leihen, werden wir die neue Ausrüstung nächsten Monat anschaffen.*
bank lending rate	*Kreditzinssatz*

account [əˈkaʊnt] / **bank account** [ˈbæŋk əˌkaʊnt]	Konto
They have an account with Barclays.	Sie haben ein Konto bei der Barclays-Bank.

euro bank account	Euro-Konto
deposit account (AE: savings account / time deposit)	Sparkonto
current account (AE: checking account)	laufendes Konto / Girokonto
foreign currency account	Fremdwährungskonto
building society account	Bausparkassenkonto
statement (of account)	Auszug / Kontoauszug
Before we discuss this, let's just look at the statement of account.	Sehen wir uns doch, bevor wir das diskutieren, den Kontoauszug an.
account details	Kontoverbindung
Please provide your account details.	Bitte geben Sie Ihre Kontoverbindung an.
open / close an account	ein Konto eröffnen / schließen
pay / place money into an account	Geld auf ein Konto einzahlen
stop an account	ein Konto sperren
joint account (= J/A)	gemeinsames Konto / Gemeinschaftskonto
draw money / withdraw money / make a withdrawal from an account	Geld vom Konto abheben
overdraw an account	ein Konto überziehen
We've overdrawn the account past our credit limit.	Wir haben das Konto über unseren Kreditrahmen hinaus überzogen.
overdraft (= OD) ['əʊvədrɑːft]	Überziehung eines Kontos
bank overdraft / overdraft credit / overdraft facility	Banküberziehungskredit
instruct [ɪn'strʌkt]	anweisen
transaction [træn'zækʃn]	Abwicklung, Durchführung, Bewegung, Abschluss
There is a small charge for each transaction.	Für jede Bewegung wird eine kleine Gebühr berechnet.
deposit [dɪ'pɒzɪt]	deponieren, ablegen
deposit slip	Einzahlungsbeleg
safe deposit box	Schließfach bei einer Bank
identity card [aɪ'dentəti ˌkɑːd]	(Personal-)Ausweis
have proof of identity	sich ausweisen
transfer [træns'fɜː] / **remit** [rɪ'mɪt]	überweisen
transfer / remittance	Überweisung
transfer order (= T/O)	Überweisungsauftrag
credit transfer	Banküberweisung
interest ['ɪntrəst]	Zinsen
Are there any charges other than interest?	Entstehen außer den Zinsen noch andere Kosten?
interest rate / rate of interest (= R/I)	Zinssatz

Annual Percentage Rate (of interest) (= APR)	effektiver Jahreszinssatz
at current rate	zum aktuellen Satz
cut / push up interest rates	die Zinsen senken / in die Höhe treiben
Interest rates will have to be raised again.	Die Zinsen müssen wieder erhöht werden.
fixed interest	feste Zinsen
simple interest	einfache Zinsen
compound interest ['kɒmpaʊnd]	Zinseszins
debit ['debɪt]	belasten
debit an account	ein Konto belasten
debit €500 to sb's account	das Konto einer Person mit €500 belasten
debit note (= D/N)	Lastschriftanzeige
credit ['kredɪt]	anrechnen, Gutschrift erstellen, gutschreiben / Kredit
credit an account with €500	einem Konto €500 gutschreiben
renewal of credit	Kreditverlängerung
allow sb interest-free credit	jdm einen zinslosen Kredit gewähren
credit limit	Kreditlimit
With this account, you have a credit limit of €1000.	Bei diesem Konto haben Sie einen Kreditrahmen von €1000.
unlimited credit	unbegrenzter Kredit
on credit	auf Kredit
credit period	Zahlungsziel
This time they've asked for 3 months credit.	Dieses Mal haben sie um ein dreimonatiges Zahlungsziel gebeten.
credit note (= C/N)	Gutschriftanzeige
credit rating / creditworthiness	Kreditwürdigkeit
creditworthy	kreditwürdig
creditor ['kredɪtə] / **debtor** ['detə]	Gläubiger(-in) / Schuldner(-in)
credit card ['kredɪt ˌkɑːd]	Kreditkarte
cardholder	Karteninhaber(-in)
plastic money [ˌplæstɪk 'mʌni]	Plastikgeld (= Kreditkarten)
in our favour [ɪn ˌaʊə 'feɪvə]	zu unseren Gunsten
Our statement shows a balance of $98.90 in our favour.	Unser Auszug zeigt einen Kontostand von $98,90 zu unseren Gunsten.
in favour of the seller	zu Gunsten des Verkäufers
letter of credit (= L/C) [ˌletər əv 'kredɪt]	Akkreditiv
open a letter of credit	ein Akkreditiv eröffnen

issue a letter of credit	ein Akkreditiv ausstellen
documentary letter of credit	Dokumentenakkreditiv
beneficiary of a letter of credit	Akkreditivbegünstigter
confirmed [kən'fɜːmd]	bestätigt
revocable [rɪ'vəʊkəbl] / **irrevocable** [ˌɪrɪ'vəʊkəbl]	widerruflich / unwiderruflich
bill of exchange (= B/E) [ˌbɪl əv ɪks'tʃeɪndʒ]	Wechsel
present a bill for acceptance	einen Wechsel zum Akzept / zur Annahme vorlegen
issuing bank / opening bank	krediteröffnende Bank / Akkreditivbank
advising bank	anvisierende Bank
confirming bank	bestätigende Bank
accepting bank	Akzeptbank
paying bank	auszahlende Bank
remitting bank	überweisende / übersendende Bank
cash [kæʃ] / **ready cash** [ˌredi 'kæʃ]	Bargeld
cash balance	Bankguthaben
cash dispenser / hole-in-the-wall / cashpoint / automated teller machine (= ATM)	Geldautomat
cash card	Geldautomatenkarte
type in [ˌtaɪp 'ɪn]	eingeben
Just type in your PIN number.	Geben Sie einfach Ihre PIN-Nummer ein.
hedge [hedʒ]	Absicherung
hedge against inflation	sich gegen Inflation absichern
capacity [kə'pæsəti]	Kapazität
collateral [kə'lætrəl]	Sicherheit
stock [stɒk]	Lagerbestand
financial standing [faɪˌnænʃl 'stændɪŋ]	Vermögenslage

FAQs

What are the five Cs of credit?

Character (= *Charakter*), capacity, capital, collateral and conditions (= *Bedingungen*) are the basic criteria for judging a potential borrower's creditworthiness.

Which banks deal with a Letter of Credit (L/C)?

An L/C is handled by two or more banks:

issuing bank (or: **opening bank**)   *krediteröffnende Bank / Akkreditiv-
                                            bank*
This is the importer's bank which opens the credit in the exporter's favour
(= *zu Gunsten des Exporteurs*).

advising bank   *avisierende Bank*
This is the bank which tells the exporter that the credit has been issued
(= *ausgestellt*) in his favour. This bank will usually be based in the
exporter's country.

confirming bank   *bestätigende Bank*
An exporter's advising bank is not itself responsible for (= *verantwortlich
für*) paying the exporter. If the exporter is unsure whether the importer's
bank is dependable (= *zuverlässig / verläßlich*), he or she may ask for a
confirmed L/C. Usually, the advising bank (ie the exporter's bank in the
exporter's country) will confirm the L/C. Then that advising bank (which is
now the confirming bank) takes the place of (= *ersetzt*) the issuing bank
abroad (= *im Ausland*). If all the conditions listed by the exporter in the
L/C are fulfilled (= *erfüllt*), payment is assured (= *garantiert*) by the
confirming bank.

accepting bank   *Akzeptbank*
This (also known as the paying bank = *auszahlende Bank*) is the bank
named and authorised in the L/C to accept the L/C and pay the exporter
(after the necessary documents have been presented). This bank will be
either the issuing bank or the advising bank.

remitting bank   *überweisende / übersendende Bank*
This is the bank that remits (= *überweist*) the money from one bank
account to another (either at the same or another bank).

The rules concerning L/Cs appear in "Uniform Customs and Practice for
Documentary Credits" (= UCP) (German version: *Einheitliche Richtlinien für
Dokumentenakkreditive*; known as *ERA*). This is published by the
International Chamber of Commerce and can be obtained from banks.

What does BACS mean?

It means "Bank Automated Clearing Services" (= *elektronisches
Überweisungsverkehrssystem*). It's a convenient and easy method of
payment (= *Zahlungsweise*). BACS needs no paper or cheques, because
payments are made directly from one bank to another.

Insurance
Versicherungen

→ 8.1 Import / Export Documents / Import- / Exportunterlagen

I don't believe in an afterlife, although I am bringing a change of underwear. (Woody Allen, US filmmaker and author, born 1935)

insure [ɪn'ʃʊə] versichern
insure against fire and theft (= F&T) sich gegen Feuer und Diebstahl versichern

Can I insure against that? Kann ich mich dagegen versichern?

insurer [ɪn'ʃʊərə] Versicherer(-in)
insured party [ɪnˌʃʊəd 'pɑːti] Versicherte(r)
insured person, the die versicherte Person, der/die Versicherte

be insured against sth gegen etw versichert sein
overinsured überversichert
underinsured unterversichert

insurance [ɪn'ʃʊərəns] (no pl form!) Versicherung
insurance company Versicherungsgesellschaft
insurance value Versicherungswert
insurance broker Versicherungsmakler(-in)
insurance documents Versicherungspapiere
insurance contract / contract of insurance Versicherungsvertrag
insurance certificate / certificate of insurance (= C/I) Versicherungszertifikat
insurance rates Versicherungstarife
insurance premium Versicherungsbeitrag / -prämie
annual premium jährlicher Beitrag, Jahresprämie

insurance policy [ɪnˌʃʊərəns 'pɒləsi] Versicherungspolice
take out an insurance policy eine Versicherung abschließen
When did you take out this policy? Wann haben Sie diese Versicherung abgeschlossen?

life insurance policy (= LIP) Lebensversicherung
blanket (insurance) policy Generalpolice
marine insurance policy (= MIP) Seeversicherungspolice
cargo / freight insurance Kargo- / Frachtkostenversicherung
accident / fire / buildings insurance Unfall- / Feuer- / Gebäudeversicherung
household / contents insurance Hausratsversicherung
employers' liability insurance Unfallhaftpflichtversicherung der Arbeitgeber

comprehensive insurance	Vollkaskoversicherung
third party insurance	Haftpflichtversicherung
personal accident insurance	persönliche Unfallversicherung

insurance claim [ɪnˈʃʊərəns ˌkleɪm] Versicherungsanspruch
put in a claim Versicherungsanspruch geltend machen / Schadenersatz fordern
settle a claim einen Schaden / eine Forderung regulieren
no-claims bonus Schadenfreiheitsrabatt
You can put in a claim, but you'd lose your no-claims bonus. Sie können Ihren Versicherungsanspruch geltend machen, würden jedoch damit Ihren Schadenfreiheitsrabatt verlieren.
claim form Schadenformular, Antragsformular auf Schadenersatz

cover [ˈkʌvə] (ab)decken
The insurance covers only fire and theft. Die Versicherung deckt nur Feuer und Diebstahl ab.
insurance cover / coverage [ˈkʌvərɪdʒ] Versicherungsschutz
provide cover / coverage Versicherungsschutz gewähren
Could we get an insurance package, to cover the warehouse and the goods? Könnten wir ein Versicherungspaket bekommen, das Lager und Waren abdeckt?
maximum cover maximale Deckungshöhe
cover note Deckungskarte / -zusage

risk [rɪsk] Risiko
all-risks policy globale Risikoversicherung / Universalversicherung
against all risks (= a.a.r.) gegen alle Gefahren / Risiken
with all risks (= w.a.r.) mit allen Gefahren / Risiken
at buyer's risk auf Risiko des Käufers
owner's risk (= o.r.) Eigners Gefahr

damage [ˈdæmɪdʒ] Schaden
policyholder [ˈpɒləsiˌhəʊldə] Versicherungsnehmer(-in)
intermediary [ˌɪntəˈmiːdiəri] Vermittler(-in)

liability [ˌlaɪəˈbɪləti] Haftung
shipowner's liability Reedereihaftpflicht
product liability Produkthaftung
public liability (= p.l.) öffentliche Haftpflicht
public liability and property damage öffentliche Haftung und Eigentumsschaden

average ['ævrɪdʒ]   Havarie, Schiffsunfall
general average   große Havarie / gemeinschaftliche
                             Havarie
with particular average (= WPA)   mit besonderer Havarie

FAQs

What insurance should a business have?

• A business should have policies to cover
• damage to buildings (= *Gebäude*) and loss of money and contents
• employers' liability
• public liability and property damage
• product liability
• loss of earnings following accidental damage to your assets
  (= *Vermögenswerte*)
• personal accident
• life insurance (especially in a partnership)

Who is Lloyds of London?

Lloyds is not an insurance company – it is a market for insurance. Its
members include about 30,000 underwriters (= *Einzelversicherer*). An
underwriter does not deal directly with the public. Instead, he / she
provides insurance through an insurance broker (= the intermediary
between Lloyds and the public). Address: See page 280.

Taxation, Currencies & Exchange Rates

Versteuerung, Währungen & Wechselkurse

→ 6.1 Money Quantities / Geldbeträge
→ 6.3 Calculating / Rechnen

Taxes, after all, are the dues that we pay for the privileges of membership in an organized society. (Franklin D. Roosevelt, US President, 1882–1945)

tax [tæks] / **taxes** ['tæksiz]	besteuern / Steuer(n)
tax adjustment	Steuerausgleich / -anpassung
tax increase / tax cut	Steuererhöhung / -senkung
tax haven	Steueroase
tax loophole ['luːphəʊl]	eine Lücke in der Steuergesetzgebung / Steuerschlupfloch
We think we've found a tax loophole.	Wir glauben, wir haben ein Steuerschlupfloch gefunden.
tax office / tax authority	Finanzamt
I'll ring the tax office and ask them about it.	Ich rufe das Finanzamt an und frage dort danach.
tax code	Steuerkennziffer
tax incentives	Steueranreize
The government is creating new tax incentives for farmers.	Die Regierung schafft neue Steueranreize für Landwirte.
tax allowance	Steuerfreibetrag
tax relief (AE: tax exemption)	Steuererleichterung / -vergünstigung
Can we get tax relief on this?	Bekommen wir darauf Steuervergünstigungen?
tax fraud	Steuerbetrug
tax-free / tax-exempt	steuerfrei / steuerbefreit
taxable / liable for tax	steuerpflichtig
tax-deductible [ˌtæks dɪ'dʌktəbl]	steuerlich absetzbar / abzugsfähig
income tax	Einkommensteuer
tax on capital	Vermögenssteuer
capital gains tax (= CGT)	Kapitalertragssteuer
turnover tax	Umsatzsteuer
corporation tax	Körperschaftssteuer (KSt)
profits tax	Gewinnsteuer
purchase tax / (BE)	Verbrauchssteuer (BE), Umsatzsteuer
excess profits tax	Übergewinnsteuer
value added tax (= VAT) (AE: sales tax)	Mehrwertsteuer
How much would have to be paid in VAT?	Wie viel Mehrwertsteuer müsste gezahlt werden?
zero-rated [ˌzɪərəʊ'reɪtɪd]	ohne Mehrwertsteuer

net income [ˌnet ˈɪnkʌm] / **gross income** [ˌɡrəʊs ˈɪnkʌm] — Netto- / Bruttoeinkommen

declaration of income / income tax return — Einkommensteuererklärung

file / submit an income tax return — eine Einkommensteuererklärung abgeben

refund — (Rück)Erstattung

exchange rate [ɪksˈtʃeɪndʒ ˌreɪt] / **rate of exchange** (= R/E) [ˌreɪt əv ɪksˈtʃeɪndʒ] — Wechselkurs, Devisenkurs

floating / fixed exchange rate — frei schwankender / fester Wechselkurs

flexible exchange rate — flexibler Wechselkurs

foreign exchange — Devisen

Could I see your foreign exchange rates, please? — Dürfte ich bitte Ihre Wechselkurse sehen?

foreign exchange department — Devisenabteilung

foreign exchange transaction — Devisengeschäft

note / banknote (AE: bill) [nəʊt/ˈbæŋknəʊt] — Geldschein

foreign notes and coins — Sorten

paper money — Papiergeld

change [tʃeɪndʒ] — Wechselgeld

bureau de change — Wechselstube

change money — *Geld wechseln*

I have to change a 20-pound note. — *Ich muss einen Zwanzig-Pfund-Schein wechseln.*

change / convert one currency to / into another — *eine Währung in eine andere umtauschen*

I must change / convert these yen to / into euros. — *Ich muss diese Yen in Euros umtauschen.*

Beachten Sie auch:

change / convert (units) — *(Einheiten) umrechnen*

How do you change / convert miles to / into kilometres? — *Wie rechnet man Meilen in Kilometer um?*

conversion — *Umrechnung*

official conversion rate, the — *der amtliche Umrechnungskurs*

conversion table — *Umrechnungstabelle*

currency ['kʌrənsi]	Währung
unit of currency / currency unit / monetary unit	Währungseinheit
hard currency	harte Währung
soft / weak currency	weiche Währung
freely convertible currency [kən'vɜːtəbl]	frei konvertierbare Währung
inconvertible currency	nichtkonvertierbare Währung
floating currency	frei schwankende Währung
common currency	gemeinsame Währung
strong currency	starke Währung
reserve currency	Reservewährung
local currency (= loc. cur.)	Landeswährung
foreign currency	ausländische Währung, Fremd- währung
Which currency would we have to pay in?	In welcher Währung müssten wir zahlen?

FAQs

How does the exchange rate affect import and export prices?

low exchange rate   ⟶   imports dearer (= *teurer*) – exports cheaper (= *billiger*)

high exchange rate   ⟶   imports cheaper – exports dearer

Payment
4 Zahlungen

→ 6.1 Money Quantities / Geldbeträge
→ 8.1 Import / Export Documents / Import- / Exportunterlagen

The things are dearest to us that have cost us most. (de Montaigne, French moralist & essayist, 1533–1592)

pay [peɪ]	(be)zahlen
pay money on account	eine Anzahlung leisten
pay cash	bar zahlen
About 40 % of our customers pay by cash or money order.	Circa 40 % unserer Kunden zahlen bar oder per Zahlungsanweisung.
pay by cheque / by credit card	mit Scheck / Kreditkarte bezahlen
pay within a period	innerhalb eines Zeitraums zahlen
They normally pay within 30 days.	Normalerweise zahlen sie innerhalb von 30 Tagen.
pay under reserve	unter Vorbehalt zahlen
pay a bill	eine Rechnung bezahlen

 pay (money)? / pay sb?/ *bezahlen*
pay for sth?

• pay money (a price, charges, a bill, debts, etc) *(be)zahlen*
You have to pay the bank charges once a month. *Sie müssen die Bankgebühren einmal im Monat bezahlen.*
Would we have to pay 15 % interest on the loan? *Müssten wir 15 % Zinsen für den Kredit zahlen?*

• pay sb *jdn bezahlen*
Have we paid the forwarding agent yet? *Haben wir den Spediteur schon bezahlt?*

• pay for sth (goods) *etw bezahlen*
We haven't paid for the printers yet. *Wir haben die Drucker noch nicht bezahlt.*

payable ['peɪəbl]	zahlbar
payee [peɪ'iː]	Zahlungsempfänger(-in), Remittent
payment ['peɪmənt]	Zahlung
advance payment	Vorauszahlung
prompt payment	sofortige / umgehende Zahlung
one-off payment	einmalige Zahlung

cash or early payment discount	Skonto
payment in full	Zahlung in voller Höhe
down payment / payment on account	Anzahlung / Abschlagszahlung
For all orders, we require a down payment of 20 %.	Bei allen Bestellungen verlangen wir eine Anzahlung von 20 %.
deferred payment	aufgeschobene Zahlung
payment of the balance	Restzahlung
payment at sight	Zahlung bei Sicht
part payment (AE: partial payment)	Teilzahlung
interim payment (AE: progress payment)	Abschlagszahlung
monthly payment	monatliche Zahlung
pro rata payment [ˌprəʊ 'rɑːtə]	anteilige Zahlung
present a bill for payment	eine Rechnung zur Zahlung vorlegen
request for payment	Zahlungsaufforderung
Quote this number with any payment.	Geben Sie diese Nummer bei jeder Zahlung an.
make / effect payment	Zahlung vornehmen
postpone payment [pəʊst'pəʊn]	die Zahlung aufschieben
We would like to postpone payment by four weeks.	Wir würden die Zahlung gern vier Wochen aufschieben.
cash payment	Barzahlung
underpayment	Unterbezahlung
overpayment	Überbezahlung / -betrag
stop payments	die Zahlungen einstellen
method of payment	Zahlungsweise
settlement ['setlment]	Zahlung, Begleichung
settlement day	Abrechnungstag
monthly / quarterly settlement	monatliche / vierteljährliche Begleichung
settle an account	eine Rechnung begleichen
Would you like to settle your account now?	Möchten Sie Ihre Rechnung jetzt begleichen?
instalment (AE: installment) [ɪn'stɔːlmənt]	Rate
payment by instalments	Ratenzahlung
pay for sth by instalments	etw in Raten bezahlen
Can I pay more than the agreed monthly instalment?	Kann ich mehr als die vereinbarten monatlichen Raten zahlen?
cheque (AE: check) [tʃek]	Scheck
sign a cheque	einen Scheck unterschreiben
cancel a cheque	einen Scheck entwerten
cash a cheque	einen Scheck einlösen
bounce (of a cheque) [baʊns]	platzen

stop a cheque / stop payment on a cheque	einen Scheck sperren lassen
clear a cheque	einen Scheck verrechnen
draw a cheque	einen Scheck ausstellen
make out a cheque to sb	einen Scheck auf jdn ausstellen
We made out the cheque to the wrong customer.	Wir haben den Scheck an den falschen Kunden ausgestellt.
crossed cheque	Verrechnungsscheck
bearer cheque	Überbringerscheck
order cheque	Orderscheck
dud cheque	ungedeckter Scheck
blank cheque	Blankoscheck
drawer (of a cheque) ['drɔːə]	Aussteller
Refer to Drawer (R/D)	„zurück an Aussteller"
electronic funds transfer (= EFT) [ɪlekˌtrɒnɪk 'fʌndz ˌtrænsfɜː]	elektronischer Zahlungsverkehr / EDV-Überweisungsverkehr
electronic funds transfer at point of sale (= EFTPOS)	elektronischer Zahlungsverkehr (POS-)System
direct debit [ˌdaɪrekt 'debɪt]	Lastschrift
standing order [ˌstændɪŋ 'ɔːdə]	Dauerauftrag
fee [fiː]	Honorar / Gebühr
additional fees	zusätzliche Gebühren
We would have to charge an additional fee for a translated version.	Für eine übersetzte Fassung müssten wir zusätzliche Gebühren berechnen.
charge [tʃɑːdʒ]	Gebühr / berechnen, belasten
charge to	belasten
charge sb for sth	jdm etwas in Rechnung stellen
We won't charge you for it.	Das wird nicht berechnet.
bill sb's account / charge to sb's account / put on sb's account	das Konto (einer Person) belasten
Charge it to my account. / Put it on my account.	Stellen Sie es mir in Rechnung.
without charge (= wc) / free of charge (= foc) / no charge (= n/c)	gebührenfrei, gratis, kostenlos, ohne Berechnung
We'll install free of charge any parts that need to be replaced.	Wir installieren kostenlos alle zu ersetzenden Teile.
There'll be no charge for these goods.	Die Waren werden Ihnen nicht in Rechnung gestellt.
no extra charge [ˌnəʊ ekstrə 'tʃɑːdʒ]	kein Aufpreis
additional charge	Aufpreis

scale of charges [ˌskeɪl əv 'tʃɑːdʒiz]
The charges will be 5% of the total
  payments or €20, whichever is
  higher.

Gebührenordnung
Die Gebühren betragen 5 % der
  gesamten Zahlungen oder €20, je
  nachdem welcher Betrag höher ist.

overcharge (= o/c) [ˌəʊvə'tʃɑːdʒ]
overcharge sb
overcharge by
We've been overcharged.
undercharge

zu hohe Berechnung
jdm zu viel abverlangen
um … zu viel berechnen
Man hat uns zu viel berechnet.
zu wenig berechnen

terms of payment (= TOP)
  [ˌtɜːmz əv 'peɪmənt]
I suggest we fax the terms of
  payment to you immediately.
terms strictly net [ˌtɜːmz ˌstrɪktli 'net]

Zahlungsbedingungen

Ich schlage vor, wir faxen Ihnen die
  Zahlungsbedingungen sofort zu.
Zahlung netto ohne jeden Abzug

invoice ['ɪnvɔɪs] / **bill** [bɪl]

invoice amount
make out an invoice
date of invoice
invoice number
as per invoice
final bill
pay the bill / foot the bill

Rechnung / berechnen, Rechnung
  erstellen
Rechnungsbetrag
eine Rechnung ausstellen
Rechnungsdatum
Rechnungsnummer
laut Rechnung
Endabrechnung
die Rechnung bezahlen

invoicing ['ɪnvɔɪsɪŋ]
item ['aɪtəm]
grand total [ˌɡrænd 'təʊtl] /
  total sum [ˌtəʊtl 'sʌm]
subtotal

Fakturierung , Berechnung
Rechnungsposten
Gesamtsumme

Zwischensumme

in advance [ɪn əd'vɑːns]
pay in advance
In this case, I think we'd better require
  payment in advance.
cash in advance (= cia) / money up
  front

im Voraus
im Voraus zahlen
Ich glaube, in diesem Fall verlangen
  wir besser Zahlung im Voraus.
Vorauszahlung

money order (= MO) ['mʌni ˌɔːdə]
international money order (= IMO) /
  foreign money order

Zahlungs- / Postanweisung
Auslandspostanweisung

receipt [rɪ'siːt]
repay [rɪ'peɪ]
repayment
discount [dɪ'skaʊnt]

Quittung
zurückzahlen / erstatten
Rückzahlung / Rückerstattung
Rabatt

Info-Box

Übliche Zahlungsweisen im Handel

2% for cash	*2 % Skonto bei Barzahlung*
3 months' credit	*3 Monate Ziel*
30 days net	*30 Tage netto (= n/30)*
30 days 3%	*3 % innerhalb 30 Tagen*
against 3 months' acceptance	*gegen Dreimonatsakzept*
cash on delivery (= COD)	*Barzahlung bei Lieferung, Nachnahme*
cash with order (= CWO)	*Barzahlung bei Auftragserteilung*
cash against documents (= CAD)	*Kasse gegen Dokumente*
documents against payment (D/P)	*Dokumente gegen Zahlung*
documents against acceptance (= D/A)	*Dokumente gegen Akzept*
payment on receipt of goods (= ROG)	*Zahlung bei Erhalt der Ware*
payment by cheque (AE: check)	*Zahlung durch Scheck*
payment by acceptance	*Zahlung durch Akzept*
payment by sight draft	*Zahlung durch Sichtwechsel*
payment against bank guarantee	*Zahlung durch Bankgarantie*
payment on receipt of goods	*Zahlung bei Erhalt der Waren*
payment on receipt of invoice	*Zahlung bei Rechnungserhalt*
strictly net	*rein netto*
payment by irrevocable confirmed documentary letter of credit (= L/C)	*Zahlung durch unwiderrufliches bestätigtes Dokumentenakkreditiv*

FAQs

What is an International Money Order (IMO)?

It is a means of paying for low-value, non-urgent payments. Known also as a foreign money order, an IMO can be completed by your bank immediately – you don't have to order it in advance. Depending on the destination (= *abhängig vom Bestimmungsort*), payment can be made within a few days.

An IMO is a relatively safe (= *relativ sicher*) method of payment. If it's lost (= *verloren gegangen*), stolen (= *gestohlen*) or no longer needed, it's quite easy to have it replaced (= *ersetzt*) or refunded (= *rückerstattet*) by the bank.

Debt & Debt Collection
Schuld & Forderungseinziehung

→ 12.4 Payment / Zahlung

Always pay; for first or last you must pay your entire debt. (R.W. Emerson, American poet & philosopher, 1803–82)

debt [det]	Schuld
service a debt	eine Schuld bedienen
pay back a debt	eine Schuld zurückzahlen
pay off / clear / discharge a debt	eine Schuld begleichen
They're working hard to clear their debts.	Sie arbeiten hart, um ihre Schulden zu begleichen.
clear of debts	schuldenfrei
collect a debt	Schulden einziehen / eintreiben
guarantee a debt	für Schulden bürgen
debt collection	Schuldeneintreibung
debt collection agency / collection agency	Inkassobüro
be burdened with debt	mit Schulden belastet sein
heavily in debt	hoch verschuldet
bad debt	uneinbringliche Forderung
We're writing off €5000 in bad debts.	Wir schreiben €5000 an uneinbringlichen Forderungen ab.
joint responsibility for a company's debts	gemeinsame Haftung für Firmenverbindlichkeiten
indebted [ɪn'detɪd]	verschuldet
indebtedness	Verschuldung
default [dɪ'fɔːlt]	Zahlungsverzug
default on payments	Zahlungen nicht leisten
defaulter	säumige(r) Schuldner(-in)
bankruptcy ['bæŋkrəptsi] / **liquidation** [ˌlɪkwɪ'deɪʃn]	Konkurs / Bankrott
go into liquidation / go bankrupt (formal)	in Konkurs gehen, Bankrott gehen
file for bankruptcy	Konkurs anmelden
put a company into liquidation	ein Unternehmen liquidieren
wind up a company [ˌwaɪnd 'ʌp]	ein Unternehmen auflösen
The company was wound up three months ago.	Das Unternehmen wurde vor drei Monaten aufgelöst.
in the red [ˌɪn ðə 'red] / **in the black** [ˌɪn ðə 'blæk]	in den roten / schwarzen Zahlen

owe [əʊ] — schulden
Interest is charged on the amount you owe. — Zinsen werden auf den geschuldeten Betrag in Rechnung gestellt.
IOU = I owe you (statement of debt) — Schuldschein
go broke [ˌgəʊ ˈbrəʊk] / **go bust** (informal) [ˌgəʊ ˈbʌst] — pleite gehen / machen
go out of business [ˌgəʊ aʊt əv ˈbɪznɪs] — das Geschäft aufgeben
Lyle & Gordon went out of business two months ago. — Lyle & Gordon hat vor zwei Monaten ihr Geschäft aufgegeben.

permit [pəˈmɪt] — erlauben
review [rɪˈvjuː] — überprüfen
grant an extension [ˌgrɑːnt ən ɪkˈstenʃn] — Aufschub gewähren

failure to pay [ˌfeɪljə tə ˈpeɪ] / **non-payment** [ˌnɒnˈpeɪmənt] — Nichtzahlung

creditor [ˈkredɪtə] / **debtor** [ˈdetə] — Gläubiger(-in) / Schuldner(-in)
credit note (= C/N) / debit note (= D/N) — Gutschrift- / Lastschriftanzeige

due date [ˌdjuː ˈdeɪt] — Rückzahlungstermin
pay at due date — bei Fälligkeit zahlen
fall / become / be due — fällig sein / werden
When is this payment due? — Wann ist diese Zahlung fällig?
refer to payments due — auf fällige Zahlungen aufmerksam machen
We refer to our invoice No 113/A for the amount / sum of $820.45. — Wir verweisen auf unsere Rechnungsnummer 113/A über den Betrag / die Summe von $820.45.

late [leɪt] / **overdue** [ˌəʊvəˈdjuː] — verspätet / überfällig
overdue payment — überfällige Zahlung
amount overdue — überfälliger Betrag
Please note that payment / settlement is now 4 weeks late / overdue. — Bitte nehmen Sie zur Kenntnis, dass die Zahlung / der Ausgleich jetzt 4 Wochen verspätet / überfällig ist.

outstanding [aʊtˈstændɪŋ] / **owing** [ˈəʊɪŋ] — unbezahlt, ausstehend
outstanding debts — Außenstände
amount owing / outstanding — zu zahlender Betrag
What is the amount outstanding? — Wie hoch ist der zu zahlende Betrag?
total amount — Gesamtbetrag

arrears (pl only) [əˈrɪəz] — Rückstände, rückständige Beträge
be in arrears — mit Zahlungen im Rückstand sein

allow the payments to fall into arrears | mit den Zahlungen in Verzug geraten

solvency ['sɒlvənsi] / **insolvency** [ɪn'sɒlvənsi] | Zahlungsfähigkeit / -unfähigkeit
become insolvent | zahlungsunfähig werden

remind sb [rɪ'maɪnd] | jdn erinnern
reminder [rɪ'maɪndə] | Mahnung, Zahlungserinnerung
write a reminder | eine Zahlungserinnerung schreiben
send sb a reminder | jdm eine Mahnung schicken
Let's send them one more reminder. | Lassen wir ihnen noch eine Mahnung zukommen.

request payment [rɪ‚kwest 'peɪmənt] | Zahlung erbitten
prompt payment | sofortige / umgehende Zahlung
We trust that we can expect prompt payment in the near future. | Wir sind zuversichtlich, dass wir die Zahlung in nächster Zukunft erwarten können.

demand payment [dɪ‚mɑ:nd 'peɪmənt] | zur Zahlung auffordern
final demand | letzte Mahnung
Don't send the final demand yet. | Schicken Sie die letzte Mahnung noch nicht.

final date for payment | letzter Zahlungstermin

pressure ['preʃə] | Druck
put sb under pressure to pay | jdn unter Druck setzen, zu bezahlen
exert pressure [ɪg'zɜ:t] | Druck ausüben

within a reasonable period [‚ri:znəbl 'pɪəriəd] | innerhalb einer angemessenen Frist

legal proceedings [‚li:gl prə'si:dɪŋz] | Gerichtsverfahren
take legal steps | rechtliche Schritte einleiten
take legal action | gerichtlich vorgehen, gerichtliche Schritte unternehmen
We shall have to take legal action to seek payment. | Wir werden gerichtlich vorgehen müssen, um die Zahlung zu erzwingen.

give an explanation [‚gɪv ən eksplə'neɪʃn] | eine Erklärung geben / abgeben
You still have not given us any explanation. | Sie haben uns noch immer keine Erklärung gegeben.
explanation for a delay | Erklärung für eine Verspätung
We have received no explanation for this delay. | Wir haben keine Erklärung für diese Verspätung erhalten.

look into the matter [ˌlʊk ɪntə ðə ˈmætə]

der Sache nachgehen / die Angelegenheit prüfen

Would you please look into the matter immediately?

Würden Sie die Angelegenheit bitte sofort prüfen?

deal with the matter [diːl]

sich um die Sache kümmern

We must insist that you deal with this matter immediately.

Wir müssen darauf bestehen, dass Sie sich sofort um diese Sache kümmern.

FAQs

What does it mean to be "in default"?

If somebody fails to pay a debt by an agreed date (or by an agreed method), he or she is "in default". Such a person is known as a defaulter.

Accounting
Buchhaltung

Annual income twenty pounds, annual expenditure nineteen pounds and six, result happiness. Annual income twenty pounds, annual expenditure twenty pounds nought and six, result misery. (spoken by Mr Micawber, in Charles Dickens' *David Copperfield*, 1850)

bookkeeping [ˈbʊkkiːpɪŋ]	Buchführung, -haltung
accounting [əˈkaʊntɪŋ]	Rechnungswesen, Buchhaltung
accounting methods	Buchführungsmethoden
accounting period	Abrechnungszeitraum
cost accounting	Kostenrechnung
production cost accounting	Fertigungskostenrechnung
audit [ˈɔːdɪt]	Bilanz- / Rechnungsprüfung, Bilanz- / Rechnungsprüfung durchführen
auditor	Wirtschafts- / Rechnungsprüfer(-in)
auditor's report	Prüfungsbericht des Wirtschafts- / Rechnungsprüfers
check [tʃek]	kontrollieren, prüfen
accountant [əˈkaʊntnt] / **bookkeeper** [ˈbʊkˌkiːpə]	(Bilanz)Buchhalter(-in)
cost accountant	Kostenrechner(-in)
financial accountant	Finanzbuchhalter(-in)
chartered accountant (AE: certified public accountant)	Wirtschaftsprüfer(-in)
accounts [əˈkaʊnts]	Konten, Rechnungen, (Geschäfts-)Bücher
annual accounts	Jahresabschluss
half-yearly accounts	halbjährliche Abrechnung
first / second half-year	erstes / zweites Halbjahr
keep the accounts	die Buchhaltung machen / die Bücher führen
reconcile the accounts [ˈrekənsaɪl]	die Konten abstimmen
appear as a charge on the accounts	als Belastung auf den Konten erscheinen
The loans appear as charges on these accounts.	Die Darlehen erscheinen als Belastungen auf diesen Konten.
accounts book	Geschäftsbuch
accounts payable	Verbindlichkeiten
accounts receivable	Außenstände

accountability [əˌkaʊntə'bɪləti]   Verantwortlichkeit
accountable   verantwortlich

account [ə'kaʊnt]   Konto
statement of account   Kontoauszug / Abrechnung
annual statement of account   Jahreskontoauszug
account number   Kontonummer
take account of inflation / take   die Inflation berücksichtigen
  inflation into account
open account terms   Kontokorrentbedingungen
budget account ['bʌdʒɪt əˌkaʊnt]   Haushaltskonto
charge account / credit account   Kundenkonto
account for   ausmachen / erklären

 erklären = account for? explain? declare?

• account for   *ausmachen*
Right now, advertising accounts for   *Im Moment macht die Werbung*
around 20 % of our costs.   *etwa 20 % unserer Ausgaben aus.*
account for a loss   *einen Verlust ausmachen / erklären*

• explain   *deutlich machen*
He explained the terms of business   *Er erklärte mir die Geschäftsbedin-*
  to me.   *gungen.*
Perhaps I didn't explain that point   *Vielleicht habe ich diesen Punkt*
  clearly enough.   *nicht deutlich genug dargelegt.*

• declare   *verkündigen / nachdrücklich sagen*
You must declare that you will   *Sie müssen erklären, dass Sie Ihre*
  pay your taxes only in the Federal   *Steuern nur in der Bundesrepublik*
  Republic of Germany.   *Deutschland zahlen werden.*

loss [lɒs]   Verlust
report a loss   Verlust ausweisen
trading loss   Betriebsverlust
By the end of the year, we'll probably   Bis zum Ende des Jahres werden wir
  make a small loss.   wohl einen kleinen Verlust machen.
severe losses   schwere Verluste
record losses   Rekordverluste

calculate ['kælkjəleɪt] / **miscalculate**   berechnen / falsch berechnen
  [ˌmɪs'kælkjəleɪt]
financial calculations   kaufmännisches Rechnen
rough calculation   grobe Berechnung

After a rough calculation, I'd say we'll break even this quarter.	Nach grober Berechnung würde ich sagen, dass wir im diesem Quartal kostendeckend arbeiten werden.
calculated on a day-to-day basis	auf Tagesbasis berechnet

budget ['bʌdʒɪt]   Finanzplan, Budget, Etat
budget for   (im Budget) einplanen, veranschlagen

Have you budgeted for transport?   Haben Sie den Transport im Budget eingeplant?

draw up a budget   einen Finanzplan aufstellen
cash budget   Kassenbudget
budget deficit ['defəsɪt]   Haushaltsdefizit
balanced budget, a   ein ausgeglichener Haushalt

cash in hand (AE: cash on hand)   Barbestand
[ˌkæʃ ɪn 'hænd]
cashflow ['kæʃfləʊ]   Kapitalfluss, Finanzmittelfluss, Kassenfluss

Cashflow has been a problem recently.   Der Kapitalfluss war in der letzten Zeit problematisch.

capital ['kæpɪtl]   Kapital
capital account   Kapitalkonto
working capital   Betriebskapital
We'll have to raise additional working capital.   Wir werden zusätzliches Betriebskapital aufbringen müssen.
flow of capital   Kapitalverkehr

liquidity [lɪ'kwɪdɪti]   Liquidität
liquid funds   flüssige Mittel
sufficient funds   genügend finanzielle Mittel
lack of funds   fehlende Geldmittel

return [rɪ'tɜːn] / **yield** [jiːld]   Ertrag
resources [rɪ'sɔːsiz]   Ressourcen

expenditure [ɪk'spendɪtʃə]   Ausgaben
I'm sorry, but that kind of expenditure is out of the question.   Es tut mir Leid, aber solche Ausgaben kommen nicht in Frage.
reduce expenditure   Ausgaben reduzieren
miscellaneous expenditure   sonstige Aufwendungen / Ausgaben
capital expenditure   Investitionsausgabe
capital equipment   Investitionsgüter

our financial position [faɪˌnænʃl pə'zɪʃn]   unsere finanzielle Lage

valuation [ˌvælju'eɪʃn]   Bewertung

receipts [rɪ'si:ts]   Einnahmen
gross receipts   Bruttoeinnahmen

emergency reserves [ɪ,mɜ:dʒənsi   Notfonds
   rɪ'zɜ:vz]
revenues ['revənju:z]   Einnahmen, Erlöse, Einkünfte
write off [,raɪt 'ɒf]   abschreiben

depreciation [dɪ,pri:ʃi'eɪʃn]   Abschreibung
depreciation rate   Abschreibungsatz
accelerated depreciation   beschleunigte Abschreibung

result [rɪ'zʌlt]   Ergebnis
trading result   Betriebsergebnis
company results   Geschäftsergebnisse

entry ['entri]   Buchung
credit entry   Habenbuchung / Gutschrift
debit entry   Sollbuchung / Belastung
detailed ['di:teɪld] / **itemised**   detailliert
   ['aɪtəmaɪzd]
detailed / itemised account   detaillierte / spezifizierte Rechnung
credit / debit column   Haben- / Sollspalte
credit / debit side   Haben- / Sollseite

balance sheet ['bæləns ,ʃi:t]   Bilanz
healthy balance sheet, a   eine gesunde Bilanz
balance an account   Konto ausgleichen
credit balance   Habensaldo / Guthaben
debit balance   Sollsaldo
The account has a debit balance   Das Konto weist einen Sollsaldo von
   of €300.   €300 auf.

cancel ['kænsl]   stornieren
margin of error [,mɑ:dʒɪn əv 'erə]   Fehlerspielraum
certify ['sɜ:tɪfaɪ]   bescheinigen

year under review [,jɪər ʌndə rɪ'vju:] Berichtsjahr
financial year (= FY)   Geschäftsjahr
calendar month / calendar year   Kalendermonat / -jahr

brought down (= b/d) [,brɔ:t 'daʊn]   Vortrag
brought forward (= b/f)   Übertrag

balance ['bæləns]   Saldo
balance brought down $120,50   vorgetragener Saldo $120.50
balance brought forward $120,50   übertragener Saldo $120.50
balance in hand   Kassenbestand

previous ['priːvɪəs] balance	alter Kontostand
carry over a balance	einen Saldo übertragen

break down [ˌbreɪk 'daʊn]
aufschlüsseln, aufgliedern / Aufschlüsselung

We'll have to break the expenditure down into goods and services.
Wir müssen die Ausgaben in Produkte und Dienstleistungen aufgliedern.

breakdown (in figures)
Aufschlüsselung

breakdown of fixed costs
Aufschlüsselung der Fixkosten

Please send us the breakdown of the costs.
Bitte senden Sie uns die Aufschlüsselung der Kosten.

cost sth [kɒst]
etw kosten

How much would that be / cost?
Was würde das kosten?

cost per unit
Stückkosten

average cost per unit
durchschnittliche Stückkosten

cost increases
Kostensteigerungen

cost analysis
Kostenanalyse

cost saving
Kostenersparnisse

cost of living
Lebenshaltungskosten

cost-effective
kostenwirksam

We have to find a more cost-effective procedure than this.
Wir müssen ein kostenwirksameres Verfahren als dieses finden.

cost-cutting
Kostensenkung

cut down on
einschränken

costs [kɒsts]
Kosten

heavy costs
hohe Kosten

bear the costs
Kosten tragen / übernehmen

The costs will be borne by the company.
Die Kosten trägt das Unternehmen.

administration costs
Verwaltungskosten

legal costs
Anwaltskosten

manufacturing costs
Herstellungskosten

shipping costs
Versandkosten

electricity costs
Stromkosten

fixed costs
Fixkosten

marginal costs
Grenzkosten

distribution costs
Vertriebskosten

production costs
Herstellungskosten

marketing costs
Marketingkosten

running charges / running costs
laufende Kosten

labour charges
Arbeitskosten, Lohnkosten

floating charge ['fləʊtɪŋ]
schwebende Belastung

variable costs
variable Kosten

additional costs
Zusatzkosten

waste disposal costs
Entsorgungskosten

overheads ['əʊvəhedz] / operating costs
There are a lot of small contractors
operating on very low overheads.

Betriebskosten
Es gibt viele kleine Auftragnehmer,
die mit sehr niedrigen Betriebskosten arbeiten.

Info-Box

Berechnung der durchschnittlichen Stückkosten:

No. of goods produced *Zahl der produ- zierten Waren*	fixed costs *Fixkosten*	variable costs *variable Kosten*	average cost per unit *durchschnittliche Stückkosten*
	(€)	(€)	(€)
1	5,000	5,000	10,000
2	5,000	10,000	7,500
3	5,000	20,000	8,333
4	5,000	35,000	10,000

---

extras ['ekstrəz] / **incidental**
  expenses [ɪnsɪˌdentl ɪk'spensɪz]
hidden extras
no hidden extras
book [bʊk]
bottom line, the [ˌbɒtəm 'laɪn]
We're mainly interested in the bottom
  line.

Nebenkosten

versteckte Gebühren
keine versteckten Kosten
buchen
unterm Strich
Wir sind hauptsächlich daran interessiert, was unterm Strich dabei
  herauskommt.

in the black [blæk] / **red** [red]
as from ['æz frəm]
accruals [ə'kruːəlz]
item ['aɪtəm]
We've examined every item in the
  accounts.

in den schwarzen / roten Zahlen
ab
Rückstellungen
Posten
Wir haben jeden Posten in den
  Geschäftsbüchern überprüft.

net income [ˌnet 'ɪŋkʌm]
in order of importance [ɪm'pɔːtəns]
amount (of money) [əˌmaʊnt
  əv 'mʌni]
amount to
invoice ['ɪnvɔɪs]
receipt [rɪ'siːt]

Nettoeinkommen
in der Reihenfolge ihrer Wichtigkeit
Betrag

sich belaufen auf
Rechnung / Faktura
Quittung

remittance advice [rɪ'mɪtəns ədˌvaɪs]
remittance book
business cycle ['bɪznɪs ˌsaɪkl] /
  trade cycle ['treɪd ˌsaɪkl]
economic [ˌiːkə'nɒmɪk]

Überweisungsanzeige
Überweisungsbuch
Konjunkturzyklus

wirtschaftlich

economic *oder* **economical**?

economic	*wirtschaftlich*

The trade association was founded for purely economic reasons.

Die Handelsvereinigung wurde aus rein finanziellen Gründen gegründet.

an economic relationship — *eine wirtschaftliche Beziehung*

economical — *sparsam*

It's more economical to send goods by road than by rail.

Es ist billiger, Waren mit dem LKW als mit dem Zug zu verschicken.

an economical device — *ein Gerät, das Geld spart*

FAQs

What is a "working capital cycle"?

It is the process of controlling cashflow in a business, as follows:

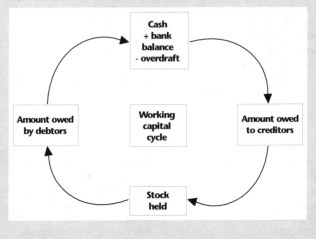

Sales, Turnover, Profit
Verkauf, Umsatz, Gewinn

→ 12.6 Accounting / Buchhaltung

The smell of profit is clean and sweet, whatever the source. (Juvenal, Roman satirist, AD c. 60 – c. 140)

sales [seɪlz]	Absatz
net sales	Nettoumsatz
sales territory	Absatzgebiet
sales target	Verkaufsziel
meet the sales target	das Verkaufsziel erreichen
low sales	geringer Absatz
rate of sales	Absatzrate
sales or return basis	Verkauf mit Rückgaberecht
sales budget	Absatzplan
commodity sales [kə'mɒdəti ˌseɪlz]	Warenumsatz
turnover [ˌtɜːn'əʊvə]	Umsatz
annual turnover	Jahresumsatz
estimated annual turnover	geschätzter Jahresumsatz
increase in turnover	Umsatzsteigerung
in volume ['vɒljuːm]	volumenmäßig
surplus ['sɜːpləs] / **excess** [ɪk'ses]	Überschuss
sale of excess stock	Verkauf von Lagerbeständen
The excess stock will be sold off as soon as possible.	Die Lagerbestände werden so bald wie möglich verkauft.
profit ['prɒfɪt]	Gewinn
profit margin	Gewinnspanne
We're working to a tight profit margin.	Wir arbeiten mit einer engen Gewinnspanne.
show a profit / loss	einen Gewinn / Verlust aufweisen
sell at a profit	mit Gewinn verkaufen
move into profit	in die Gewinnzone kommen
clear / net profit	Reingewinn, Nettogewinn
healthy profit	gesunder Gewinn
We expect to show a healthy profit by the end of the year.	Wir erwarten einen gesunden Gewinn bis zum Ende des Jahres.
net operating profit (= NOP)	Nettobetriebsgewinn
net operating loss (= NOL)	Nettobetriebsverlust
paper profit	Buchgewinn, rechnerischer Gewinn
trading profit	Geschäftsgewinn
excess profit	Übergewinn, Mehrgewinn
gross [grəʊs] profit	Bruttogewinn
accumulated profit	Gewinnvortrag

pre-tax profit
There was a 40 % increase in pre-tax
profits for the six months up to July.

Gewinn vor Steuern
In den sechs Monaten bis Juli gab es
einen 40%igen Anstieg der vor-
steuerlichen Gewinne.

after-tax profit / profit after tax
profit and loss account (= P&L
account) (AE: profit and loss
statement)
non-profit-making
profit-sharing
profit-sharing scheme

Gewinn nach Steuer
Gewinn- und Verlustrechnung /
-konto

gemeinnützig
Gewinnbeteiligung
Gewinnbeteiligungsplan

corporate profits [ˌkɔːprət ˈprɒfɪts]
Turnover and profits have gradually
improved.
maximise profits
small profits, quick returns (= SPQR)

Unternehmensgewinne
Umsatz und Gewinne haben sich
schrittweise verbessert.
Gewinne maximieren
kleine Gewinne, schnelle Umsätze

profitable [ˈprɒfɪtəbl] / **profit-
making** [ˈprɒfɪtˌmeɪkɪŋ] /
profitably [ˈprɒfɪtəbli]
This is the least / most profitable part
of our business.
profitability [ˌprɒfɪtəˈbɪlɪti]
calculation of profitability

rentabel, gewinnbringend,
profitabel

Dies ist der unprofitabelste /
profitabelste Teil unseres Geschäfts.
Ertragskraft, Rentabilität
Rentabilitätsberechnung

cash in on sth [kæʃ]
He knows how to cash in on his
insider knowledge.

aus etw Kapital schlagen
Er versteht es, aus seinem Insider-
wissen Kapital zu schlagen.

clear €400 on a deal [klɪə]

bei einem Geschäft einen Gewinn
von €400 machen

break even [ˌbreɪk ˈiːvn]
If we don't break even after 6 months,
we'll have to give up the venture.

Kosten decken
Wenn wir in 6 Monaten nicht kosten-
deckend arbeiten, müssen wir das
Unternehmen aufgeben.

break-even point (= BEP)

Kostendeckungspunkt

not commercially viable [nɒt
kəˌmɜːʃəli ˈvaɪəbl]
After careful consideration, we've
decided the proposal is not
commercially viable.

nicht rentabel

Nach gründlicher Überlegung haben
wir entschieden, dass der Vorschlag
nicht rentabel ist.

shareout [ˈʃeəraʊt]

Verteilung

FAQs

What's the difference between gross profit and net profit?

Net profit (= *Nettogewinn*) is the excess of sales over expenditure (= *Ausgaben*) in an accounting period (= *Abrechnungszeitraum*). Net profit is calculated as sales less (= *minus*) costs of sales less expenses. Gross profit (= *Bruttogewinn*) is sales less cost of sales. Therefore, net profit is gross profit less expenses.

How can I calculate profitability?

By means of a ratio (= *Verhältnis*) which compares one company's results with another company's. Alternatively, the ratio compares a single company's results over time. In general, you can say that the bigger the ratio, the better the result. The higher the figure, the more profit is made on the goods sold. You can use these three equations (= *Gleichungen*):

Return (= *Ertrag*) on Capital Employed:

$$\frac{\text{Profit}}{\text{Capital}} \times 100 = \%$$

Gross Profit Ratio:

$$\frac{\text{Gross Profit}}{\text{Sales}} \times 100 = \%$$

Net Profit Ratio:

$$\frac{\text{Net Profit}}{\text{Sales}} \times 100 = \%$$

Assets, Shares & Investment
Vermögenswerte, Aktien & Investitionen

→ 12.6 Accounting / Buchhaltung

'Tis money that begets money. (Thomas Fuller, M.D., English physician & writer, 1654–1734)

assets ['æsets]	Aktiva, Vermögenswerte
current assets	Umlaufvermögen
fixed assets / capital assets	Anlagevermögen
liquid assets	flüssiges Vermögen
personal assets	Privatvermögen
hidden assets	stille Reserven
tangible / intangible assets ['tændʒəbl/ɪn'tændʒəbl]	materielle / immaterielle Vermögens-werte
valuable asset, a	ein wertvoller Aktivposten
stocks [stɒks] / **shares** [ʃeəz]	Aktien
In our opinion, these shares are overpriced.	Unserer Meinung nach sind diese Aktien überteuert.
share certificate	Aktienzertifikat
earnings per share (= EPS)	Gewinnrendite, Gewinn je Aktie
share value / shareholder value	Aktienwert
share allocation [ˌæləˈkeɪʃn]	Aktienzuteilung
preference shares (AE: preferred stock)	Vorzugsaktien
ordinary shares	Stammaktien
non-voting shares	Aktien ohne Stimmrecht
share prices	Aktienkurse
Let's sell before share prices fall any further.	Lassen Sie uns verkaufen, bevor die Aktienkurse weiter fallen.
stock exchange / stock market	Börse
New York Stock Exchange (= NYSE)	New Yorker Wertpapierbörse
share index	Aktienindex
Footsie 100 Index / FT Index / Financial Times Stock Exchange 100 Index (= FTSE)	Aktienindex der Financial Times
Nikkei Index	Nikkei-Index (der japanischen Börse)
Dow Jones Index / Dow Jones Industrial Average (= DJIA)	Dow-Jones-Industrieaktien-Index
DAX	DAX (= Deutscher Aktienindex)
index-linked	indexgebunden

shareholder [ˈʃeəˌhəʊldə] /   Aktionär(-in), Anteilseigner(-in)
  stockholder [ˈstɒkˌhəʊldə]
German shareholders   deutsche Aktionäre

invest [ɪnˈvest]   investieren
We've invested €10,000 in the   Wir haben €10.000 in die Entwick-
  development of new software.   lung neuer Software investiert.
reinvest [ˌriːɪnˈvest] / **plough back**   reinvestieren
  [ˌplaʊ ˈbæk]
40% of the profits have to be   40 % der Gewinne müssen in das
  ploughed back into the company.   Unternehmen reinvestiert werden.

Info-Box

Ob eine Kapitalanlage (= investment) jedes Jahr fünf oder acht Prozent abwirft, macht über einen kürzeren Zeitraum nicht viel Unterschied (= make a difference). Wer beispielsweise drei Jahre lang €100 im Monat investiert, hat am Ende bei fünf Prozent Jahresrendite €3.900 Vermögen und bei acht Prozent €4.100. Aber langfristig (= in the long-term) ist der Unterschied von drei Prozentpunkten (= percentage points) beachtlich. Denn €100 im Monat bringen nach 35 Jahren bei fünf Prozent €114.000, bei acht Prozent mehr als doppelt so viel (= twice as much), nämlich €230.000.

---

investment [ɪnˈvestmənt]   Investition / Kapitalanlage
investment policy   Investitionspolitik
In the long term, we want information   Langfristig brauchen wir Informa-
  to base our investment policy on.   tionen, auf die wir unsere Investi-
                             tionspolitik gründen können.

return on investment (= ROI)   Ertrag aus Kapitalanlage
fixed-interest investment   festverzinsliche Kapitalanlage
investment portfolio   Wertpapierbestand

percentage [pəˈsentɪdʒ]   Prozentsatz
percentage point   Prozentpunkt

investor [ɪnˈvestə]   Investor(-in), Anleger(-in)
small investor   Kleinanleger(-in)

in the short- [ʃɔːt] / **long-term**   kurz- / langfristig
  [ˈlɒŋtɜːm]
make a difference [ˈdɪfrəns]   einen Unterschied machen
In the long-term, the slightly higher   Langfristig macht der geringfügig
  percentage makes a big difference.   höhere Prozentsatz einen großen
                             Unterschied.

securities [sɪˈkjʊərətiz]   Wertpapiere
bonds [bɒndz]   festverzinsliche Wertpapiere

government bonds	Staatsanleihen
unit trust (AE: mutual fund) [ˌjuːnɪt ˈtrʌst]	Investmentfonds / -gesellschaft
dividend [ˈdɪvɪdənd]	Dividende, Gewinnanteil
Dividends are paid out every three months.	Die Dividende wird alle drei Monate ausgezahlt.
liabilities [ˌlaɪəˈbɪlətiz]	Passiva / Verbindlichkeiten
equity [ˈekwɪti] / **equity capital** [ˈekwɪti ˌkæpɪtl]	Eigenkapital
equity stakes [ˈekwɪti ˌsteɪks]	Beteiligungen am Eigenkapital
subsidy [ˈsʌbsɪdi]	Subvention
futures market [ˈfjuːtʃəz ˌmɑːkɪt]	Terminmarkt
growth [grəʊθ]	Wachstum
above-average growth	überdurchschnittliches Wachstum
below-average growth	unterdurchschnittliches Wachstum
zero growth	Nullwachstum
income [ˈɪŋkʌm]	Einkommen

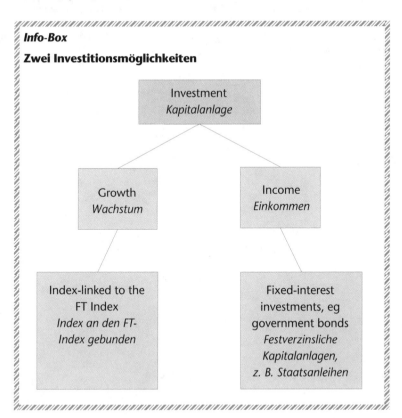

Info-Box

Zwei Investitionsmöglichkeiten

Investment
Kapitalanlage

Growth
Wachstum

Income
Einkommen

Index-linked to the FT Index
Index an den FT-Index gebunden

Fixed-interest investments, eg government bonds
Festverzinsliche Kapitalanlagen, z. B. Staatsanleihen

broker (AE: negotiator) ['brəʊkə]   Makler(-in)
quoted company [ˌkwəʊtɪd   notiertes Unternehmen
  'kʌmpəni]
worth [wɜːθ]   wert (… sein)
outlay ['aʊtleɪ]   Auslagen
speculate ['spekjəleɪt]   spekulieren
speculation   Spekulation
other people's money (= OPM)   anderer Leute Geld
  [ˌʌðə piːplz 'mʌni]

FAQs

What is the Dow Jones Index?

The Dow Jones Index or Dow Jones Industrial Average (= DJIA) appears
(= *erscheint*) each day in *The Wall Street Journal*. The Index indicates
(= *zeigt*) the state of the US stock market. It is based on the values
(= *Werte*) of the shares of 30 large American companies. (The companies
include General Motors, Coca Cola, McDonalds and American Express).
The DAX (= *Deutscher Aktienindex*) is similarly (= *ähnlich*) based on
30 large German companies.

Trends & Prospects
Trends & Aussichten

13
1
Describing Developments & Possibilities
Entwicklungen & Chancen beschreiben

→ 5.1 Planning / Planung
→ 5.2 Proposals / Vorschläge

We live in a moment of history where change is so speeded up that we begin to see the present only when it is already disappearing. (R.D. Laing, British psychologist, 1927–89)

trend [trend]
We can expect this trend to continue.

latest / main / general trend, the

Capital Funds are the latest trend in financing new businesses.

trend analyst

Trend
Es ist zu erwarten, dass sich dieser Trend fortsetzen wird.

der neueste / Haupt- / allgemeine Trend

„Capital Funds" sind der neuste Trend in Sachen Gründungsfinanzierung.

Trendforscher(-in)

prospects ['prɒspekts]
The prospects for next year are pretty good / poor.

Aussichten
Die Aussichten für das nächste Jahr sind recht gut / dürftig.

outlook ['aʊtlʊk]
The outlook is more / less encouraging.

short- / long-term outlook
How do things look right now?

Ausblick
Der Ausblick ist ermutigender / weniger ermutigend.

kurz- / langfristiger Ausblick
Wie sehen die Dinge jetzt aus?

forecast ['fɔːkɑːst]

sales forecast
market forecast
short-term / long-term forecast
What's the forecast for next year?

Voraussage, Prognose / schätzen, vorhersagen

Absatzprognose
Marktprognose
kurz- / langfristige Prognose
Wie ist die Prognose für das nächste Jahr?

pretty certain [ˌprɪti 'sɜːtn]
cautiously optimistic [ˌkɔːʃəsli ɒptɪ'mɪstɪk]

ziemlich sicher
vorsichtig optimistisch

expect sth [ɪk'spekt]
Sales are expected to rise.

etw erwarten
Man erwartet eine Umsatzsteigerung.

see signs of sth [si: 'saɪnz]
We see signs of continuing strong / weak demand.

Anzeichen für etw sehen
Wir sehen Anzeichen für eine fort-während starke / schwache Nachfrage.

recover [rɪ'kʌvə] / **stage a recovery** [ˌsteɪdʒ ə rɪ'kʌvri] / **pick up** [ˌpɪk 'ʌp]
We don't expect the market to pick up again until June.

sich erholen

Wir erwarten nicht, dass sich der Markt vor Juni wieder erholt.

revise upward [rɪˌvaɪz 'ʌpwəd] / **downward** ['daʊnwəd]
revised figures

nach oben / unten revidieren / anpassen
angepasste / berichtigte Zahlen

increase ['ɪnkriːs / ɪn'kriːs] / **rise** [raɪz]

There's been a 15% rise over the last 5 years.
Orders are on the increase / decrease.
Sales have jumped.

Zunahme, Anstieg, Wachstum / zu-nehmen, ansteigen, anwachsen
In den letzten 5 Jahren gab es ein 15%-iges Wachstum.
Die Bestellungen nehmen zu / ab.
Die Umsätze sind sprunghaft ange-stiegen.

decrease ['diːkriːs / dɪ'kriːs] / **fall** [fɔːl] / **decline** [dɪ'klaɪn] / **drop** [drɒp]
Sales have fallen.
25 per cent decline in sales
The decline has been sharper / more gradual this year.
drop in prices
slump [slʌmp]
Sales have really slumped.

Abnahme, Rückgang / zurückgehen, fallen

Die Umsätze sind zurückgegangen.
Verkaufsrückgang von 25 Prozent
Der Rückgang fiel in diesem Jahr stärker / schwächer aus.
Preisverfall
Einbruch / drastisch zurückgehen
Die Umsätze sind drastisch zurück-gegangen.

bottom out [ˌbɒtəm 'aʊt]
fluctuate ['flʌktʃueɪt]
strengthen ['streŋθn] / **weaken** ['wiːkn]
Right now, the market is weakening.

den tiefsten Stand erreichen
schwanken
stärker / schwächer werden

Jetzt wird der Markt gerade schwächer.

contract [kən'trækt] / **expand** [ɪk'spænd]
The market has been contracting / expanding.
level off [ˌlevl 'ɒf]
Sales have levelled off.

schrumpfen / expandieren

Der Markt ist geschrumpft / expandiert.
sich einpendeln
Die Umsätze haben sich eingepen-delt.

remain [rɪ'meɪn]
The market has remained flat / steady.
accurate/ly ['ækjərət/li]

bleiben
Der Markt ist flau / stabil geblieben.
genau, exakt

approximate/ly [ə'prɒksəmətli] / **about** [ə'baʊt] / **rough/ly** ['rʌf/li]
ungefähr

nearly ['nɪəli] / **approaching** [ə'prəʊtʃɪŋ]
annähernd

almost ['ɔ:lməʊst]
fast

just under [ˌdʒʌst 'ʌndə] / **just over** [ˌdʒʌst 'əʊvə]
gerade unter / gerade über

over ['əʊvə]
mehr als, über

by [baɪ]
um

Exports fell by $3000 to $12000.
Die Exporte fielen um $3000 auf $12000.

vice versa [ˌvaɪsi 'vɜ:sə]
umgekehrt

recession [rɪ'seʃn]
Rezession

boom [bu:m]
Aufschwung

Christmas boom [ˌkrɪsməs 'bu:m]
Weihnachtsboom

upturn ['ʌptɜ:n] / **downturn** ['daʊntɜ:n]
Aufschwung / Rückgang

all-time high [ˌɔ:ltaɪm 'haɪ] / **low** [ləʊ]
absoluter / historischer Höchststand / Tiefststand

area of economic activity [ˌeərɪə əv i:kəˌnɒmɪk æk'tɪvəti]
Wirtschaftszweig

growth [grəʊθ]
Wachstum

profitable / strong growth
profitables / starkes Wachstum

economic growth
Wirtschaftswachstum

real growth
Realwachstum / reales Wachstum

annual growth
jährliches Wachstum

Since 1998, the company has enjoyed an annual growth of 8 %.
Seit 1998 hat sich die Firma eines jährlichen Wachstums von 8 % erfreut.

make predictions [ˌmeɪk prɪ'dɪkʃnz]
Vorhersagen machen

possible / possibility
möglich / Möglichkeit

Sales may / might rise.
Die Umsätze werden möglicherweise steigen.

probable / probability
wahrscheinlich / Wahrscheinlichkeit

Sales will probably rise.
Die Umsätze werden wahrscheinlich steigen.

improbable / improbability
unwahrscheinlich / Unwahrschein-lichkeit

There's (very) little chance that sales will rise.
Es ist unwahrscheinlich, dass die Um-sätze steigen werden.

certain / certainty
bestimmt / Gewissheit

Sales will certainly rise.
Die Umsätze werden bestimmt steigen.

A Sales Graph

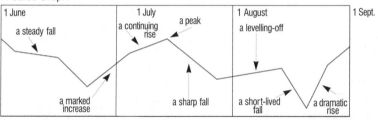

Vocabulary for describing changes	
Adjectives & Adverbs Adjektive & Adverbien	
to show short, quick or unexpected changes	sudden/ly, sharp/ly, abrupt/ly, dramatic/ally
to show small but important changes	significant/ly, marked/ly
to show large, important changes	substantial/ly, steep/ly
to show small changes	noticeable / noticeably, bare/ly, slow/ly, slight/ly
to show slow, long changes	gradual/ly, general/ly, steady / steadily
to show short-lasting changes	short-lived, brief/ly
Nouns & Verbs Nomen & Verben	
	an increase, to increase
	an expansion, to expand
	a rise, to rise
	growth, to grow
	a climb, to climb

to describe decrease	a decrease, to decrease
	a drop, to drop
	a fall, to fall
	a decline, to decline
to describe a strong, unexpected increase	a leap, to leap
	a surge, to surge
to describe a strong, unexpected decrease	a collapse, to collapse
	a plunge, to (take a) plunge
to indicate "no change"	to remain constant, stable, steady
	no change, not to change

FAQs

What does it mean if someone says "We'll throw it against the wall and see if it sticks"?

It means the company are trying out (= *ausprobieren*) something new by just doing it. Then they wait and see if it is successful (= *erfolgreich sein wird*).

Visual Information
Visuelle Informationen

→ 13.1 Describing Developments & Possibilities / Entwicklungen & Chancen beschreiben

When producers want to know what the public wants, they graph it as curves. When they want to tell the public what to get, they say it in curves. (Marshall McLuhan, Canadian educator & author, 1911–80)

visual ['vɪʒuəl]	visuell / grafischer Entwurf
graphics ['græfɪks]	Grafik
table ['teɪbl]	Tabelle
statistics	Statistik, Statistiken
key statistics	wichtigste Statistiken
latest sales figures, the	die neuesten Verkaufs- / Absatz-zahlen
official figures	amtliche Zahlen
sales graph ['seɪlz ˌgræf]	Absatzdiagramm (Siehe Beispiel, S. 199)
line graph	Grafik in linearer Form
series of data [ˌsɪəri:z əv 'deɪtə]	Datenreihe

pictograms ['pɪktəgræmz]   Piktogramme

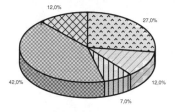

flowchart ['fləʊtʃɑ:t]   Flussdiagramm

system flowchart   Datenflussdiagramm

pie chart ['paɪtʃɑ:t]   Kreisdiagramm

12,0%   27,0%
42,0%   12,0%
7,0%

2

organisation chart   Organigramm

bar chart   Balkendiagramm

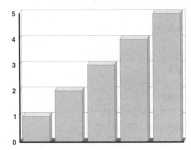

figure (= fig) ['fɪɡə]   Abbildung
outline ['aʊtlaɪn]   Entwurf
diagrammatic [ˌdaɪəɡrə'mætɪk]   grafisch dargestellt
curve [kɜːv]   Kurve
horizontal [ˌhɒrɪ'zɒntl]   waagerecht
vertical ['vɜːtɪkl]   senkrecht
peak [piːk]   Spitze, Gipfel, Höhepunkt / einen
                                           Höhepunkt erreichen

presentation [ˌprezn'teɪʃn]   Präsentation
highlight ['haɪlaɪt]   hervorheben, markieren
meaningful comparison [ˌmiːnɪŋfʊl   sinnvoller Vergleich
kəm'pærɪsn]
convey an idea [kən¸veɪ ən aɪ'dɪə]   ein Idee vermitteln

FAQs

**What points should I consider when preparing visuals for a
presentation?**

1. Decide exactly what points you want to highlight, what information
   and ideas you want to convey, or what meaningful comparisons you
   wish to make.
2. Think about which graphics are suitable (= *geeignet*) – bar chart, pie
   chart, table, diagram, or whatever.
3. Don't try to impress (= *beeindrucken*) your audience with colourful
   quality graphics produced with glamorous (= *glamourös*) software.
   Instead, aim for quality data (= *Daten*), in a clear format.

Phone, Post, E-mail, Fax
Telefon, Post, E-Mail, Fax

Phone
Telefon

→ 14.3 E-mail / E-Mail
→ 14.4 Fax / Fax

To listen closely and reply well is the highest perfection we are able to attain in the art of conversation. (Francois, Duc de La Rochefoucauld, 1613–80)

telephone ['telɪfəʊn] / **phone** [fəʊn]   Telefon(apparat)

Die Nomen telephone *und* phone *sind austauschbar.*

The telephone / phone is out of order. *Das Telefon funktioniert nicht / ist außer Betrieb.*

Die Verben telephone, phone, call *und* ring *sind ebenfalls austauschbar.*

I'm phoning / calling from Germany. *Ich rufe aus Deutschland an.*

telephone charges	Telefongebühren
telephone network	Telefonnetz
telephone manner	Art zu telefonieren
telephone orders	telefonische Aufträge / Bestellungen
A number of orders have come in by phone.	Es sind eine Menge telefonischer Bestellungen eingegangen.
telephone line, telephone cable	Telefonverbindung, Telefonleitung
International Telephone Alphabet, the	das internationale Telefonalphabet
phone bill	Telefonrechnung
be on the phone	telefonisch erreichbar sein / am Telefon sein, telefonieren
Are you on the phone?	Telefonieren Sie gerade?
He was on the phone for hours.	Er hat stundenlang telefoniert.
by phone	telefonisch
Can I contact you by phone?	Sind Sie telefonisch erreichbar?
wanted on the phone	am Telefon verlangt werden
You're wanted on the phone.	Sie werden am Telefon verlangt.
get sb to come to the phone	jdn ans Telefon rufen / holen
Could you get Frau Müller to the phone, please?	Könnten Sie bitte Frau Müller ans Telefon holen?
cordless phone	schnurloses / tragbares Telefon
mobile phone / cell phone / cellular phone ['seljələ]	Funk- / Mobiltelefon (Handy)
pay phone (AE: pay station)	Münztelefon

speak to sb on the phone	mit jdm am Telefon sprechen
Can I speak to Rob Parfitt, please?	Kann ich bitte mit Rob Parfitt sprechen?
have a phone conversation	ein Telefongespräch führen
answer the phone	ans Telefon gehen
telephone ['telɪfəʊn] / **phone** [fəʊn] / **ring** [rɪŋ] / **call sb** [kɔːl]	telefonieren, jdn anrufen
They phoned to enquire about the delivery.	Sie riefen an, um sich nach der Lieferung zu erkundigen.
give sb a call / a ring	jdn anrufen
Give me a ring sometime.	Ruf mich doch mal an.
phone call	Anruf, Gespräch, Telefonat
make a phone call	ein Telefongespräch führen
international call / overseas call	Auslandsgespräch
call abroad [ə'brɔːd]	ins Ausland telefonieren
trunk call / long distance call (AE: long distance call / toll call)	Ferngespräch
local call	Ortsgespräch
person-to-person call	Gespräch mit namentlicher Voranmeldung
call box / phone box (AE: phone booth)	Telefonzelle
call charge	Telefongebühr
call confidentiality	Einrichtung zur Vermeidung des Abhörens des Telefonats durch Dritte
credit card call	Telefonanruf mit Kreditkarte
Just give us your credit card number and your order.	Geben Sie uns nur Ihre Kreditkartennummer und Ihre Bestellung.
incoming / outgoing call ['ɪnkʌmɪŋ/'aʊtgəʊɪŋ]	eingehender / ausgehender Anruf
call sb up	jdn anrufen
Just call us up.	Rufen Sie uns einfach an.
call about sth	wegen etw anrufen
I'm calling about the order you faxed this morning.	Ich rufe wegen der Bestellung an, die Sie heute morgen gefaxt haben.
call back / ring back	zurückrufen
Can I call you back?	Kann ich Sie zurückrufen?
Could he ring me back?	Könnte er mich zurückrufen?
ring off (AE: hang up)	auflegen
call / try again later	später noch mal anrufen / es später noch mal versuchen
I'll come back to you directly.	Ich bin gleich wieder für Sie da.
We'll get back to you as soon as we can.	Wir rufen Sie so bald wie möglich zurück.

Info-Box

Das internationale Telefonalphabet   (The International Telephone
                                                Alphabet)

A for Andrew	N for Nellie
B for Benjamin	O for Oliver
C for Charlie	P for Peter
D for David	Q for Queenie
E for Edward	R for Robert
F for Frederick	S for Sugar
G for George	T or Tommy
H for Harry	U for Uncle
I for Isaac	V for Victory
J for Jack	W for William
K for King	X for X-Ray
L for Lucy	Y for Yellow
M for Mary	Z for Zebra

caller ['kɔːlə]   Anrufer(-in)
telephonist (AE: switchboard operator)   Telefonist(-in)
subscriber   Telefonkunde(-in)
operator   Telefonist(-in), Vermittlung

reverse charge call (AE: collect call)   R-Gespräch (= der Angerufene zahlt)
  [rɪˌvɜːs ˈtʃɑːdʒ kɔːl]
make a reverse charge call /   ein R-Gespräch führen
  reverse the charges (AE: call collect)
accept a reverse charge call   ein R-Gespräch annehmen

bleeper ['bliːpə]   Piepser
pager ['peɪdʒə]   Pager
receiver [rɪ'siːvə]   Hörer
pick up the receiver / phone   den Hörer abnehmen
voice [vɔɪs]   Stimme
lead [liːd] / **cord** [kɔːd]   Kabel
dial ['daɪəl]   Wählscheibe
off the hook [hʊk]   nicht aufgelegt
switchboard ['swɪtʃbɔːd]   (Telefon-)Zentrale, Vermittlung

Yellow Pages [ˌjeləʊ 'peɪdʒɪz]   Gelbe Seiten
classified directory [ˌklæsɪfaɪd   Branchenverzeichnis
  daɪ'rektri] / **trade directory**
  [ˌtreɪd daɪ'rektri]
telephone directory / phone book   Telefonverzeichnis / -buch
It's not in the book.   Ich kann die Nummer nicht finden.

directory enquiries (AE: directory assistance)	Telefonauskunft
Why don't you call directory enquiries?	Rufen Sie doch (mal) die Auskunft an! (Siehe S. 208)

contact sb ['kɒntækt]
sich mit jdm in Verbindung setzen

I'll contact Mr Cull to find out what's gone wrong.
Ich werde mich mit Mr Cull in Verbindung setzen, um herauszufinden, was schief gelaufen ist.

Don't hesitate to contact us.
Zögern Sie nicht, sich mit uns in Verbindung zu setzen.

be transferred [ˌtræns'fɜːd]
weiterverbunden werden

roam [rəʊm]
das Mobiltelefon bei Auslandsreisen in ausländischen Netzen benutzen

engaged [ɪn'geɪdʒd] / **busy** ['bɪzi]
besetzt

The lines have been busy all morning – why not email them instead?
Die Telefone waren den ganzen Morgen lang besetzt. Warum schicken wir Ihnen stattdessen nicht eine E-Mail?

get hold of sb [ˌget 'həʊld]
jdn erreichen

We tried to get hold of you but you were already on your way.
Wir haben versucht, Sie zu erreichen, aber Sie waren bereits unterwegs.

be on the line [laɪn]
mit jdm (am Telefon) sprechen

Mr Law is on the line to Chicago at the moment.
Mr Law spricht im Moment mit Chicago.

Mrs Harris is on the other line – will you hold?
Mrs Harris spricht auf der anderen Leitung – wollen Sie warten?

get on the line to sb [laɪn]
jdn anrufen

a bad line / connection
eine schlechte Leitung / Verbindung

We've got a crossed line.
Da ist noch jemand in der Leitung.

hold the line [ˌhəʊld ðə 'laɪn] / **hang on** [ˌhæŋ 'ɒn]
am Apparat bleiben

Will you please hold the line?
Bleiben Sie bitte am Apparat.

Hang on a moment / One moment, please.
Einen Moment bitte.

country code ['kʌntri ˌkəʊd]
Landesvorwahl

The country code (for ...) is ...
Die Landesvorwahl (für ...) lautet ..

oh-one
01

double-oh-one
001

double-three double-six seven
33667

dialling code / area code
Ortsnetzkennzahl

What's the code for Frankfurt?
Wie lautet die Vorwahl für Frankfurt?

Info-Box

Zusammensetzung von Telefonnummern:

UK-Nummer: 0044-1372-3067 - 22
US-Nummer: 001-913-831-3805 - 15

		UK	US
country code	*Landesvorwahl*	0044	001
geschriebene Form:		+44	+1
dialling code / area code	*Ortsnetzkennzahl*	*01372	913
(Telephone) Number	*Rufnummer*	3067	831-3805
Extension (Number)	*Durchwahl*	22	15
geschriebene Form:		x 22	x 15

* *Lassen Sie bei internationalen Gesprächen die erste 0 weg!*

Weitere UK-Nummern:

Directory enquiries *Fernsprech- / Telefonaus- kunft(sdienst):*		
	für Nummern in London	*142*
	für andere Nummern in Großbritannien	*192*

Die Landesvorwahl für Deutschland von England aus heißt:
010-49+Ortsnetzkennzahl+Rufnummer
(Österreich 010-43 + ..., Schweiz 010-41 + ...).

direct line [ˌdaɪrəkt ˈlaɪn]
dial direct
Can I call direct to Costa Rica?

Durchwahl
durchwählen
Kann ich nach Costa Rica durchwählen?

reach sb [riːtʃ]
I'm afraid your message didn't reach
  us till today.

jdn erreichen
Leider hat uns Ihre Nachricht erst
  heute erreicht.

get through [ˌget ˈθruː]
I can't get through to the sales
  department.

durchkommen, erreichen
Ich komme nicht zur Verkaufs-
  abteilung durch.

put sb through / connect sb
Could you put me through to Mrs
  Essary, please?
Hold on, I'll connect you.
You're through to Mrs Essary.

jdn durchstellen / verbinden
Können Sie mich bitte mit Mrs Essary
  verbinden?
Moment, ich verbinde Sie.
Sie sind mit Mrs Essary verbunden.

be cut off [ˌkʌt ˈɒf]   unterbrochen werden
We were cut off.   Wir wurden unterbrochen.

cheap rate [ˌtʃiːp ˈreɪt]   niedriger Tarif
local rate   Ortstarif

satellite connection [ˈsætəlaɪt   Satellitenverbindung
kəˌnekʃn]
telecommunications satellite   Telefonsatellit

phonecard [ˈfəʊnkɑːd]   Telefonkarte
I desperately need an international Ich brauche ganz dringend eine
phonecard.   internationale Telefonkarte.

repeat sth [rɪˈpiːt]   etw wiederholen
Would you repeat that, please?   Würden Sie das bitte wiederholen?
run sth through again [rʌn]   etw noch mal durchlaufen lassen
Would you run that through again,   Würden Sie das bitte noch mal
please?   durchlaufen lassen?
spell sth [spel]   etw buchstabieren
Would you spell that word, please? Würden Sie das Wort bitte buch-
                                    stabieren?

speak louder [ˌspiːk ˈlaʊdə] / **speak**   etw lauter sprechen
up [ˌspiːk ˈʌp]
Would you speak louder / speak up, Würden Sie bitte etwas lauter
please?   sprechen?
speak slower [ˌspiːk ˈsləʊə] / **slow**   etw langsamer sprechen
down [ˌsləʊ ˈdaʊn]
Would you speak slower / slow down, Würden Sie bitte etwas langsamer
please?   sprechen?

unavailable [ˌʌnəˈveɪləbl]   nicht erreichbar
The number you are calling is   Der Teilnehmer ist im Augenblick
momentarily unavailable.   nicht erreichbar.
leave a message [ˌliːv ə ˈmesɪdʒ] eine Nachricht hinterlassen
Would you like to leave a message? Kann ich etwas für Sie ausrichten?
Please leave a message.   Bitte hinterlassen Sie eine Nachricht.
take a message [ˌteɪk ə ˈmesɪdʒ]   etw ausrichten
Can I take a message for her?   Kann ich ihr etwas ausrichten?

answering machine [ˈɑːnsərɪŋ   Anrufbeantworter
məˌʃiːn] / **ansaphone** [ˈɑːnsəˌfəʊn] /
answerphone [ˈɑːnsəˌfəʊn]
Leave a message on my answerphone. Hinterlassen Sie eine Nachricht auf
                                    meinem Anrufbeantworter.

after the signal [ˌɑːftə ðə 'sɪgnl] /
after the tone [ˌɑːftə ðə 'təʊn]
Please speak after the signal / after
  the tone.

nach dem Signalton

Bitte sprechen Sie nach dem Signalton.

number ['nʌmbə] / **phone number**
  ['fəʊn ˌnʌmbə]
Can you give me the number of
  Qureshi International?
look up a number in the phone book

ex-directory number (AE: unlisted
  number)
extension number
dial a number
Do I have to omit the '0' when dialling
  Frankfurt from England?
toll-free number [ˌtəʊlfriː 'nʌmbə]
have a wrong number
I'm sorry, I've got the wrong number.

I'm sorry, you've got the wrong
  number.

Rufnummer

Ich hätte gerne die Nummer von
  Qureshi International.
eine Nummer im Telefonbuch nachschlagen
eine Geheimnummer (die nicht im
  Telefonbuch steht)
Durchwahl
eine Nummer wählen
Muss ich die ‚0' weglassen, wenn ich
  von England nach Frankfurt anrufe?
gebührenfreie Nummer
falsch verbunden sein
Entschuldigen Sie, ich bin falsch
  verbunden.
Es tut mir Leid, Sie sind falsch verbunden.

FAQs

What number should I call in an emergency in the UK?

For an emergency call (= *Notruf*), dial 999 or 112. Both numbers are
toll-free (= *gebührenfrei*). Ask for Fire Brigade (= *Feuerwehr*), Police
(= *Polizei*) or Ambulance (= *Krankenwagen*)!

Post
Post

→ 14.3 E-mail / E-Mail
→ 14.4 Fax / Fax

Writing comes more easily if you have something to say. (Sholem Asch, US novelist, 1880–1957)

post (AE: mail) [pəʊst]	Post / versenden, verschicken
registered post (AE: registered mail)	per Einschreiben
postbox / letterbox (AE: mailbox)	Briefkasten
postpaid	Gebühr bezahlt
postmark / date as postmark	Datum des Poststempels
incoming post / mail	eingehende, eingegangene Post / Eingangspost
outgoing post / mail	ausgehende, ausgegangene Post / Ausgangspost
direct mail	Direktversand
junk mail [dʒʌŋk] / unsolicited mail [ˌʌnsə'lɪsɪtɪd]	(unerwünschte) Reklamesendungen
snail mail	„Schneckenpost" (normaler Postdienst)
Shall we send the order by e-mail or snail mail?	Sollen wir die Bestellung per E-Mail oder mit der normalen Post schicken?
postage ['pəʊstɪdʒ]	Porto
What's the postage to Brazil?	Wie hoch ist das Porto nach Brasilien?
postal rates ['pəʊstl ˌreɪts] / **charges** ['tʃɑːdʒɪz]	Postgebühren
Postal rates / charges are going up by 15 % in January.	Die Postgebühren werden im Januar um 15 % erhöht.
postal code / post code (AE: ZIP code)	Postleitzahl
postal card (AE: letter card)	Postkarte mit aufgedruckter Briefmarke
postcard	Postkarte, Ansichtskarte
poste restante (AE: general delivery) [ˌpəʊst 'restɑːnt]	postlagernd
international reply coupon [ˌɪntəˌnæʃnl rɪ'plaɪ ˌkuːpɒn]	internationaler Antwortschein
sender ['sendə]	Absender
return to sender (= RTS)	an den Absender zurück
send off	abschicken

The invoice has just been sent off.	Die Rechnung wurde gerade abge-schickt.
receiver [rɪ'si:və]	Empfänger(-in)
received with thanks	dankend erhalten
addressee [ˌædres'i:]	Empfänger(-in)
letter ['letə]	Brief
draft a letter	einen Brief entwerfen
standard letter	Formbrief
business letter	Geschäftsbrief
letter of acknowledgement	Empfangsbestätigung
your letter of the 15th	Ihr Brief vom 15.
stamp [stæmp]	Briefmarke
envelope ['envələʊp]	Briefumschlag
address an envelope	einen Umschlag adressieren
stamped addressed envelope (= sae)	frankierter Rückumschlag
reply [rɪ'plaɪ] / **response** [rɪ'spɒns]	Antwort
in reply / response to	als Antwort auf
I am writing in reply to your letter of the 15th.	Ich beantworte Ihren Brief vom 15.
early reply	baldige Antwort
in writing ['raɪtɪŋ]	schriftlich
confirm / acknowledge sth in writing	etw schriftlich bestätigen
enclosure [ɪn'kləʊʒə]	Anlage
enclose	beilegen / beifügen
photocopy ['fəʊtəʊˌkɒpi]	Fotokopie
correspondence [ˌkɒrə'spɒndəns]	Korrespondenz
business correspondence	Geschäftskorrespondenz
private and confidential [ˌpraɪvət ən kɒnfɪ'denʃl]	persönlich, vertraulich
strictly confidential	streng vertraulich
parcel ['pɑ:sl]	Paket
parcel post	Paketpost
parcel rates	Paketgebühren
printed matter ['prɪntɪd ˌmætə]	Drucksache
sample ['sɑ:mpl]	Muster
sample of no commercial value	Muster ohne Wert
please forward [ˌpli:z 'fɔ:wəd]	bitte nachsenden
forwarding address	Nachsendeanschrift
by airmail [ˌbaɪ 'eəmeɪl]	mit Luftpost
by surface mail	mit normaler Post (d.h. nicht Luft-post)
by separate post	mit getrennter Post

by the same post	mit gleicher Post
by return (of post)	postwendend

proof of delivery (= PD) [ˌpruːf əv drˈlɪvri] Lieferbestätigung / -schein

recorded delivery (AE: certified mail) per Einschreiben (= unversichert)
express delivery / special delivery Eilzustellung
undeliverable [ˌʌndɪˈlɪvrəbl] unzustellbar

collection [kəˈlekʃn] Leerung
carrier [ˈkærɪə] / **private carrier** Kurierdienst
[ˌpraɪvət ˈkærɪə]
spelling [ˈspelɪŋ] Schreibweise
check the spelling of a word die Schreibweise eines Wortes überprüfen

sentence [ˈsentəns] Satz
paragraph [ˈpærəgrɑːf] Absatz
page [peɪdʒ] Seite

Info-Box

Expressions for business correspondence	*Ausdrücke für Handelskorres-pondenz*
reference [ˈrefrəns]	Aktenzeichen / Bezug
Re / ref = Referring to / Reference	betreffs / bezüglich / unter Bezug-nahme auf
Our / Your reference:	Unser / Ihr Zeichen:
With reference to your letter of 15 March	mit Bezug auf Ihren Brief vom 15. März
refer to [rɪˈfɜː]	sich beziehen auf / sich wenden an
We must ask you to refer to our letter of 10 June.	Wir müssen Sie bitten, auf unseren Brief vom 10. Juni Bezug zu nehmen.
draw attention to sth [ˌdrɔː əˈtenʃn]	Aufmerksamkeit auf etw lenken
I would like to draw your attention to page 1.	Ich möchte Ihre Aufmerksamkeit auf die Seite 1 lenken.
as regards [rɪˈgɑːdz]	bezüglich, hinsichtlich
as far as ... is concerned [kənˈsɜːnd]	was ... betrifft
in connection with [kəˈnekʃn]	im / in Zusammenhang mit
according to [əˈkɔːdɪŋ]	gemäß, nach
further to [ˈfɜːðə]	bezüglich
for your information [ˌɪnfəˈmeɪʃn]	zu Ihrer Information
on behalf of [bɪˈhɑːf]	im Auftrag / Namen von
RSVP (= Repondez s'il vous plait) [ɑː ˌes viː ˈpiː]	um Antwort wird gebeten (u.A.w.g.)

FAQs

What's the difference between First Class and Second Class post?

In the UK, First Class post is delivered quicker than Second Class – and is more expensive (= *teurer*). With First Class post, next-day delivery is more likely (= *wahrscheinlicher*).

In the US, First Class mail means letters, postcards and letter cards. Second Class mail means newspapers (= *Zeitungen*) and other light printed matter (but not books, which are Third-Class mail).

What does "snail mail" mean?

"Snail mail" delivers post and parcels to a "snail address" (= an individual's postal address). "Snail mail" is a negative term, because snail mail takes much longer than email, of course. It is a play on words (= *Wortspiel*): "US Mail" turned into (= *verwandelte sich*) "Usnail" (You snail! *Du Schnecke!*).

How should my letter end – "Yours faithfully" or "Yours sincerely"?

Business letters usually end with "Yours sincerely" if the addressee has been named (= *namentlich genannt wurde*), eg "Dear Mr Reynolds / Dear Ms Howard".
They usually end with "Yours faithfully" if the addressee is not named, eg "Dear Sir / Madam / Head of Personnel".
Nowadays (= *heutzutage*), though, it is also acceptable to end any kind of business correspondence with "With best wishes".

→ 14.2 Post / Post
→ 14.4 Fax / Fax

Those who are absent, by its means become present; mail is the consolation of life. (Voltaire, French satirist & dramatist, 1694–1778)

e-mail / **email** (= electronic mail) ['iːmeɪl]	E-Mail
The e-mail bounced.	Die E-Mail kam zurück.
e-mail address	E-Mail-Adresse
e-mail message, an	eine E-Mail-Nachricht
send an e-mail to sb / send sb an e-mail	jdm eine E-Mail schicken
mailbox ['meɪlbɒks]	Briefkasten
mailbox service	Mailboxdienst
Various online services and search engines offer an (often free) mailbox service.	Verschiedene Online-Dienste und Suchmaschinen bieten einen (oft kostenlosen) Mailboxdienst an.
electronic mailbox	elektronischer Briefkasten
username ['juːzəneɪm]	Anwendername
user account	Benutzeraccount
password ['pɑːswɜːd]	Kennwort
receiver [rɪ'siːvə]	Empfänger
sender ['sendə]	Absender
server ['sɜːvə]	Server
video e-mail [ˌvɪdiəʊ 'iːmeɪl] / **v-mail** ['viːmeɪl]	Video-Mail

---

Info-Box

email abbreviations		E-Mail Abkürzungen
afaik	as far as I know	soweit ich weiß
asap	as soon as possible	so schnell wie möglich
bbl	be back later	bin bald wieder da
btw	by the way	übrigens
cu	see you	man sieht sich
faq	frequently asked question(s)	häufig gestellte Frage(n)
ic	I see	ach so

imho	in my humble opinion	meiner bescheidenen Meinung nach
IRL	In Real Life	im richtigen Leben
lol	laughing out loud	ich lache laut
re	returned, repeat hi	wieder da, erneut Hi
rtfm	read the fucking manual	lies gefälligst das Handbuch

FAQs

What does "to bounce" mean?

It means your email comes back because it did not reach the server or was not delivered via your server – it "bounced" back like a rubber ball (= *Gummiball*). Possibly, you used the wrong address. Or maybe a network failure occured (= *eine Netzpanne trat auf*) while your mail was sent. Just like a boomerang, your mail is returned to you and declared as "message undeliverable" (= *unzustellbar*) or "undeliverable mail". The word is used mainly in the past tense (= *Vergangenheitsform*): "Looks like my message bounced. I'd better send it again."

Fax
Fax

→ 14.2 Post / Post
→ 14.3 E-mail / E-Mail

Messages may be transmitted to points within an office, or to branch offices up to a maximum distance of approximately fifteen miles. (from a 1953 description of "a new electronic instrument" called Desk-Fax)

fax [fæks]	Fax / faxen
Can you fax me at the office?	Können Sie mir ein Fax ins Büro schicken?
We'll fax you the order form today.	Wir faxen Ihnen heute das Bestellformular.
We'll fax it through to you.	Wir faxen es Ihnen durch.
reply / answer by fax	per Fax antworten
fax back	zurückfaxen
Could you fax us back this evening?	Könnten Sie uns heute Abend zurückfaxen?
send by fax	per Fax schicken / senden
We'll send you the order form by fax.	Wir faxen Ihnen das Bestellformular.
We'll send you a fax of the new design.	Wir senden Ihnen den neuen Entwurf per Fax.
confirm by fax	per Fax bestätigen
They confirmed the order by fax this morning.	Sie haben die Bestellung heute morgen per Fax bestätigt.
get / receive a fax	ein Fax bekommen
Didn't you get our fax?	Haben Sie denn unser Fax nicht erhalten?
forward a fax ['fɔːwəd]	ein Fax weiterleiten
fax machine	Fax, Faxgerät
connect a fax machine	ein Faxgerät anschließen
fax message	Faxmitteilung
fax number	Faxnummer
Our fax and phone number are the same.	Unsere Fax- und Telefonnummer sind identisch.
fax shot	Direktwerbung per Fax
send a shot	Werbemitteilungen per Fax schicken
page 1 of 3 [peɪdʒ]	Seite 1 von 3 (= die erste von 3 gefaxten Seiten)
sender ['sendə]	Absender(-in)
signature ['sɪgnɪtʃə]	Unterschrift
print [prɪnt]	drucken
print sth out	etw ausdrucken

FAQs

Is it true that fax is not a recent invention?

The first successful fax device (= *Gerät*) was patented in 1843. The first commercial fax service was introduced (= *eingeführt*) in France in 1865. Throughout the 1930s and 1940s, fax evolved (= *entwickelte sich*) into something like the form we know today. In 1966, an agreed (= *vereinbarter*) standard made its general use more possible.

Computers
Computer

Hardware
Hardware

→ 15.2 Software / Software

Hardware: the parts of a computer that can be kicked. (Jeff Pesis, quoted in www.quoteland.com)

computer [kəm'pjuːtə]	Computer, Rechner
computer technology	Computertechnik
personal computer (= PC)	Personal-Computer, PC
boot the computer [buːt]	den Computer hochfahren
Advise your clients to make sure all peripherals are connected before booting the computer.	Legen Sie Ihren Kunden nahe, vor dem Hochfahren des Computers sicherzustellen, dass alle Peripheriegeräte angeschlossen sind.
reboot the computer	den Computer erneut starten, noch einmal hochfahren
connect computers to each other	Computer verkoppeln
start [staːt] /start up	(den Computer) starten
cold start	kaltstarten, Kaltstart
You don't have to cold start your computer after installing the new business application.	Sie müssen Ihren Computer nicht kaltstarten, nachdem Sie die neue Business-Anwendung installiert haben.
warm start	warmstarten, Warmstart
power up [ˌpaʊə 'ʌp]	einschalten, starten
down (computer) [daʊn]	außer Betrieb
downtime	Ausfallzeiten
idle time ['aɪdl ˌtaɪm]	Leerlaufzeiten
switch [swɪtʃ]	Schalter
switch on / switch off the computer	den Computer einschalten / ausschalten
data switch	Data-Switch (zum Umschalten zwischen Peripheriegeräten)
We sell data switches for modem connections.	Wir verkaufen Data-Switches für Modemanschlüsse.
switch to, connect to	schalten zu
power switch	Stromschalter
motherboard ['mʌðəbɔːd]	Hauptplatine

peripherals [pəˈrɪfərəlz]

Peripheriegeräte (z.B. Drucker, Scanner, Modem)

We offer a package deal – the computer, including peripherals, plus software.

Wir bieten ein Pauschalangebot an: den Computer inklusive Peripheriegeräte und Software.

Info-Box

*Ein Modem (**Mo**dulator-**dem**odulator) wandelt die digitalen Signale eines Computers in analoge Signale um, wie sie von herkömmlichen Telefonanschlüssen benötigt werden. Ein Modem kann somit Ihren Computer über das Telefonnetz mit anderen Computern (aber auch mit Faxgeräten und normalen Telefonanschlüssen) verbinden.*

---

disk [dɪsk] / **diskette** [dɪˌsket]
disk drive
drive
insert a disk into the disk drive

Platte, Diskette
Diskettenlaufwerk
Laufwerk
eine Diskette ins Diskettenlaufwerk einlegen

hard disk
hard disk drive
floppy disk
We are looking for formatted HD floppy disks.
demo disk
We'll distribute demo disks via direct-mail advertising.
ask for a demo disk
optical disk
disk capacity

Festplatte
Festplattenlaufwerk
Floppy-Disk
Wir suchen formatierte HD-Floppy-Disketten.
Demo-Diskette
Wir werden Demo-Disketten über Postwurfsendungen verteilen.
um eine Demo-Diskette bitten
Bilddiskette
Speicherkapazität (der Diskette / Festplatte)

memory [ˈmemri]
RAM (= random access memory)

Speicherplatz
Arbeitsspeicher / Direktzugriffsspeicher

add-on memory
expanded memory
spare memory space
space on the hard disk

Zusatzspeicher
Erweiterungsspeicher
Speicherplatz
Platz auf der Festplatte

bit [bɪt]
byte [baɪt]
kilobyte
megabyte
gigabyte
10 gigabytes should suffice for our office computers.

Bit
Byte
Kilobyte
Megabyte
Gigabyte
10 Gigabyte dürften für unsere Bürocomputer genügen.

CD (= compact disk) [si: 'di:]

CD burner
CD-ROM disk

We've produced a CD-ROM to
promote our company.
CD-R business card
My client gave me his CD-R business
card.
CD-ROM drive, the

mouse [maʊs]
move sth with the mouse
use the mouse
mouse pad
We've printed our company logo on
2,000 mouse pads for promotion
purposes.

screen [skriːn] / **monitor** ['mɒnɪtə]
19″ screen
high-resolution screen
flicker-free monitor
pixel ['pɪksl]
pixels on screen
The new spreadsheet programme
requires only a low resolution of
1024 x 768 pixels.

change the text on screen
It'll be faster if we change the
brochure text on screen.

display [dɪ'spleɪ]
LCD (= liquid crystal display)

cover ['kʌvə]
screen cover
anti-static dust cover
We've instructed our staff to use anti-
static dust covers for their screens.

CD (= Datenträger mit hoher Kapa-
zität)
CD-Brenner
CD-ROM (ROM steht für „read-only
memory")
Wir haben eine CD-ROM produziert,
um für unsere Firma zu werben.
CD-R-Visitenkarte
Mein Kunde gab mir seine CD-R-
Visitenkarte.
das CD-ROM Laufwerk

Maus
etw mit der Maus verschieben
die Maus betätigen
Mauspad
Wir haben unser Firmenlogo zu
Werbezwecken auf 2.000 Maus-
pads gedruckt.

Bildschirm / Monitor
19-Zoll-Bildschirm
hochauflösender Bildschirm
flimmerfreier Bildschirm
Bildpunkt, Pixel
Bildpunkte auf dem Monitor
Das neue Tabellenkalkulationspro-
gramm benötigt nur eine niedrige
Auflösung von 1024 x 768 Bild-
punkten.

den Text am Bildschirm ändern
Es geht schneller, wenn wir den Text
für die Broschüre am Bildschirm
ändern.

Anzeige (Bildschirm)
LCD (Flüssigkeits-Kristallanzeige für
Flachbildschirme)

Schutzhaube
Staubschutzhaube für den Bildschirm
antistatische Staubschutzhaube
Wir haben unsere Mitarbeiter angewiesen, antistatische Staubschutz-
hauben für ihre Monitore zu
benutzen.

scan [skæn]
scannen / überfliegen (auf der Suche nach etw. Bestimmtem)

scan in
einscannen

Could you scan / scan in your brochure and send it to me by email?
Können Sie Ihre Broschüre scannen / einscannen und sie mir per E-Mail schicken?

scanner
Scanner, Bildabtaster

web cam ['webkæm]
Webcam (an den Computer ange-schlossene Kamera)

We've installed webcams at all our teminals now, so we can call up a video conference at any time.
Wir haben jetzt an allen Terminals Webcams installiert, so dass wir jederzeit eine Videokonferenz ein-berufen können.

card [kɑːd]
Steckkarte

graphics card
Grafikkarte

video card
Videokarte

sound card
Soundkarte

speaker ['spiːkə]
Lautsprecher

microphone ['maɪkrəfəʊn]
Mikrofon

headset ['hedset]
Headset (Kopfhörer mit Mikrofon)

port [pɔːt]
Anschluss

parallel port
paralleler Anschluss

Connect your printer to the parallel port.
Schließen Sie Ihren Drucker an den parallelen Anschluss an.

serial port
serieller Anschluss

com port
Com-Port (zum Anschließen von Modems etc.)

Two com ports are generally enough for the average office PC.
Zwei Com-Ports genügen normaler-weise für einen durchschnittlichen Büro-PC.

cable ['keɪbl]
Kabel, Leitung

connect the cable
das Kabel anschließen

disconnect the cable
das Kabel trennen / herausziehen

printer cable
Druckerkabel

Make sure the printer cable is disconnected before opening the device.
Stellen Sie sicher, dass das Drucker-kabel herausgezogen ist, bevor Sie das Gerät öffnen.

plug [plʌg]
Stecker

be plugged in
eingesteckt sein

printer ['prɪntə]
Drucker

portable printer
tragbarer Drucker

laser printer	Laserdrucker
bubble jet	Tintenstrahldrucker
printer cartridge	Druckerpatrone
ink cartridge	Tintenkartusche (für den Drucker)

paper ['peɪpə] Papier
paper feed Papiereinzug
paper tray Papierschacht
jam / paper jam (Papier-)Stau

printout ['prɪntaʊt] Ausdruck (vom Drucker)
Can I have a printout of this address list? Kann ich einen Ausdruck dieser Adressenliste haben?
print out ausdrucken
I have printed out the progress report. Ich habe den Lagebericht ausgedruckt.

hard copy Ausdruck
dots per inch (= dpi) Punkte pro Zoll
WYSIWYG (= what you see is what you get) WYSIWYG (= Darstellung auf dem Bildschirm entspricht der Darstellung im Ausdruck)

laptop ['læptɒp] Laptop
I'll take my laptop to the conference. Ich nehme mein Laptop mit zur Konferenz.

notebook ['nəʊtbʊk] Notebook
Without my notebook, I'd forget half my appointments. Ohne mein Notebook würde ich die Hälfte meiner Termine vergessen.

interface ['ɪntəfeɪs] Schnittstelle
The user / software interface is still unsatisfactory. Die Benutzer- / Software-Schnittstelle ist noch immer unbefriedigend.

FAQs

What are bits, bytes, megabytes and gigabytes exactly?

Bit = the smallest unit of information that can be used by a computer
byte = 8 bits
kilobyte = 1,024 bytes
megabyte = 1,048,576 bytes
gigabyte = 1,073,741,824 bytes

Software
Software

15
2

→ 15.1 Hardware / Hardware
→ 15.3 Mouseclicks & Keyboard / Mausklicks & Tastatur

There are two ways of constructing a software design. One way is to make it so simple that there are obviously no deficiencies, and the other way is to make it so complicated that there are no obvious deficiencies. The first method is far more difficult. (C.A.R. Hoare, quoted in www.quoteland.com)

software ['sɒftweə]
software package
Our new software package contains a word-processing program, a speadsheet and lots of extras.

software ready to run on a computer
system software
compatible software
speech recognition software
turnkey software ['tɜːnkiː ˌsɒftweə]
We order turnkey software from STPI Bangalore.

Software
Softwarepaket
Unser neues Softwarepaket enthält ein Textverarbeitungsprogramm, Tabellenkalkulation und viele Extras.

lauffähige Software
Systemsoftware
kompatible Software
Spracherkennungssoftware
schlüsselfertige Software
Wir bestellen schlüsselfertige Software bei STPI Bangalore.

program ['prəʊɡræm]
instal (AE: install) a program
How long does it take to instal this program?
installation of a program
implement a program
load a program
interrupt a program
run a program
compatible program
Is this accounting program compatible with the Linux operating system?

programming language
Which programming language have you used for the accounting software?
compile a program

Programm, programmieren
ein Programm installieren
Wie lange dauert es, dieses Programm zu installieren?
Installation eines Programms
ein Programm implementieren
ein Programm laden
ein Programm unterbrechen
ein Programm laufen lassen
kompatibles Programm
Ist dieses Buchhaltungsprogramm mit dem Linux Betriebssystem kompatibel?

Programmiersprache
Welche Programmiersprache haben Sie für die Buchhaltungs-Software benutzt?
ein Programm kompilieren

version ['vɜːʃn]

Version (eines Programms / einer Anwendung)

The pharmaceutical industry is waiting for the new version before they invest in new software.
Die Pharamindustrie wartet auf die neue Version, bevor sie in neue Software investiert.

upgrade a program
ein Programm verbessern, überarbeiten / die verbesserte Version laden

upgraded version
verbesserte Version

When will the upgraded version be released?
Wann kommt die verbesserte / überarbeitete Version heraus?

application [ˌæplɪˈkeɪʃn]
Anwendung

business application
geschäftliche Anwendung

Could you web-enable our old business applications?
Könnten Sie unsere alten Business-Anwendungen Internet-tauglich machen?

commercial application
kommerzielle Anwendung

computer applications programmer
Anwendungsprogrammierer(-in)

made-to-measure / custom-made / customized applications
maßgeschneiderte Anwendungen

operate [ˈɒpəreɪt]
in Betrieb sein, funktionieren, arbeiten; bedienen, betreiben

operating system
Betriebssystem

Our new Linux operating system didn't cost us anything.
Unser neues Linux Betriebssystem hat uns gar nichts gekostet.

computer-aided design (= CAD) [kəmˌpjuːtə eɪdɪd dɪˈzaɪn]
computergestütztes Konstruieren

computer-aided manufacture (= CAM)
computergestützte Fertigung

We've saved €12,000 since we've used CAM.
Seit wir computergestützt fertigen, haben wir €12.000 eingespart.

computer-based training (= CBT)
computergestütztes Lehr- und Lernprogramm

computer-aided learning (= CAL)
computergestütztes Lernen

machine-aided translation (= MAT)
computergestützte Übersetzung

file [faɪl]
Datei / in einer Datei ablegen

copy a file
eine Datei kopieren

create a file
eine Datei anlegen / erstellen

I'll open a new file for our Norwegian forwarders.
Ich werde eine neue Datei für unsere norwegischen Spediteure anlegen.

open / close a file
eine Datei öffnen / schließen

sort a file
eine Datei sortieren

recover a file
eine Datei wiederherstellen

master file
Stammdatei

access a computer file
eine Datei öffnen, aufrufen

file transfer
Dateiübertragung

The file transfer didn't work.
Die Dateiübertragung hat nicht funktioniert.

save a file	eine Datei (ab)speichern
The mailing list is saved as a *.doc File.	Die Adressenliste ist als *.doc-Datei abgespeichert.
convert a file	eine Datei konvertieren, umwandeln
delete a file	eine Datei löschen
We can now delete the files with the old logo.	Wir können jetzt die Dateien mit dem alten Logo löschen.

text [tekst]	Text
text file	Textdatei
text-only document	Nur-Textdokument
text translation	Textkonvertierung

access ['ækses]	Zugriff
access data / files	auf Daten / Dateien zugreifen
access is denied	Zugriff ist verweigert
access to the required information	Zugriff auf die benötigten Informationen
have access to information / a database / a service / a library	Zugriff auf Informationen / eine Datenbank / einen Service / eine Bibliothek haben
access time	Zugriffszeit
access rights	Zugriffsrechte

call up [ˌkɔːl ˈʌp]	abrufen
call up data	Daten ab- / aufrufen
call up a file / a program / an application	eine Datei / ein Programm / eine Anwendung aufrufen
I tried to call up the file with the customer addresses.	Ich habe versucht, die Datei mit den Kundenadressen aufzurufen.

graphics ['græfɪks]	Grafik
graphic display	grafische Anzeige
graphic surface	grafische Oberfläche
'X Window' is the old graphic surface for Linux.	„X Window" ist die alte grafische Oberfläche für Linux.
Gif (= Graphics Interchange)	ein Grafikformat
icon	Symbol, ikonisches Zeichen

backup (copy) ['bækʌp]	Sicherheitskopie
make a backup (copy)	eine Sicherheitskopie erstellen
I'm positive I made a backup copy of our air waybills file.	Ich bin mir sicher, dass ich eine Sicherheitskopie unserer Luftfrachtbrief-Datei gemacht habe.

menu ['menjuː]
menu bar
Click on the question mark on your
   menu bar.
pop-up menu
You can call up the help file via the
   pop-up menu.

Menü
Menüleiste
Bitte klicken Sie auf das Fragezeichen
   auf der Menüleiste.
Popup-Menü, Balkenmenü
Sie können die Hilfe-Datei über das
   Popup-Menü aufrufen.

bar [bɑː]
navigation bar

Leiste
Navigationsleiste, -balken

bug [bʌg]
We've now found the bug which
   brought our network to a standstill.

Programmfehler
Wir haben jetzt den Programmfehler
   gefunden, der unser Netzwerk zum
   Stillstand gebracht hat.

debug [ˌdiːˈbʌg]
I've run the debugging program
   through several times.

ein Programm von Fehlern befreien
Ich habe das Fehlersuchprogramm
   mehrmals durchlaufen lassen.

crash [kræʃ]
The system crashed while compiling
   the new application.

abstürzen / Absturz
Das System stürzte ab, als es die
   neue Anwendung kompilierte.

message ['mesɪdʒ]
My secretary forwards all email
   messages to my holiday mailbox.

Nachricht, Mitteilung, Meldung
Meine Sekretärin leitet alle E-Mails
   an meine Urlaubs-Mailbox weiter.

word processor [ˌwɜːdˈprəʊsesə]
word processing
word-processing program
Which word-processing program do
   you use for preparing your
   presentations?

Textverarbeiter
Textverarbeitung
Textverarbeitungsprogramm
Mit welchem Textverarbeitungs-
   programm bereiten Sie Ihre Präsen-
   tationen vor?

spell [spel]
spelling
spellcheck
spellchecker

buchstabieren
Rechtschreibung
die Rechtschreibung prüfen
Rechtschreibprüfung

spreadsheet ['spredʃiːt]
To call up the spreadsheet, you have
   to click on the frog icon.

Tabellenkalkulation
Um die Tabellenkalkulation aufzu-
   rufen, müssen Sie auf das Symbol
   mit dem Frosch klicken.

accept [əkˈsept]
If you accept our terms of payment,
   enter your credit card number.

übernehmen / akzeptieren
Wenn Sie unsere Zahlungsbedingun-
   gen akzeptieren, geben Sie bitte
   Ihre Kreditkartennummer ein.

conform [kən'fɔ:m]
conform to

entsprechen
sich anpassen an

capability [ˌkeɪpə'bɪlɪti]
My client was quite surprised at our
new terminal's capability.

Leistungsfähigkeit
Mein Kunde war von der Leistungsfähigkeit unseres neuen Terminals
ziemlich überrascht.

interchangeable [ˌɪntə'tʃeɪndʒəbl]
These two data strings are
interchangeable.
interchangeability

austauschbar
Diese beiden Datenreihen sind aus-
tauschbar.
Austauschbarkeit

user ['ju:zə]
multiple user
A multiple user may be a company
where several users use the same
software.
single user
A single user requires only one copy
of a software program.

Anwender(-in), Benutzer(-in)
Mehrfachnutzer
Ein Mehrfachnutzer könnte eine
Firma sein, in der mehrere Benutzer
dieselbe Software benutzen.
Einfachnutzer
Ein Einfachnutzer benötigt nur ein
Exemplar eines Softwarepro-
gramms.

user interface
user community
user-friendly
Our custom-made business
applications are extremely user-
friendly.
user identification (= user id)
   ['ju:zə aɪˌdi:]
username

Benutzeroberfläche
Nutzergemeinde
benutzerfreundlich
Unsere maßgeschneiderten Business-
Anwendungen sind überaus
benutzerfreundlich.
Benutzeridentifikation

Anwendername

interactive [ˌɪntə'æktɪv]
interactivity

interaktiv
Interaktivität

voice recognition [ˌvɔɪs rekəg'nɪʃn]

Spracherkennung

standard ['stændəd]
standard format

Standard, Norm
Standardformat

default (setting) [dɪ'fɔ:lt]
default value
default
error ['erə]
error message
fatal error

Standard(einstellung)
Standardwert
Standard-
Fehler
Fehlermeldung
unbehebbarer Fehler

instructions [ɪn'strʌkʃnz] / directions | Bedienungsanleitung
for use, operating instructions |
We could produce one with Spanish | Wir könnten eines mit spanischen
instructions. | Anleitungen produzieren.
operating manual / handbook / | Benutzerhandbuch
user's guide |
for a program | zum Programm
for the installation | für die Installation
step-by-step instructions | schrittweise Erläuterungen

command [kə'mɑːnd] | Befehl, Anweisung
I don't understand this command. | Ich verstehe diese Anweisung nicht.

desktop ['desktɒp] | Desktop
We've developed a desktop which is | Wir haben einen Desktop entwickelt,
more user-friendly than Microsoft's. | der benutzerfreundlicher ist als der
| von Microsoft.
desktop publishing (= DTP) | Desktop-Publishing / Publizieren vom
| Schreibtisch aus

format ['fɔːmæt] | Format, formatieren
Are these diskettes formatted? | Sind diese Disketten formatiert?
document format | Dokumentenformat
PDF (= portable document format) | PDF-Format
For sales graphs, I recommend the | Für Absatzdiagramme empfehle ich
PDF format. | das PDF-Format.
autoformat | (Dokument) automatisch formatieren
I tend to use the autoformat function | Ich neige dazu, meine Berichte mit
to get my report into acceptable | der Autoformat-Funktion in eine
shape. | akzeptable Form zu bringen.
template ['templeɪt] | Formatvorlage
landscape format | Querformat

directory [daɪ'rektri] | Verzeichnis

zip [zɪp] | Verfahren zur Dateikompression
unzip | Verfahren zur Dateidekompression
zip file | komprimierte Datei
zip disk | ZIP-Diskette (Datenträger mit hoher
| Kapazität)
zip disk drive | ZIP-Disketten-Laufwerk
zip disk flipper | ZIP-Disk-Flipper (zur Aufbewahrung
| von ZIP-Disketten)

data ['deɪtə] | Daten
arrange data | Daten ausrichten
retrieve data | Daten abrufen
data processing | Datenverarbeitung

data processing system	Datenverarbeitungsanlage
electronic data processing (= EDP)	elektronische Datenverarbeitung (= EDV)
electronic data interchange (= EDI)	elektronischer Datenaustausch
data transfer	Datenübertragung / -austausch
data protection / security	Datenschutz
Data Protection Act (= DPA)	Datenschutzgesetz
stored data	gespeicherte Daten
database / data bank	Datenbank
My colleague couldn't access your database.	Mein Kollege konnte nicht auf Ihre Datenbank zugreifen.
raw data [rɔ:]	unbearbeitete Daten
We require only raw data for our time series analyses.	Wir benötigen nur unbearbeitete Daten für unsere Zeitreihenanalysen.
data input / output	Dateneingabe / -ausgabe

input ['ɪnpʊt] — eingeben
We've inputted the entire string now. — Wir haben jetzt den gesamten String eingegeben.

update [ʌp'deɪt] — aktualisieren / auf den neusten Stand bringen
What information needs updating? — Welche Informationen müssen auf den neuesten Stand gebracht werden?

FAQs

What does "RTFM" stand for?

It's an abbreviation (= *Abkürzung*) for 'read the fucking manual' – a slight hint (= *Andeutung*) that you should read the operating manual before bothering (= *nerven*) other people with stupid questions. It is often used as a reply to very basic questions. The expression is also used in the past tense (= *Vergangenheitsform*) to show that one has made the effort: 'I can't figure out how to connect my scanner, and, yes, I have RTFM!'

→ 15.2 Software / Software

Man is the tool-using animal, and as such he has become the lord of creation.
(William Ralph Inge, English prelate & writer 1860 – 1954)

click (on) [klɪk]	anklicken
double click	doppelklicken
mouseclick	Mausklick
You're just a mouseclick away from a 2-month free subscription.	Sie sind nur einen Mausklick von einem zweimonatigen kostenlosen Abonnement entfernt.
keyboard [ˈkiːbɔːd]	Tastatur
key [kiː] / **button** [ˈbʌtən]	Taste
special-function key	Sonderfunktionstaste
shift (key)	Umschalttaste
Press the shift key plus 'C'.	Drücken Sie die Umschalttaste und „C".
back shift (key)	Rücktaste
arrow (key)	Pfeiltaste
Use the arrow keys to choose the required product.	Benutzen Sie die Pfeiltaste, um das gewünschte Produkt auszuwählen.
down / up arrow	Abwärts- / Aufwärtspfeiltaste
blank (key)	Leertaste
blank	Leerzeichen
Don't insert a blank between your first and last name.	Setzen Sie kein Leerzeichen zwischen Ihren Vor- und Nachnamen.
return (key)	Eingabetaste
Complete your order with 'return'.	Schließen Sie Ihre Bestellung mit der Eingabetaste ab.
press / hit the return key	die Eingabetaste drücken
press / hit Enter	Eingabe drücken
Press 'enter' to confirm your order.	Drücken Sie „Enter", um Ihre Bestellung zu bestätigen.
clear / delete (key)	Löschtaste
Avoid pressing the 'clear' key before saving, as you may lose your data.	Vermeiden Sie es, vor dem Speichern die Löschtaste zu drücken, da sonst Ihre Daten verloren gehen können.
control key (= ctrl)	Steuerungstaste (= Strg)
On our new keyboards, the control key is the 'Strg'.	Auf unseren neuen Tastaturen heißt die Steuerungstaste „Strg".
delete (= del) / erase	entfernen (= Entf) / löschen

escape key (= esc) [ɪ'skeɪp]
You may delete your order anytime by
  pressing the 'escape' key.

Press 'Escape' to end this
  demonstration.
escape / abort

Escapetaste (= Esc)
Sie können Ihre Bestellung jederzeit
  löschen, indem Sie die Escapetaste drücken.
Um die Demonstration zu beenden,
  drücken Sie bitte auf „Escape".
abbrechen

"at" sign (= @) ['æt ˌsaɪn]

„Klammeraffe"

emoticons [ɪ'məʊtɪkənz]

„Emoticons" (Zeichenkombinatio-
  nen, die Gefühle ausdrücken –
  hauptsächlich in E-Mails
  verwendet)

caps (= capital letters) [kæps]
Don't use caps in the email address,
  except for the first lettters in the
  name.
caps lock key

Großbuchstaben
Benutzen Sie keine Großbuchstaben
  in der E-Mail-Adresse, außer für die
  ersten Buchstaben des Namens.
Feststelltaste für Umschalttaste

slash [slæʃ]
backslash

Schrägstrich
negativer Schrägstrich

insert [ɪn'sɜːt]
How do I insert this address into the
  list?

einsetzen, einfügen
Wie füge ich diese Adresse in die
  Liste ein?

entry ['entri]
enter sth
To subscribe, enter your name and
  email address.

Eingabe
etw eingeben (eintippen)
Bitte geben Sie Ihren Namen und
  Ihre E-Mail-Adresse ein, um ein
  Abonement anzufordern.

undo [ʌn'duː]
To undo the installation, press F1.

rückgängig machen
Um die Installation rückgängig zu
  machen, drücken Sie F1.

edit ['edɪt]
You may edit the catalogue text on
  (the) screen.

bearbeiten
Sie können den Katalogtext am Bildschirm bearbeiten.

page up [ˌpeɪdʒ 'ʌp] / down [daʊn]
page break

Bild nach oben / unten
Seitenumbruch

scroll up [ˌskrəʊl ˈʌp] / down [daʊn]
Let's scroll up the text and see if we
find those missing paragraphs.

vor- / zurückrollen
Lassen Sie uns den Text zurückrollen
und sehen, ob wir die fehlenden
Absätze finden.

space [speɪs]
space bar
single spacing
double spacing

Leerzeichen
Leertaste
einzeiliger Abstand
zweizeiliger Abstand

justify [ˈdʒʌstɪfaɪ]
left-justified
right-justified
unjustified
center [ˈsentə]

ausrichten
linksbündig
rechtsbündig
im Flattersatz
zentrieren

margin [ˈmɑːdʒɪn]
column [ˈkɒləm]

Rand
Spalte

tab [tæb]
Press the tab twice after each figure.

Tabulator
Drücken Sie den Tabulator zweimal
nach jeder Zahl.

tab stop

Tabulatorstopp

blank [blæŋk]
go blank (screen)

Leerzeichen, leer
das Bild verschwindet (Bildschirm)

lock [lɒk]
Lock the diskette box immediately
after taking out your floppy disk!

sichern, schließen
Sichern Sie die Diskettenbox sofort
nach Entnahme Ihrer Floppy-Diskette!

skim [skɪm]
My program has skimmed the report.

überfliegen
Mein Programm hat den Bericht
überflogen.

store [stɔː] / **save**
At the end of the workday, we store
all data on two backup copies.

speichern
Nach Arbeitsschluss speichern wir
alle Daten auf zwei Sicherheits-
kopien.

read [riːd]
read only

lesen, einlesen
schreibgeschützt

write [raɪt]
write-protected
overwrite

schreiben
schreibgeschützt
überschreiben

type [taɪp]

tippen

icon ['aɪkɒn]
To call up the spreadsheet, I have to click on this funny icon here.

Bildsymbol
Um die Tabellenkalkulation aufzu-rufen, muss ich auf dieses komische Symbol klicken.

cursor ['kɜːsə]
Move the cursor to the person you wish to speak to and klick on the corresponding icon.

Cursor
Bewegen Sie den Cursor auf die Person, die Sie ansprechen möchten, und klicken Sie auf das zugehörige Symbol.

pointer ['pɔɪntə]

Mauszeiger

copy ['kɒpi]
Have you (already) copied the agenda?
pirate copy

Kopie / kopieren
Haben Sie die Tagesordnung schon kopiert?
Raubkopie

clipboard ['klɪpbɔːd]

Zwischenablage

cut [kʌt]
Don't forget to cut out the old zip code.
cut and paste
Why don't we cut and paste the mixed-up names in these invoices?

ausschneiden
Vergessen Sie nicht, die alte Postleit-zahl auszuschneiden.
ausschneiden und einsetzen
Lassen Sie uns die falsch angeord-neten Namen in diesen Rechnun-gen ausschneiden und richtig einsetzen.

drag and drop [ˌdræg ən 'drɒp]

Draw the cursor to the item on the list you wish to purchase, then drag and drop it into your shopping basket.

„ziehen und fallen lassen" (mit der Maus)
Ziehen Sie den Cursor auf den Artikel auf der Liste, den Sie kaufen möch-ten, dann ziehen sie ihn in Ihren Einkaufskorb und lassen ihn hinein-fallen.

search and replace [ˌsɜːtʃ ən rɪ'pleɪs]   suchen und ersetzen

bold [bəʊld]
boldface
Can we use boldface for the labelling?

fett
Fettdruck
Können wir die Aufkleber in Fett-druck haben?

italics [ɪ'tælɪks]
I usually type the country of origin in italics.

kursiv
Ich tippe das Ursprungsland norma-lerweise kursiv.

highlight ['haɪlaɪt]
Let's highlight the company name in our logo.

farblich hervorheben
Lassen Sie uns den Firmennamen in unserem Logo farblich hervorheben.

table ['teɪbl]
Would you arrange the export checklist in a table?

Tabelle
Würden Sie die Export-Checkliste in einer Tabelle anordnen?

underline [ˌʌndə'laɪn]
Don't forget to underline the total.

unterstreichen
Vergessen Sie nicht, die Gesamtsumme zu unterstreichen.

frame [freɪm]
Can we frame the special offers?

einrahmen / Rahmen
Können wir die Sonderangebote einrahmen?

font [fɒnt]

Schriftart

character ['kærəktə]
character set
character size
character spacing
characters per line

Zeichen, Buchstabe
Zeichensatz
Zeichenbreite / -größe
Zeichenabstand
Zeichen pro Zeile

upper ['ʌpə] / **lower case** ['ləʊə ˌkeɪs]
in upper case
upper-case letter
in lower case
lower-case letter
be case-sensitive ['keɪs ˌsensɪtɪv]

groß-/ kleingeschrieben
in Großbuchstaben
Großbuchstabe
in Kleinbuchstaben
Kleinbuchstabe
Groß- und Kleinschreibung unterscheiden

FAQs

What is a QWERTY keyboard?

It refers to the keyboard layout used in English-speaking countries (including the UK and the US). The word QWERTY contains the first six letters on the keyboard. This layout differs from the German standard, which is QWERTZ.

Internet / Intranet
Internet / Intranet

→ 15.2 Software / Software
→ 15.3 Mouseclicks & Keyboard / Mausklicks & Tastatur

As in so many other areas, the Internet allows the democratisation of goods and information. (Ward Hanson, Stanford University Business School professor and author of *Principles of Internet Marketing*)

Net, the / **Internet**, the | das Internet
[net/'ɪntənet]

 Die Bezeichnungen the Net *und* the Internet *sind austauschbar.*

You can order goods via the Net / the Internet or by phone.	Sie können Waren über das Internet oder telefonisch bestellen.
access to the Net	Zugang zum Internet
internet connection	Internet-Anschluss

Intranet ['ɪntrənet] | Intranet

Info-Box

Innerhalb einer Firma wird die Technologie des Internets oft als Intranet *eingesetzt. Dabei können die verbundenen Rechner auch auf beliebige Standorte (= locations) verteilt sein. Das* Intranet *gewährleistet Sicherheit im firmeneigenen System, da sich niemand von außerhalb in das nach außen abgeschottete Netz einschleusen kann.*
Viele Unternehmen implementieren ein Extranet, *um Kunden, Lieferanten, Händler und Partner in ihr firmeninternes Netz zu integrieren. Das* Extranet *ist ebenfalls ein auf der Internet-Technologie basierendes, in sich geschlossenes Netz (= closed network), in dem die Nutzung nur den angebundenen Organisationen möglich ist. Diese können über einen Internet Browser auf interne Datenbanken der angebundenen Organisationen zugreifen, mit diesen über E-Mail kommunizieren, oder Daten austauschen (z.B. Bestellungen aufgeben oder bestätigen). Ein großes Extranet oder ein Verbund von Extranets, das branchenspezifische Online-Dienste anbietet, wird auch als* Virtual Private Network *bezeichnet.*

---

location [ləʊ'keɪʃn]	Standort
bricks-and-mortar company	Firma, die nicht nur im Internet
[ˌbrɪks ən 'mɔːtə ˌkʌmpəni]	repräsentiert ist

netiquette ['netɪket]   Netikette, Konventionen, die das
Verhalten im Netz regeln

Info-Box

Netiquette – Der Knigge im Cyberspace

*Die folgenden Verhaltensregeln für das Internet wurden von den ersten
Internet-Nutzern entwickelt. Dieser Cyberspace-Knigge, heute als
„Netiquette" bezeichnet, hilft Ihnen, höflich und fair an der elektronischen
Kommunikation teilzunehmen.*

– Das Recht auf freie Meinungsäußerung ist zu respektieren.
*– Private Mitteilungen sind auch im Cyberspace vertraulich zu behandeln.
Veröffentlichen Sie niemals private Informationen ohne Erlaubnis des
Urhebers – weder über Adressenlisten noch in Chat- oder Newsgroups.*
*– Verschicken Sie keine unnötigen Mitteilungen, insbesondere keine Wer-
bung. Dies ist ein grober Verstoß der Netiquette.*
*– Beantworten Sie E-Mails direkt über die Antwort-Funktion oder beziehen
Sie sich bei Antworten auf den Text der E-Mail – am besten mit aus dem
Original zitierten bzw. kopierten Textabschnitten.*
*– Es gilt als ausgesprochen unfein, die Orthografie anderer Teilnehmer zu
korrigieren oder deren Ausdrucksvermögen zu kritisieren.*
– In der Kürze liegt die Würze: Formulieren Sie kurz und prägnant.
*– Das Verfassen von Texten oder Textabschnitten in Großbuchstaben ist
unnötig und wird als „Schreien" aufgefasst – wenn Sie etwas Wichtiges
mitzuteilen haben, wird man Ihnen auch zuhören, OHNE DASS SIE
SCHREIEN.*
*– Schlechtes Benehmen wie Anpöbeln oder das Verbreiten von Anzüglich-
keiten sind selbstverständlich ebenfalls geächtet.*
*– Das Überfordern einer Mailbox durch Massensendungen ist nicht nur ein
Fauxpas, sondern wird auch strafrechtlich verfolgt.*

dial in [ˌdaɪəl 'ɪn]   sich einwählen
When we're at our Hamburg office,   Wenn wir in unserem Hamburger
we dial in to / with our local server.   Büro sind, wählen wir uns in
unseren Server vor Ort ein.

terminal ['tɜ:mɪnl]   Terminal (Computer, der mit einem
Server verbunden ist. Als „End-
gerät" kann dort auf hochwertige
Programme und Daten zurückge-
griffen werden)

URL (= Unique Resource Location)   URL (Adresse einer WWW-Seite, die
[ˌju: ɑ: 'el]   weltweit nur einmal vorkommt)

workstation [ˈwɜːksteɪʃn]

Workstation (leistungsstarker Computer, der von mehreren Terminals als Server verwendet werden kann)

log on [ˌlɒg ˈɒn]
After you've logged on, the program prompts you to enter your password.

sich anmelden / Anmeldung
Nach dem Anmelden verlangt das Programm die Eingabe Ihres Passwortes.

log off
Your colleague cannot log on before you have logged off.

sich abmelden / Abmeldung
Ihr Kollege kann sich nicht anmelden, bevor Sie sich abgemeldet haben.

log into a system
You can log into us directly from anywhere in the world.

sich in ein System einloggen
Sie können sich von jedem Ort der Welt direkt bei uns einloggen.

chat [tʃæt]

Chat („Unterhaltung", die über Tastatur und Bildschirm geführt wird)

chatting

Chatten (Online-Unterhaltung zwischen mindestens 2 Benutzern)

chat group

Chat-Gruppe (Gruppe von Chat-Teilnehmern)

There's a new chat group on the service of South American hotels.

Es gibt eine neue Chat-Gruppe über den Service in südamerikanischen Hotels.

animation [ˌænɪˈmeɪʃn]
Do you use animation on your website?

Animation
Benutzen Sie Animationen auf Ihrer Webseite?

discussion group [dɪˈskʌʃn ˌgruːp]
I've joined a discussion group on phone tariffs.

Diskussionsgruppe
Ich bin einer Diskussionsgruppe über Telefontarife beigetreten.

real time [ˈriːl ˌtaɪm]
real-time processing

Echtzeit
Echtzeitverarbeitung

code [kəʊd]	kodieren, verschlüsseln / Kode
encode	verschlüsseln
decode	entschlüsseln
bar code	Strichkode
bar code scanner	Strichkodescanner
coding program	Verschlüsselungsprogramm

account [ə'kaʊnt] / **computer account** [kəm,pju:tə ə'kaʊnt]

Account (Die Berechtigung, sich in einen Computer per Datenleitung einzuwählen und etwas zu schreiben, z.B. eigene WWW-Seiten.)

mailing list ['meɪlɪŋ ,lɪst] / **address list** [ə'dres ,lɪst]

Adressenliste

It seems the entries in our address list have tripled over the last month.

Scheinbar haben sich die Einträge in unserer Adressenliste im letzten Monat verdreifacht.

cyberspace ['saɪbəspeɪs]

Cyberspace

My office is in cyberspace.

Mein Büro befindet sich im Cyberspace.

virtual reality [,vɜ:tʃuəl ri'æləti]

virtuelle Realität

We use virtual reality for our simulations.

Wir benutzen die virtuelle Realität für unsere Simulationen.

ISDN (= Integrated Services Digital Network) [,aɪ es di: 'en]

ISDN (ermöglicht wesentlich schnellere Datenübertragung als herkömmliche Modems)

download ['daʊnləʊd]	herunterladen
download a patch	eine Korrekturroutine herunterladen

It took only 20 seconds to download the patch.

Es dauerte nur 20 Sekunden, den Patch (= Korrekturroutine) herunterzuladen.

download a file	eine Datei herunterladen
download data / a program	Daten / ein Programm herunterladen
download software	Software herunterladen
download from an FTP server / from the Net	von einem FTP-Server / aus dem Internet herunterladen

You can download the list of participants from our FTP server.

Sie können die Teilnehmerliste von unserem FTP-Server herunterladen.

download, a	eine heruntergeladene Datei
downloading of digital data	Abruf / Herunterladen von digitalen Daten
downloading	Herunterladen von Software

network ['netwɜːk] — Netz, Netzwerk

We make information available quickly through electronic networks. — Wir machen Informationen über elektronische Netzwerke schnell verfügbar.

network failure — Netzpanne

Due to a network failure, they couldn't access our terminals all weekend. — Auf Grund einer Netzpanne konnten sie das ganze Wochende über nicht auf unsere Terminals zugreifen.

network community — Netzgemeinde

closed network — geschlossenes Netz

network card — Netzwerkkarte

network driver — Netzwerktreiber

networking — Rechnerverbund

nui (= network user identity) — NUI (Benutzeridentifikation im Netzwerk)

I still haven't memorized my nui. — Ich habe mir meine NUI immer noch nicht gemerkt.

local area network (= LAN) — LAN, lokales Netz

host [həʊst] — Host, zentraler Rechner

line [laɪn] — Verbindung

on-line — online

be on-line / connected to the network — online sein

Our system has to be on-line 24 hours, in order to deal with customer requests. — Unser System muss 24 Stunden online sein, um Kundenanfragen zu bearbeiten.

off-line — offline, nicht verbunden

be off-line — offline sein

on-line newsletter — Online-Rundschreiben, Mitteilungsblatt

If you wish to subscribe to our on-line company newsletter, click the box below. — Wenn Sie unser Online-Rundschreiben erhalten möchten, so klicken Sie bitte auf das Kästchen unten.

server ['sɜːvə] — Server (Computer oder Computersystem, auf dem Daten und Programme gespeichert sind, die von Benutzern vernetzter Computer abgerufen werden können)

Our server kicked us out in the middle of the video conference. — Unser Server warf uns mitten in der Videokonferenz heraus.

webserver — Webserver (Rechner, der Dateien verwaltet und sie den Netzbenutzern zur Verfügung stellt) mail server

Mail-Server (ein zentraler Computer, der den E-Mail-Verkehr verwaltet, indem er ausgehende E-Mails weiterleitet und eingegangene so lange in den jeweiligen Mailboxen der Empfänger speichert, bis diese ihre Mailbox leeren, d.h., die gespeicherten Inhalte über eine Internetleitung auf ihre Rechner herunterladen.)

provider [prə'vaɪdə]
Our previous provider was not reliable.
Internet Service Provider (= ISP)

Provider
Unser früherer Provider war nicht zuverlässig.
Netzprovider, Internet-Provider

carbon copy (= CC) [ˌkɑːbn 'kɒpi]

Kopie einer elektronischen Nachricht

Info-Box

Carbon Copy *ist die englische Bezeichnung für einen Durchschlag per Kohlepapier, also eine altmodische Form der Kopieanfertigung. Beim Verschicken einer E-Mail erhalten alle unter CC aufgelisteten Empfänger eine Kopie dieser E-Mail. Um zu vermeiden, dass die einzelnen Empfänger wissen, wer diese Mail sonst noch erhalten hat, oder um ihnen eine endlos lange Adressenliste zu ersparen, wählt man die BCC-Form (BCC steht für* blind carbon copy).

attachment [ə'tætʃmənt]

Attachment, Anlage (an E-Mails angehängte Dateien)

computer virus [kəmˌpjuːtə 'vaɪrəs]
anti-virus program
against viruses

Computervirus
Anti-Viren-Programm
gegen Viren

firewall ['faɪəwɔːl]

Schutzsystem für Computer, das unbefugten Zugang abschottet

source [sɔːs]
source code
source document

Quelle
Quellcode
Originaldokument

WWW (= WorldWideWeb)
['dʌblju: 'dʌblju: 'dʌblju:]
be represented on the Internet / on the WWW

WWW

im Internet / WWW vertreten sein

browse [braʊz] „blättern", sich von Seite zu Seite durch das WWW bewegen

browser Browser (Programm, mit dem man im WWW „blättern" kann)

Which browser do you prefer – Welchen Browser bevorzugen Sie: Netscape or Microsoft Explorer? Netscape oder den Microsoft Explorer?

surf [sɜːf] surfen (sich mit der Leichtigkeit eines Wellenreiters im WWW bewegen können)

surf the Net durch das Internet surfen

surfer jmd, der im WWW surft

HTML (=**H**yper**t**ext **M**arkup **L**anguage) HTML (Skriptsprache, mit der Web-
[ˌeɪtʃ tiː em 'el] seiten erstellt werden)

newbie ['njuːbi] Newbie (Neuling im WWW – jeder neue Internet-Benutzer)

homepage ['həʊmpeɪdʒ] Homepage
We're considering setting up a Wir erwägen, eine Homepage im
homepage in the WorldWideWeb. WorldWideWeb einzurichten.

web-enabled [ˌweb ɪ'neɪbld] Internet-tauglich

hyperlink ['haɪpəlɪŋk] Hyperlink (anklickbarer Verweis auf ein anderes Dokument)

We've set up a hyperlink to your Wir haben einen Hyperlink zur Web-
company's website. seite Ihrer Firma gelegt.

hypertext ['haɪpətekst] Hypertext (elektronische Dokumente, die Hyperlinks zu anderen Dokumenten enthalten)

I prefer to edit the hypertext version Ich ziehe es vor, die Hypertext-
of the conference report. Version unseres Konferenzberichts
zu bearbeiten.

hypermedia ['haɪpəmiːdɪə] Hypermedia (elektronische Medien, die Hyperlinks enthalten)

Our monthly newsletter will also Unser monatliches Rundschreiben
appear as a hypermedia version wird auch als Hypermedia-Version
on our website. auf unserer Webseite erscheinen.

digital brochure [ˌdɪdʒɪtl 'brəʊʃə] digitale Broschüre

e-business ['iː ˌbɪznɪs] E-Business
e-commerce (= electronic commerce) E-Commerce, Internethandel

e-tailing (= electronic retailing)	elektronischer Einzelhandel
electronic currency	elektronische Währung
cybermoney	Cybergeld

Info-Box

Das WorldWideWeb, auch W3 oder einfach Web genannt, ist ein Teil des Internets. Durch die Einführung des Hypertexts wurde das WWW sehr benutzerfreundlich und so für ein breiteres Publikum attraktiv. Über das WWW können Multimedia-Daten (Ton, Bild, Sprache) schnell und preiswert abgerufen und verschickt werden.

subscribe [səbˈskraɪb]	abonnieren
subscription	Abonnement
subscribe to updates	Updates abbonieren
shareware [ˈʃeəweə]	Shareware (Probeversionen oder Ansichtsexemplare einer Software. Sie ist kostenlos oder mit einer Shareware-Gebühr bzw. freiwilligen Zahlung an den Autor erhältlich.)
shareware version	Shareware-Version (eines Programms)
public domain [ˌpʌblɪk dəˈmeɪn]	Public Domain (ein allgemein zugänglicher „Raum", in dem man sich kostenlos bewegen kann und dessen Produkte kostenlos benutzt oder heruntergeladen werden können)
public domain software	frei verfügbare Software
spam [spæm]	Werbemüll im Internet
spamming	Spamming, Verbreiten von Werbemüll im Internet
spam mail	über E-Mails verbreiteter Werbemüll im Internet
dictionary [ˈdɪkʃnri]	Wörterbuch
encyclopaedia [ˌensaɪkləˈpiːdɪə]	Enzyklopädie
reference work [ˈrefrəns wɜːk]	Nachschlagewerk
table of contents [ˌteɪbl əv ˈkɒntənts]	Inhaltsverzeichnis

FAQs

How can my company use the Internet to get customers?

The key to success (= *der Schlüssel zum Erfolg*) in Internet business is to focus on the customers' needs (= *Bedarf*) – not to promote your company (= *für die eigene Firma werben*). When consumers browse, they don't want their attention (= *Aufmerksamkeit*) to be attracted – they want attention to be given to them. They don't want to know the company results (= *Geschäftsergebnisse*) – they want to know what it can offer them. What is most interesting to a customer is the customer's business, not your business.

Allow customers to meet and discuss products on a website. This establishes confidence (= *Vertrauen*) and offers a better simulation of 'real' shopping experience. If you want to create a retail site, there should be other people there. It should be exciting.

What's the meaning of 'busy-wait'?

It refers to an individual who is waiting for (= *wartet auf*) something or someone, but cannot do anything else while waiting – because he or she is going to move as soon as that person comes, or the phone rings, or whatever he or she expects to happen. Such busy-waiting individuals may be waiting to log into a computer system, but can't do so before someone else has logged off. They may tell you: 'I can't talk to you now, I'm busy-waiting till my secretary logs off.'

Travelling
Reisen

Arrangements
Vorbereitungen

→ 4.3 Meeting Customers / Kunden treffen

The journey is the reward. (Taoist saying)

make arrangements [ə'reɪndʒmənts]	organisieren, Vorkehrungen treffen, (etw) veranlassen
fixed arrangement	feststehende Vereinbarung
connection [kə'nekʃn]	Verbindung
connect with	Anschluss haben an
direction [daɪ'rekʃn]	Richtung
east [iːst]	Osten, Ost-
eastern	östlich, Ost-
west [west]	Westen, West-
western	westlich, West-
north [nɔːθ]	Norden, Nord-
northern	nördlich, Nord-
south [saʊθ]	Süden, Süd-
southern	südlich, Süd-
south-east / north-west, etc	Südost- / Nordwest- usw.
northbound / in a northerly direction	in nördlicher Richtung
book a flight [ˌbʊk ə 'flaɪt]	einen Flug buchen
booking	Buchung
confirm a booking	eine Buchung bestätigen
business class ['bɪznɪs ˌklɑːs] / **economy class** [ɪ'kɒnəmi ˌklɑːs] / **first class** ['fɜːst ˌklɑːs]	Businessklasse / Touristenklasse / erste Klasse
business trip	Geschäftsreise
on business	geschäftlich
I'm travelling on business.	Ich reise geschäftlich.
reserve a seat [rɪˌzɜːv ə 'siːt]	einen Platz reservieren
reservation	Buchung, Reservierung
I made a reservation by phone.	Ich habe telefonisch reserviert.
travel agency ['trævl ˌeɪdʒənsi]	Reisebüro
deposit [dɪ'pɒzɪt]	Anzahlung
return ticket (AE: round-trip ticket) [rɪ'tɜːn ˌtɪkɪt]	Rückfahrkarte
return journey (AE: round trip)	Hin- und Rückfahrt
single ticket (AE: one-way ticket) ['sɪŋgl ˌtɪkɪt]	Einzelfahrschein
there and back [ˌðeər n 'bæk]	hin und zurück
destination [ˌdestɪ'neɪʃn]	Reiseziel

timetable ['taɪmteɪbl] / **schedule** ['ʃedjuːl]	Zeit- / Stunden- / Termin- / Fahrplan
according to the timetable	nach dem Fahrplan
flight schedule	Flugplan
itinerary [aɪ'tɪnərəri]	Reiseroute / -plan
draw up an itinerary	einen Reiseplan aufstellen
local time (= lt) [ˌləʊkl 'taɪm]	Ortszeit
arrival [ə'raɪvl]	Ankunft
departure [dɪ'pɑːtʃə]	Abfahrt / Abflug
scheduled time of arrival (= STA) ['ʃedjuːld taɪm]	planmäßige Ankunftszeit
scheduled time of departure (= STD)	planmäßige Abflugszeit
estimated time of arrival (= ETA) ['estɪmeɪtɪd taɪm]	voraussichtliche Ankunftszeit
estimated time of departure (= ETD)	voraussichtliche Abfahrts- /Abflugs-zeit
actual time of arrival (= ATA) ['æktʃʊəl taɪm]	tatsächliche Ankunftszeit
peak times	Hauptverkehrszeit
24-hour clock [ˌtwentɪfɔː ˌaʊə 'klɒk]	24-Stunden-Uhr
visa ['viːzə]	Visum
apply for / issue a visa	ein Visum beantragen / ausstellen
You should apply for the visa at least six weeks ahead.	Sie sollten das Visum mindestens sechs Wochen im Voraus bean-tragen.
application for a visa	Antrag auf ein Visum
entry visa	Einreisevisum
abroad [ə'brɔːd] / **overseas** [ˌəʊvə'siːz]	im / ins Ausland
consulate ['kɒnsjʊlət] / **embassy** ['embəsi]	Konsulat / Botschaft
passport ['pɑːspɔːt]	Reisepass
valid ['vælɪd] / **invalid** [ɪn'vælɪd]	gültig / ungültig
period of validity	Gültigkeitsdauer
vaccination [ˌvæksɪ'neɪʃn]	Schutzimpfung
certificate of vaccination	Impfzeugnis
traveller's cheque (AE: traveler's check) [ˌtrævələz 'tʃek]	Reisescheck
travel allowance ['trævl əˌlaʊəns]	Reisekostenvergütung
customs and habits [ˌkʌstəmz ənd 'hæbɪts]	Sitten und Gebräuche
meal [miːl]	Mahlzeit
guided tour [ˌgaɪdɪd 'tʊə]	Führung
map	Stadtplan
Tourist Information [ˌtʊərɪst ɪnfə'meɪʃn]	Fremdenverkehrsamt

FAQs

How far is the airport from the city centre, and how can I get there?

Here is some information about selected European airports outside Germany. From all of them, you can reach the city centre by taxi, by rented car or by the public transport shown.

Aberdeen: 7 miles N.W. of the city centre off the A96. Regular buses to the city centre.

Amsterdam: Schiphol, 9 miles S.W.of the city. Regular trains to the city centre.

Belfast International: 19 miles N. of the city. Regular trains to the city centre.

Birmingham: 8 miles from the city centre. Regular buses to the centre.

Brussels: Zaventem, 8 miles N.E. of the city. Regular trains to the city centre.

Copenhagen: 15 minutes by road from downtown Copenhagen. Regular buses to the centre.

Florence (= Firenze): Florence-Peretola, 2-3 miles from the city. Buses to the centre.

Glasgow: 20 minutes by road to the city. Regular buses to the centre.

London City: 6 miles E. of the financial centre. Regular shuttlebus to Liverpool Street & Canary Wharf.

London Gatwick: 30 miles S. of the city. Regular trains to Victoria.

London Heathrow: 15 miles W. of the city. Regular buses & Piccadilly Line Underground trains to the centre.

London Stansted: 34 miles N.E. of the city. Regular trains to Liverpool Street.

Manchester: 9 miles S. of the city. Regular trains & buses to the city.

Milan: Linate, 5 miles E. of the city. Regular buses (marked STAM-Linate) to Milan central railway station.

Paris (Charles de Gaulle): 19 miles N.E. of the city. Regular trains & buses to the centre.

Rotterdam: 6 miles N.E. of the town. Regular buses to the centre.

Zürich: Zürich-Kloten, 7 miles N. of the city. Regular trains to the centre.

Airport & Flight
Flughafen & Flug

→ 16.1 Arrangements / Vorbereitungen

In the space age, man will be able to go around the world in two hours – one hour for flying and the other to get to the airport. (Neil McElroy, American businessman and public official, born 1904)

airline ['eəlaɪn]	Fluglinie
airport ['eəpɔːt]	Flughafen
airport tax	Flughafengebühr
arrivals [ə'raɪvlz] / **departure lounge** [dɪ'pɑːtʃə ˌlaʊndʒ]	Ankunfts- / Abflughalle
transit lounge	Wartehalle / -saal
terminal ['tɜːmɪnl]	Abfertigungsgebäude am Flughafen
check in [ˌtʃek 'ɪn]	sich anmelden, einchecken
check-in counter	Abfertigungsschalter
boarding pass ['bɔːdɪŋ ˌpɑːs] / **card** ['bɔːdɪŋ ˌkɑːd]	Bordkarte
landing card	Einreisekarte
baggage ['bægɪdʒ] / **luggage** ['lʌgɪdʒ]	Gepäck
baggage claim	Gepäckausgabe
baggage tracing	Gepäckermittlung
baggage insurance	Gepäckversicherung
luggage trolley (AE: baggage cart)	Kofferkuli / Gepäckwagen
hand luggage	Handgepäck
excess baggage	Übergewicht
luggage area	Kofferraum
briefcase ['briːfkeɪs]	Aktentasche
flight [flaɪt]	Flug
scheduled flight	planmäßiger Flug / Linienflug
connecting flight	Anschlussflug
flight attendant	Flugbegleiter(-in)
inland flight / domestic flight	Inlandflug
international flight	internationaler Flug
direct flight	Direktflug
nonstop flight	Non-Stop-Flug
intermediate stop [ɪntəˌmiːdɪət 'stɒp]	Zwischenstop / -landung
touch down	zwischenlanden
reroute [ˌriː'ruːt]	umleiten
desk [desk]	Schalter
emergency exit [ɪˌmɜːdʒənsi 'eksɪt]	Notausgang

gate [geɪt]	Flugsteig
last call [ˌlɑːst ˈkɔːl]	letzter Aufruf
air traffic control [ˌeətræfɪk kənˈtrəʊl]	Flugsicherung
take-off [ˈteɪkɒf]	Abflug
nothing to declare [dɪˈkleə]	nichts zu verzollen
toilets [ˈtɔɪləts]	Toiletten

Info-Box

Typische Ankündigungen und Fragen in Flughafensituationen

Attention, please!	Achtung bitte!
All BA112 passengers continuing their flight to Miami are requested to proceed immediately to Gate 15.	Alle Transitpassagiere der BA112 nach Miami werden gebeten, sich sofort zum Flugsteig 15 zu begeben.
Last call for BA Flight 112 from London to Miami Gate 15.	Letzter Aufruf für Flug BA112 von London nach Miami Flugsteig 15.
Do you have any hand luggage?	Haben Sie Handgepäck?
The flight has been delayed.	Der Flug wurde verschoben.
We're running 45 minutes late.	Wir haben eine Verspätung von 45 Minuten.
Check-in is one hour before take-off.	Sie können eine Stunde vor dem Abflug einchecken.
The flight has been cancelled.	Der Flug wurde gestrichen / ist ausgefallen.
Fasten your seatbelts, please.	Bitte anschnallen.

FAQs

What's the difference between a direct flight and a nonstop flight?

With both flights, you reach your destination without changing planes (= *ohne umzusteigen*). But only with a nonstop flight can you assume (= *annehmen*) that there will be no intermediate stop.

Train & Taxi
Zug & Taxi

→ 16.1 Arrangements / Vorbereitungen

This is the age of the train. (British Rail advertising slogan, late 20th century)

railway (AE: railroad) ['reɪlweɪ]	Eisenbahn
Underground (*in London auch* the Tube *genannt*) (AE: subway) ['ʌndəgraʊnd]	U-Bahn
front [frʌnt] / **rear coaches** [ˌrɪə 'kəʊtʃɪz]	vordere / hintere Wagen
restaurant car ['restrɒnt ˌkɑː]	Speisewagen
smoker ['sməʊkə] / **non-smoker** [ˌnɒn'sməʊkə]	Raucher / Nichtraucher
fare [feə]	Fahrpreis
supplement ['sʌplmənt]	Zuschlag
pay a supplement	einen Zuschlag bezahlen
catch a train [ˌkætʃ ə 'treɪn]	einen Zug nehmen
miss a train	einen Zug verpassen
express train	Schnellzug
high-speed train	Hochgeschwindigkeitszug
through train	durchgehender Zug
to the trains	zu den Zügen
station ['steɪʃn]	Bahnhof
mainline station	Fernbahnhof
call at a station	an einem Bahnhof halten
platform (AE: track) ['plætfɔːm]	Bahnsteig / Gleis
automatic ticket machine [ɔːtəˌmætɪk 'tɪkɪt məˌʃiːn]	Fahrkartenautomat
porter ['pɔːtə]	Gepäckträger
Ladies ['leɪdiz] / **Gentlemen** ['dʒentlmən]	Damen / Herren
waiting room ['weɪtɪŋ ruːm]	Wartesaal
left luggage locker [ˌleft 'lʌgɪdʒ ˌlɒkə] / **left luggage office** [ˌleft 'lʌgɪdʒ ˌɒfɪs]	Gepäckaufbewahrung
lost property office (AE: lost-and-found)	Fundbüro

time of arrival [ˌtaɪm əv əˈraɪvl] /   Ankunfts- / Abfahrtszeit
  time of departure [ˌtaɪm əv
  dɪˈpɑːtʃə]
public transport [ˌpʌblɪk ˈtrænspɔːt]   öffentlicher Verkehr
vacant [ˈveɪkənt]   frei
Excuse me, is this seat vacant?   Entschuldigen Sie, ist dieser Platz
       noch frei?

occupied [ˈɒkjəpaɪd] / **taken** [ˈteɪkn]   besetzt
No, I'm afraid it's taken.   Nein, leider ist er besetzt.

taxi (AE: cab) [ˈtæksi]   Taxi
taxi rank   Taxistand
tip [tɪp]   Trinkgeld
tip the driver   dem Fahrer ein Trinkgeld geben
For Hire [fə ˈhaɪə]   zu vermieten
free / vacant   frei

Info-Box

Typische Ankündigungen und Fragen in Zugsituationen

Single or return?	Einfache Fahrt oder Rückfahrt?
First or second class?	Erster oder zweiter Klasse?
Tickets, please!	Die Fahrkarten bitte!
The train leaves from platform 3.	Der Zug fährt von Bahnsteig 3 ab.
This train goes via Waterloo / terminates here.	Der Zug fährt über Waterloo / endet hier.
The train for Liverpool Street is running late.	Der Zug nach Liverpool Street hat Verspätung.
Change here for Cambridge.	Reisende nach Cambridge steigen hier um.
Change at Ipswich.	In Ipswich umsteigen.
You have to change at Ely.	Sie müssen in Ely umsteigen.
The train now arriving at platform 1 is the 12.32 to Ipswich, calling at Stowmarket.	Der an Bahnsteig 1 einfahrende Zug fährt um 12.32 Uhr weiter über Stowmarket nach Ipswich.

FAQs

London has several mainline stations. How can I know which to use?

London's mainline stations connect with (= *verbinden*) different regions, as follows:

Victoria	to the South, eg Brighton
Liverpool Street	to East Anglia, eg Cambridge & Ipswich
Kings Cross	to the North, eg York
St Pancras	to the Midlands & Sheffield
Euston	to the Midlands & Aberdeen
Paddington	to the West, eg Bristol, Oxford; to South Wales, eg Cardiff
Charing Cross	to the South-East, eg Dover
Waterloo	to the South-West, eg Southampton

The London mainline stations are connected to each other by public transport – that is, by Underground and bus.

Hotel
Hotel

→ 16.1 Arrangements / Vorbereitungen

The great advantage of a hotel is that it's a refuge from home life. (G.B. Shaw, Irish playwright and commentator, 1856 – 1950)

accommodate [əˈkɒmədeɪt]	unterbringen
accommodation	Unterkunft
single [ˈsɪŋgl] / **double room** [ˌdʌbl ˈruːm]	Einzelzimmer / Doppelzimmer
reserve a room [rɪˌzɜːv ə ˈruːm] / **make a reservation** [ˌrezəˈveɪʃn]	ein Zimmer reservieren
Do you want me to make a reservation for you at the Bristol Hotel?	Soll ich für Sie im Bristol Hotel ein Zimmer reservieren lassen?
room service	Zimmerservice
bedroom / bathroom	Schlafzimmer / Bad
bath / shower	Bad / Dusche
included (in the bill) [ɪnˈkluːdɪd]	inbegriffen
Are tax and service included in the bill?	Sind Steuer und Bedienung inbegriffen?
check in [ˌtʃek ˈɪn] / **check out** [ˌtʃek ˈaʊt]	sich anmelden / abreisen
register [ˈredʒɪstə]	eintragen
reception [rɪˈsepʃn]	Rezeption
Please leave your key at reception.	Bitte geben Sie den Schlüssel an der Rezeption ab.
receptionist [rɪˈsepʃənɪst] / **reception desk** [rɪˌsepʃn ˈdesk]	Empfang
departure [dɪˈpɑːtʃə]	Abfahrt
Guests should vacate their rooms before 11.30am on the day of departure.	Die Gäste sollten ihre Zimmer am Abfahrtstag bis 11.30 Uhr verlassen.
lift (AE: elevator) [lɪft]	Aufzug
stay [steɪ]	Aufenthalt
menu [ˈmenjuː]	Speisekarte
breakfast [ˈbrekfəst]	Frühstück
working breakfast / lunch	Arbeitsfrühstück / -essen
brunch (= breakfast and lunch)	Frühstück und Mittagessen
bed & breakfast (= B&B)	Übernachtung mit Frühstück

en suite facilities [ˌɑːŋ ˈswiːt fəˌsɪlətiz]   Zimmer mit Bad / Dusche und WC

switch [swɪtʃ] / **socket** [ˈsɒkɪt] / **plug** [plʌg]   Schalter / Steckdose / Stecker

---

Info-Box

Deutsche Stecker (= plugs) passen nicht in englische Steckdosen. Daher empfiehlt sich das Einpacken eines Mehrfachadapters.
In englischen Hotels wird meist alternativ Continental breakfast *oder englisches Frühstück (=* English breakfast, *auch* cooked breakfast *genannt) angeboten. Das englische Frühstück besteht neben* Cereals *(z.B.* Cornflakes, Müsli) *vor allem aus Eiern (=* eggs) *mit Speck (=* bacon), *Wurst (=* sausages), *Pilzen (=* mushrooms) *oder gegrillten Tomaten (=* grilled tomatoes). *Man reicht dazu Toast, Butter und Orangenmarmelade (=* marmalade), *Orangensaft (=* orange juice), *sowie Kaffee oder Tee.*
Wenn Sie geeignete Räumlichkeiten für die Durchführung von geschäftlichen Besprechungen, Konferenzen oder Präsentationen suchen und auf Fax- und Internet-Verbindungen angewiesen sind, empfiehlt es sich, ein Hotel mit business centre *zu buchen.*

---

wake [weɪk]   wecken
wake-up call / alarm call   Weckruf
Could you wake me at seven, please?   Könnten Sie mich bitte um sieben wecken?

valuables [ˈvæljuəblz]   Wertsachen
suitcase [ˈsuːtkeɪs] / **case** [keɪs]   Koffer
message [ˈmesɪdʒ]   Nachricht
shuttle service [ˈʃʌtl ˌsɜːvɪs]   Pendelverkehr
parking facilities [ˈpɑːkɪŋ fəˌsɪlətiz]   Parkmöglichkeiten

FAQs

How do 1-, 2-, 3-, 4- and 5-crown hotels in Britain get their crowns?

Crowns (= *Kronen*) are awarded by the English Tourist Board (address, page 283). The number of crowns is based on these criteria: cleanliness (= *Sauberkeit*), service, bedrooms, bathrooms / showers, food quality, public areas (eg lifts, reception) and general requirements such as safety and security (= *Sicherheit*).

Car & Car Hire
Auto & Autovermietung

→ 16.1 Arrangements / Vorbereitungen

Everything in life is somewhere else and you get there in a car. (E.B. White, US humourist and essayist, born 1899)

hire a car [ˌhaɪər ə 'kɑː]	ein Auto mieten
car hire / car rental	Autovermietung
hire charge	Mietgebühr
mileage charge ['maɪlɪdʒ ˌtʃɑːdʒ]	Gebühr pro gefahrene Meile
unlimited mileage	ohne Meilenbegrenzung
car documents [kɑː 'dɒkjəmənts]	Fahrzeugpapiere
Please don't leave the documents inside the vehicle.	Bitte lassen Sie die Fahrzeugpapiere nicht im Wagen.
right-hand drive (car) [ˌraɪthænd'draɪv]	Rechtslenker
deposit [dɪ'pɒzɪt]	Kaution
vehicle ['viːɪkl]	Fahrzeug / Wagen
seat belt ['siːtbelt]	Sicherheitsgurt
straight ahead [ˌstreɪt ə'hed]	geradeaus
bear left [ˌbeə 'left]	links halten
short cut [ˌʃɔːt 'kʌt]	Abkürzung
priority [praɪ'ɒrəti]	Vorfahrt
overtake [ˌəʊvə'teɪk]	überholen
give way (to traffic) [ˌgɪv 'weɪ]	die Vorfahrt beachten
Highway Code, the [ˌhaɪweɪ 'kəʊd]	die Straßenverkehrsordnung (UK)
traffic ['træfɪk]	Verkehr
traffic lights	Verkehrsampel
pedestrian zone [pə'destrɪən 'zəʊn]	Fußgängerzone
built-up area [ˌbɪltʌp 'eərɪə]	geschlossene Ortschaft
roundabout (AE: traffic circle) ['raʊndəbaʊt]	Kreisverkehr
Give way to traffic on the roundabout.	Beachten Sie die Vorfahrt im Kreisverkehr.
crossroads (AE: intersection) ['krɒsrəʊdz]	Kreuzung
T-junction ['tiː ˌdʒʌŋkʃn]	T-Einmündung

solid ['sɒlɪd] / **double yellow line** [ˌdʌbl ˌjeləʊ 'laɪn] — durchgehender / doppelter gelber Streifen

exit ['eksɪt] — Ausfahrt

bend [bend] — Kurve

fill up [ˌfɪl 'ʌp] — volltanken

garage ['gærɪdʒ] / **petrol station** ['petrəl ˌsteɪʃn] / **filling station** (AE: gas station) ['fɪlɪŋ ˌsteɪʃn] — Tankstelle

petrol ['petrəl] / **fuel** (AE: gas or gasoline) ['fjuːəl] — Benzin

diesel ['diːzl] — Diesel

leaded ['ledɪd] / **unleaded** [ʌn'ledɪd] — verbleit / bleifrei

car park (AE: parking lot) ['kɑːpɑːk] — Parkplatz

no parking [ˌnəʊ 'pɑːkɪŋ] — Parken verboten

Unauthorized vehicles will be towed away at owner's expense. — Unberechtigt parkende Fahrzeuge werden kostenpflichtig abgeschleppt.

parking meter — Parkuhr

motorway (AE: freeway) ['məʊtəweɪ] — Autobahn

highway (AE) ['haɪweɪ] — Hauptverkehrsstraße (etwa: Bundesstraße, Autobahn)

major [ˌmeɪdʒə] / **minor road** [ˌmaɪnə 'rəʊd] — Fern- / Nebenstraße

accident ['æksɪdənt] — Unfall

have an accident — einen Unfall haben

I'd like to report an accident. — Ich möchte einen Unfall melden.

breakdown ['breɪkdaʊn] — Panne

break down — eine Panne haben

seek help [ˌsiːk 'help] — Hilfe suchen

passenger insurance [ˌpæsɪndʒə ɪn'ʃʊərəns] — Insassenversicherung

extra insurance — Zusatzversicherung

insurance documents — Versicherungspapiere

fully comprehensive insurance — Vollkaskoversicherung

Collision Damage Waiver — Verzicht seitens des Vermieters auf Schadenersatzansprüche bei Schäden am vermieteten Fahrzeug

exclusion of liability [ɪksˌkluːʒn əv laɪə'bɪləti] — Haftungsausschluss

driving licence (AE: driving license) ['draɪvɪŋ ˌlaɪsəns] — Führerschein

full driving licence — Führerschein Klasse III

This is an international driving licence. | Dies ist ein internationaler Führer-
schein.

ask for directions [daɪˈrekʃnz] | nach dem Weg fragen
Whereabouts is the main office? | Wo ungefähr ist / In welcher Gegend
ist die Geschäftsstelle?

be situated in [ˈsɪtjʊeɪtɪd] / **on** | liegen in / auf, gelegen sein in / auf
You can't miss it. | Sie können es nicht verfehlen.

miles per hour (= mph) [ˌmaɪlz | Meilen pro Stunde
pər ˈaʊə]
miles per gallon (= mpg) | Meilen pro Gallone

speed limit [ˈspiːd ˌlɪmɪt] | Geschwindigkeitsbegrenzung
reduce speed now | Geschwindigkeit jetzt reduzieren

FAQs

Do I have to study the Highway Code before I drive in the UK?

The Highway Code is the system of rules (=*Regelwerk*) which road users must follow in the UK. Drivers from Europe should study the important points which might differ from (= *sich unterscheiden von*) their home rules:

– Drive on the left!
– Traffic on a roundabout has priority over traffic approaching (= *sich nähern*) the roundabout.
– When driving, overtake on the right – not on the left.
– A solid yellow line on the roadside means "no parking". A double yellow line means "no stopping" (= *nicht anhalten*).
– Every front-seat occupant (= *Insasse, der vorn sitzt*) must wear a seat belt.

How can I convert (= umrechnen) miles to kilometers?

1 mile = *1,609 Kilometer*.
10 miles = about 16 kms; 20 miles = about 32 kms; 50 miles = about 129 kms; 100 miles = about 161 kms.

What are the speed limits in the UK?

30 mph (= 48 km/h) in built-up areas (= *Wohngebiete*); 60 mph (= 97 km/h) on major roads; 70 mph (= 113 km/h) on motorways.

Appendices
Anhänge

Orthography
Rechtschreibung

Using Capital Letters

Verwendung von Großbuchstaben

Großbuchstaben (= *Capital letters* oder *block capitals*) werden bei Namen historischer Ereignisse, offiziellen Titeln und allen solchen Wörtern (einschließlich Adjektiven) benutzt, die auf Namen von Orten, Personen oder Nationalitäten basieren.

The **S**econd **W**orld **W**ar	der Zweite Weltkrieg
the **G**erman **E**mbassy	die deutsche Botschaft
in **V**ictorian style	im viktorianischen Stil
the **C**hinese market	der chinesische Markt

British English / American English

Britisches Englisch / Amerikanisches Englisch

Spelling

Schreibweise

British		American	
-our	colour, flavour, neighbour	-or	color, flavor, neighbor
-re	centre, metre, litre, theatre	-er	center, meter, liter, theater
-ce	defence, offence, licence	-se	defense, offense, license
-ae-	anaesthetic, orthopaedist, archaeology	-e-	anesthetic, orthopedist, archeology
-ll-	cancelled, dialling, traveller (But: BE: instalment / AE: installment)	-l-	canceled, dialing, traveler

Vocabulary Wortschatz

British English	American English	Deutsch
anticlockwise	counterclockwise	gegen den Uhrzeigersinn
articulated lorry	truck-trailer	Lastzug
autumn	fall	Herbst
bill (in a restaurant)	check (in a restaurant)	Rechnung (im Restaurant)
bridging loan	bridge loan	Überbrückungskredit
broker	negotiator	Makler
building society	savings and loan association	Bausparkasse
call box	phone booth	Telefonhäuschen, Telefonzelle
car park	parking lot	Parkplatz
caretaker	janitor	Hausmeister
cash in hand	cash on hand	Barbestand
catalogue	catalog	Katalog
chartered acountant	certified public accountant	Wirtschaftsprüfer
cheque	check	Scheck
classified ads	small ads	Kleinanzeigen
clearance sale	close-out sale	Räumungsverkauf
compensation	remuneration	Vergütung
current account	checking account	laufendes Konto
curriculum vitae (= CV)	résumé	Lebenslauf
customise	customize	speziell anfertigen; umbauen
deposit account	savings account / time deposit	Sparkonto
directory enquiries	directory assistance	Telefonauskunft
do it again	do it over	wiederholen
drawing pin	thumbtack	Reißzwecke
driving licence	driving license	Führerschein
estate agent	realtor / real estate agent	Immobilienmakler
ex-directory number	unlisted number	eine Geheimnummer (die nicht im Telefonbuch steht)
fill in	fill out	ausfüllen (Formular)
full stop	period	Punkt
garage / petrol station	gas station	Tankstelle
goods train	freight train	Güterzug
holding company	proprietary company	Dachgesellschaft
holiday	vacation	Urlaub
inland post	domestic mail	Inlandspost
instal	install	installieren

British English	American English	Deutsch
interim payment	progress payment	Abschlagszahlung
invoice	bill	fakturieren
letterbox / postbox	mailbox	Briefkasten
lift	elevator	Aufzug
lorry	truck	Lastwagen
lost property office	lost-and-found	Fundbüro
luggage trolley	baggage cart	Kofferkuli
motorway	freeway	Autobahn
national insurance contributions	social security contributions	Beiträge zur Sozialversicherung
newsagent	newsdealer	Zeitungshändler
note / banknote	bill	Geldschein
noticeboard	bulletin board	Schwarzes Brett, Anschlagtafel
or near(est) offer (o.n.o)	or best offer (o.b.o)	oder gegen Höchstgebot
part payment	partial payment	Teilzahlung
pay phone	pay station	Münztelefon
pay the whole bill	pick up the tab	für alle zahlen
pay-as-you-earn	pay-as-you-go	Quellenabzug (= Einkommensteuer)
petrol	gas (or: gasoline)	Benzin
phone box	phone booth	Telefonhäuschen, Telefonzelle
platform	track	Bahnsteig
post	mail	verschicken
post(al) code	ZIP code	Postleitzahl
postal card	letter card	Postkarte mit aufgedruckter Briefmarke
poste restante	general delivery	postlagernd
preference shares	preferred stock	Vorzugsaktien
profit and loss account (P&L account)	profit and loss statement	Gewinn- und Verlustrechnung
publicity leaflet	broadside	Werbezettel
railway	railroad	Eisenbahn
recorded delivery	certified mail	per Einschreiben (= unversichert)
registered post	registered mail	per Einschreiben (= versichert)
return journey	round trip	Hin- und Rückfahrt
return ticket	round-trip ticket	Rückfahrkarte
reverse charge call	collect call	R-Gespräch (= der Angerufene zahlt)
reverse the charges	call collect	R-Gespräch führen
ring off	hang up	auflegen
roundabout	traffic circle	Kreisverkehr
rubber	eraser	Radiergummi
season ticket	commuter ticket	Saisonkarte
shopping centre	shopping mall	Einkaufszentrum
single ticket	one-way ticket	Einzelfahrschein
sleeping partner	silent partner	stiller Teilhaber
spare time	leisure-time	Freizeit
stand	booth	Stand (Messe)

British English	American English	Deutsch
tailor-made / made-to-measure	custom-made / customized	maßgeschneidert
take stock	take inventory	Inventur machen
tax allowance	tax exemption	Steuerfreibetrag
taxi	cab	Taxi
telephonist	switchboard operator	Telefonist(-in)
tick	check	abhaken
trade(s) union	labor union	Gewerkschaft
tram	streetcar	Straßenbahn
trunk call	long distance call / toll call	Ferngespräch
Underground / Tube	subway	U-Bahn
unit trust	mutual fund	Investmentfonds
value added tax (= VAT)	sales tax	Mehrwertsteuer
working week	workweek	Arbeitswoche

Note also:

ground floor	first floor	Erdgeschoß
first floor	second floor	erster Stock
second floor usw.	third floor	zweiter Stock

B

Abbreviations
Abkürzungen

A

@	"at" sign	„Klammeraffe"
a.a.r.	against all risks	gegen alle Gefahren / Risiken
A/N	advice note	Avis / Versandanzeige / Versandschein / Frachtbrief
AA	Automobile Association	in Deutschland etwa: ADAC
acct	account	Konto
AD	anno domini	nach Christus (= n.Chr.)
afaik (E-Mail Abkürzung)	as far as I know	soweit ich weiß
afb	air freight bill	Luftfrachtbrief
AGM	Annual General Meeting	Jahreshauptversammlung
A-levels	Advanced Levels	Allgemeine Hochschulreife- (prüfung)
am	ante meridiem	vormittags
AOB	Any Other Business (on an agenda)	Sonstiges
approx.	approximately	ca., ungefähr
APR	Annual Percentage Rate	effektiver Jahreszinssatz
asap	as soon as possible	so schnell wie möglich
ATA	actual time of arrival	tatsächliche Ankunftszeit
ATM	cash dispenser / automated teller machine	Geldautomat
attn	attention	zu Hd. (zu Händen)
AWB	air waybill	Luftfrachtbrief

B

BACS	Bank Automated Clearing Services	elektronisches Überweisungs- verkehrssystem
B&B	bed & breakfast	Übernachtung mit Frühstück
BC	before Christ	vor Christus (= v.Chr.)
BCC	blind carbon copy	Kopie einer elektronischen Nachricht (Siehe S. 242)
b/d	brought down	vorgetragen
B/E	bill of exchange	Wechsel
b/f	brought forward	übergetragen
B/L	bill of lading	Konnossement
B/P	bills payable	Wechselverbindlichkeiten
B/R	bills receivable	Wechselforderungen
B2B	business to business	von Unternehmen zu Unter- nehmen
bbl (E-Mail Abkürzung)	be back later	bin bald wieder da
B2C	business to customer	vom Unternehmen zum Kunden
BEP	break-even point	Kostendeckungspunkt
bn	billion	Milliarde

BTB	business to business	von Unternehmen zu Unternehmen
BTC	business to customer	vom Unternehmen zum Kunden
btw (E-Mail Abkürzung)	by the way	übrigens

C

CC	carbon copy	Kopie einer elektronischen Nachricht (Siehe S. 242)
C of C	Chamber of Commerce	(Industrie- und) Handelskammer (= IHK)
c/f	carried forward	Vortrag
C/I	certificate of insurance	Versicherungszertifikat
C/N	credit note	Gutschriftsanzeige
c/o	care of	per Adresse, bei
C/O	certificate of origin	Ursprungszeugnis, Herkunftsbescheinigung
C/R	carrier's risk	Risiko des Spediteurs, Frachtführers
CAD	cash against documents	Kasse gegen Dokumente
CAD	computer-aided design	computergestütztes Konstruieren
CAL	computer-aided learning	computergestütztes Lernen
CAM	computer-aided manufacture	computergestützte Fertigung
CAP	Common Agricultural Policy	gemeinsame Agrarpolitik der EU
caps	capital letters	Großbuchstaben
CAR	compounded annual rate	jährliche Gesamtverzinsung
CBA	cost-benefit analysis	Kosten-Nutzen-Analyse
CBD	cash before delivery	zahlbar vor Lieferung
CBT	computer-based training	computergestütztes Lehr- und Lernprogramm
CD	compact disk	CD (= Datenträger mit hoher Kapazität)
CD burner	CD burner	CD-Brenner
CD-R business card	CD-R business card	CD-R Visitenkarte
CD-ROM drive	CD-ROM drive	CD-ROM Laufwerk
CEO	Chief Executive Officer	Chef(-in) eines Großkonzerns (AE)
CET	Central European Time	Mitteleuropäische Zeit (MEZ)
CET	Common External Tariff	gemeinsamer Außenzolltarif
CFC	chlorofluorocarbon	Fluorkohlenwasserstoff (= FCKW)
CFO	Chief Financial Officer	Leiter(-in) der Finanzabteilung
CFR	Cost and Freight	Kosten und Fracht
cge paid	carriage paid	Transport bezahlt
CGT	capital gains tax	Kapitalertragssteuer
chq	cheque	Scheck
CI	consular invoice	Konsulatsfaktura
cia	cash in advance	Vorausbezahlung
CIF	Cost, Insurance and Freight	Kosten, Versicherung und Fracht
CIP	Carriage and insurance paid	frachtfrei versichert

B

CIS	Commonwealth of Independent States	Gemeinschaft unabhängiger Staaten (= GUS)
CLM	career-limiting move	Siehe S. 44
Co	Company	Gesellschaft
CO_2	carbon dioxide	Kohlendioxid
COD	cash on delivery	Barzahlung bei Lieferung, Nachnahme
COS	cash on shipment	Barzahlung bei Versand, Verschiffung
CPI	Consumer Price Index	Verbraucherpreisindex
CPT	carriage paid to	frachtfrei
CPU	central processing unit	zentrale Verarbeitungseinheit
Cr	credit	Kredit
CTP	Community Transport Procedure	Gemeinschaftliches Versandverfahren
ctrl	control	Steuerung (= Strg)
cu (E-Mail Abkürzung)	see you	man sieht sich
CV	curriculum vitae	Lebenslauf
CVD	cash versus documents	Kasse gegen Dokumente
CWO	cash with order	Barzahlung bei Auftragserteilung

D

D/A	documents against acceptance	Dokumente gegen Akzept
d/b	date of birth	Geburtsdatum
D/N	debit note	Lastschriftanzeige
D/O	delivery order	Lieferauftrag / -schein
D/P	documents against payment	Dokumente gegen Zahlung
DAF	delivered at frontier	geliefert Grenze
DAP	documents against payment	Dokumente gegen Zahlung
DAX	German Share Index	Deutscher Aktienindex
DC	developed country	Industrieland
DDP	delivered duty paid	geliefert verzollt
DDU	delivered duty unpaid	geliefert unverzollt
del	delete	entfernen (= Entf) / löschen
dep	department	Abteilung
DEQ	delivered ex quay (duty paid)	geliefert ab Kai (verzollt)
DES	delivered ex ship	geliefert ab Schiff
div	dividend	Dividende
DIY store	do-it-yourself store	Baumarkt
DJIA	Dow Jones Industrial Average	Dow-Jones-Industrieaktien-Index
doz	dozen	Dutzend
DPA	Data Protection Act	Datenschutzgesetz
dpi	dots per inch	Punkte pro Zoll
DRTV	direct response television	Fernsehen mit der Möglichkeit zur direkten Antwort
DTI	Department of Trade and Industry	Wirtschaftsministerium (UK)
DTP	desktop publishing	Desktop-Publishing / Publizieren vom Schreibtisch aus
DTVC	desktop video conference	Desktop-Videokonferenz
DVP	delivery versus payment	zahlbar bei Lieferung

E

E & OE	errors and omissions excepted	Irrtümer und Auslassungen vorbehalten
E/L	export licence	Ausfuhr- / Exportlizenz
EAON	except as otherwise noted	wenn nicht anders angegeben
e-business	electronic business	E-Business
ECB	European Central Bank	Europäische Zentralbank (= EZB)
e-commerce	electronic commerce	E-Commerce
EDI	electronic data interchange	elektronischer Datenaustausch
EDP	electronic data processing	EDV (= elektronische Daten-verarbeitung)
EFT	electronic funds transfer	elektronischer Zahlungs-verkehr / elektronische Konto-einzahlung
EFTPOS	electronic funds transfer at point of sale	elektronischer Zahlungsver-kehr (POS-System)
eg	for example (exempli gratia)	zum Beispiel
EGM	Extraordinary General Meeting	außerordentliche Hauptver-sammlung
EMU	European Monetary Union	Europäische Währungsunion (= EWU)
Encl(s)	enclosure(s)	Anlage(n)
EPOS	electronic point of sale	elektronisches Kassenterminal
EPS	earnings per share	Gewinnrendite, Gewinn je Aktie
ERDF	European Regional Development Fund	Europäischer Regionalent-wicklungsfonds
esc	escape	Escape (= Esc)
est	estimate / estimated	Kostenvoranschlag / geschätzt
ETA	estimated time of arrival	voraussichtlicher Ankunftstermin
etc	and so on (et cetera)	und so weiter
ETD	estimated time of departure	voraussichtliche Abfahrts- / Ab-flugszeit
EU	European Union	Europäische Union (= EU)
EXW	Ex works	ab Werk
e-zine	electronic magazine	elektronische Zeitschrift

F

F&T	fire and theft	Feuer und Diebstahl
f/d	free delivery	Lieferung frei Haus
F/S	financial statement	Finanzaufstellung
FAO	for the attention of	zu Händen von
FAQ	frequently asked question(s)	häufig gestellte Frage(n)
faq	fair average quality	Handelsgut mittlerer Art und Güte
FAS	free alongside ship	frei Längsseite Seeschiff
FCA	free carrier	frei Frachtführer
FCR	Forwarding Agent's Certificate of Receipt	Spediteurübernahme-bescheinigung
ffa	free from alongside	frei von längsseits des Schiffes
fig	figure	Abbildung
fo	firm offer	verbindliches Angebot
FOB	free on board	frei an Bord
foc	free of charge	gebührenfrei, gratis, kostenlos

fod	free of damage	frei von Beschädigung / Beschädigung nicht zu unseren Lasten
FOR	free on rail	frei Bahn / frei Waggon
FPAD	freight payable at destination	Fracht zahlbar am Bestimmungsort
frt	freight	Fracht(kosten)
frt fwd	freight forward	Fracht per Nachnahme / zahlbar am Bestimmungsort
frt ppd	freight prepaid	Fracht vorausbezahlt
FT	Financial Times	Financial Times (= Zeitung)
ft	foot	Fuß (= etwa 30cm)
FT Index	Financial Times Stock Exchange 100 Index	Aktienindex der Financial Times
FTSE	Financial Times Stock Exchange 100 Index	Aktienindex der Financial Times
FY	financial year	Geschäftsjahr

G

gbo	goods in bad order	Ware in schlechtem Zustand
GCSEs	General Certificates of Secondary Education	britische Reifeprüfung, die in etwa der FOS-Reife entspricht
GDP	Gross Domestic Product	Bruttoinlandsprodukt (BIP)
Gif	Graphics Interchange Format	ein Grafikformat
GM	genetically modified	genmanipuliert
GNP	Gross National Product	Bruttosozialprodukt
govt	government	Regierung
gr wt	gross weight	Bruttogewicht

H

HGV	heavy goods vehicle	Schwertransporter, LKW
hon	honorary	ehrenamtlich
HP	hire purchase	Raten- / Teilzahlungskauf
HQ	headquarters	Hauptgeschäftsstelle / Zentrale
HR	human resources	Personalwesen, -entwicklung
HTML	Hypertext Markup Language	Skriptsprache, mit der Webseiten erstellt werden können
HTTP	Hypertext Transfer Protocol	Protokoll, das den Austausch von Multimedia-Daten zwischen Computern erlaubt

I

i/c	in charge	zuständig
I/L	import licence	Einfuhr- / Importlizenz
ic (E-Mail Abkürzung)	I see	ach so
ICC	International Chamber of Commerce	Internationale Handelskammer
ID-card	identity card	(Personal-)Ausweis
IDD	international direct dialling	internationaler Selbstwählferndienst
ie	id est / that is	d.h.

IMF	International Monetary Fund	Internationaler Währungs-fonds (IWF)
imho (E-Mail Abkürzung)	in my humble opinion	meiner bescheidenen Meinung nach
IMO	international money order	Auslandspostanweisung
IMT	international monetary transfer	internationale Geldüberweisung
Inc	incorporated company (US)	Aktiengesellschaft
incl	including	einschließlich
inst	instant (= of this month)	dieses Monats
IOU	I owe you (= statement of debt)	Schuldschein
IRC	international reply coupon	internationaler Rückantwort-schein
IRL (E-Mail Abkürzung)	in Real Life	im richtigen Leben
ISDN	Integrated Services Digital Network	digitales Netzwerk für integrierte Dienste
ISO	International Standards Organization	Internationaler Normen-ausschuss
ISP	Internet Service Provider	Netzprovider, Internet-Provider
IT	information technology	Informationstechnik / Informatik

J

J/A	joint account	gemeinsames Konto / Gemein-schaftskonto
JIT delivery	just-in-time delivery	wartezeitfreie Lieferung / JIT-Lie-ferung
JIT	just-in-time	gerade noch rechtzeitig

K

Kb	kilobyte	Kilobyte
kg	kilogram	Kilogramm
km	kilometre	Kilometer

L

LAN	local area network	LAN, lokales Netz
L/C	letter of credit	Akkreditiv
lb	pound	britisches Pfund (= 453,6 Gramm)
LDC	less developed country	Entwicklungsland
LIP	life insurance policy	Lebensversicherung
loc. cur.	Local currency	Landeswährung
lol (E-Mail Abkürzung)	laughing out loud	ich lache laut
lt	local time	Ortszeit
Ltd	private limited company	GmbH

M

MAT	machine-aided translation	computergestütztes Über-setzungsprogramm
MB	megabyte	Megabyte
MBA	Master of Business Administration	internationales postgraduiertes Wirtschaftsdiplom

B

MD	managing director	Vorstandsvorsitzende(r) Geschäftsführer(-in)
MEA	manufacturer's export agent	Exportagent eines Herstellers
mi	mile	Meile
min. wt.	minimum weight	Mindestgewicht
MIP	marine insurance policy	Seeversicherungspolice
misc	miscellaneous	Verschiedenes
MO	money order	Zahlungsanweisung
mpg	miles per gallon	Meilen pro Gallone
MPW	maximum permissible weight	zulässiges Höchstgewicht
MRP	Manufacturer's Recommended Price	Preisempfehlung des Herstellers
MS	motor ship	Motorschiff
MV	merchant vessel	Handelsschiff

N

n/30	30 days net	30 Tage netto
n/c	no charge	gebührenfrei, gratis, kostenlos
NAFTA	North American Free Trade Agreement	nordamerikanisches Freihandelsabkommen
N/P	net price	Nettopreis
NEC	National Exhibition Centre	Messezentrum in Birmingham, UK
NHS	National Health Service	Staatlicher Gesundheitsdienst, UK
NIC	newly industrializing country	Schwellenland
NOL	net operating loss	Nettobetriebsverlust
NOP	net operating profit	Nettobetriebsgewinn
nt wt	net weight	Nettogewicht
nui	network user identity	NUI (Benutzeridentifikation im Netzwerk)
NVQ	National Vocational Qualification	anerkannte berufliche Qualifikation, UK
NYSE	New York Stock Exchange	New Yorker Wertpapierbörse

O

o/c	overcharge	zu hohe Berechnung
o/s	out of stock	ausverkauft, nicht vorrätig
OD	overdraft	Überziehung eines Kontos
OECD	Organization for Economic Co-operation and Development	Organisation für wirtschaftliche Zusammenarbeit und Entwicklung
OFT	Office of Fair Trading	Amt für Verbraucherschutz, UK
OHP	overhead projector	Tageslichtprojektor
on appro	on approval	zur Ansicht / auf Probe
OPM	other people's money	anderer Leute Geld
or	owner's risk	Eigners Gefahr
OR	Official Receiver	Konkursverwalter (amtlich)
orig	original	Original
OS	outsize	Übergröße
OT	overtime	Überstunden
oz	ounce	Unze (= 28 gramm)

P

P to P	port to port	von Hafen zu Hafen
P&L	profit and loss account	Gewinn- und Verlustrechnung
p&p	postage and packing	Porto und Verpackung
P&R	park and ride	parken und pendeln
p.l.	public liability	öffentliche Haftpflicht
P/E ratio	price / earnings ratio	Kurs-Gewinn-Verhältnis
p/i	proforma (or: pro-forma) invoice	Proforma-Rechnung
P/L	partial loss	Teilschaden / - verlust
pa	per annum	pro Jahr
PA	personal assistant	Chefsekretär(-in) / Assistent(-in)
PAYE	pay-as-you-earn	Quellenabzug (= Einkommen-steuer)
pc	per cent	Prozent
pce	piece	Stück
pcs	pieces	Stück(e)
pct	per cent	Prozent
PD	proof of delivery	Lieferbestätigung(sschein)
pd	paid	bezahlt
PDF	portable document format	PDF-Format
PER	price / earnings ratio	Kurs-Gewinn-Verhältnis
PIN	Personal Identification Number	Geheimzahl
PLC, plc	public limited company	(etwa) AG
pm	post meridiem	nachmittags
PO Box	post office box	Postfach
PO	post office	Post / Postamt
POD	pay on delivery	zahlbar bei Ablieferung
POS	point of sale	Verkaufsstelle / Verkaufsort
ppa	per power of attorney	in Vollmacht / im Auftrag
ppd	prepaid	vorausbezahlt
PR	public relations	Öffentlichkeitsarbeit
PRP	performance-related pay	leistungsbezogenes Gehalt
PS	postscript	Nachsatz
pt	pint	Pint (= 0,568 litre)
pto	please turn over	bitte wenden
Pty	proprietary company (AE)	Dachgesellschaft
PV	present value	gegenwärtiger Wert

Q

Qty	quantity	Menge
QWERTY	(Englisch) keyboard	englische Tastatur

R

R&D	Research & Development	Forschung & Entwicklung (F&D)
R/D	Refer to drawer	„zurück an Aussteller"
R/E	rate of exchange	Wechselkurs
R/I	rate of interest	Zinssatz
RAM	random access memory	Arbeitsspeicher / Direktzugriff-speicher
Re	Referring to / Reference	betreffs / bezüglich / unter Bezugnahme auf
re (E-Mail Abkürzung)	returned, repeat hi	wieder da, erneut „Hallo"

B

recd	received	erhalten
ref	Referring to / Reference	betreffs / bezüglich / unter Bezugnahme auf
rep	sales representative	Handelsvertreter(-in) / Vertreter(-in)
RN	release note	Freigabebescheinigung
RO/RO	roll-on roll-off	RoRo-Verkehr
ROG	payment on receipt of goods	Zahlung bei Erhalt der Ware
ROI	return on investment	Ertrag aus Kapitalanlage
ROM	read only memory	Festspeicher
RP	retail price	Einzelhandelspreis
RPI	Retail Price Index	Index der Einzelhandelspreise
RRP	Recommended Retail Price	empfohlener Abgabepreis / unverbindliche Preisempfehlung
RSA	Royal Society of Arts	englische Prüfungsbehörde
RSVP	Répondez s'il vous plait	um Antwort wird gebeten (u.A.w.g.)
rtfm (E-Mail Abkürzung)	read the fucking manual	lies gefälligst das Handbuch oder die Hilfeseiten
RTS	return to sender	an den Absender zurück

S

SAD	Single Administrative Document	Einheitspapier / einheitliches EU-Begleitpapier
sae	stamped addressed envelope	frankierter / freigemachter Rückumschlag
SDR	special drawing rights	Sonderziehungsrechte (= SZR)
SMEs	small and medium-sized enterprises	kleine und mittelständische Unternehmen
Soc	Society	Gesellschaft
SPQR	small profits, quick returns	kleine Gewinne, schnelle Umsätze
SS	steamship	Dampfer
STA	scheduled time of arrival	planmäßige Ankunftszeit
STD	scheduled time of departure	planmäßige Abfahrtszeit
SV	sailing vessel	Segelschiff
SWIFT	Society for Worldwide Interbank Financial Telecommunications	SWIFT

T

T/O	transfer order	Überweisungsauftrag
TIR	Transport International Routier	TIR
TM	trademark	Warenzeichen
TOP	terms of payment	Zahlungsbedingungen
TQM	total quality management	umfassendes Qualitätsmanagement
TU	trade(s) union	Gewerkschaft
TUC	Trades Union Congress	Gewerkschaftsbund, UK (deutsche Version: DGB)

U

UCP	Uniform Customs and Practice for Documentary Credits	Einheitliche Richtlinien für Dokumentenakkreditive (= ERA)
UK	United Kingdom	Vereinigtes Königreich
URCs	Uniform Rules for Collections	Einheitliche Richtlinien für Inkassi (ERI)
USA	United States of America	Vereinigte Staaten von Amerika
user id	user identification	Benutzeridentifikation
USP	unique selling point	einzigartiges Verkaufsargument / Alleinstellungsmerkmal

V

VAT	value added tax	Mehrwertsteuer
VAT No.	value added tax number	MwSt Nr. (= Mehrwertsteuernummer)
VC	video conference, video conferencing	Videokonferenz, Videokonferenzschaltung
VCR	video cassette recorder	Videogerät, Videorekorder
VDT	visual display terminal	Bildschirmgerät
VDU	visual display unit	Bildschirmgerät
vol	volume	Umsatzvolumen / Volumen

W

w.a.r.	with all risks	mit allen Gefahren / Risiken
wc	without charge	gebührenfrei, ohne Berechnung
wef	with effect from	mit Wirkung vom
wk	week	Woche
WPA	with particular average	mit besonderer Havarie
WTO	World Trade Organisation	Welthandelsorganisation
WYSIWYG	what you see is what you get	Darstellung auf dem Bildschirm entspricht der Darstellung im Ausdruck

Z

ZIP code	(AE) post(al) code	Postleitzahl

Months, Weekdays & Holidays
Monate, Wochentage & Feiertage

Calendar months

January
February
March
April
May
June
July
August
September
October
November
December

Kalendermonate

Januar
Februar
März
April
Mai
Juni
Juli
August
September
Oktober
November
Dezember

Days of the week

Sunday / Monday / Tuesday / Wednesday / Thursday / Friday / Saturday

Wochentage

Sonntag / Montag / Dienstag / Mittwoch / Donnerstag / Freitag / Samstag

Important Holidays

New Years Eve
New Years Day
Easter
Good Friday
Easter Sunday / Monday
May Day
Whitsun
Whit Sunday / Monday
Spring Bank Holiday

Summer Bank Holiday

Christmas Eve
Christmas Day
Boxing Day

Also (US only):
Independence Day
Labor Day

Thanksgiving Day

Wichtige Feiertage

Silvester (31. Dezember)
Neujahr (1. Januar)
Ostern
Karfreitag
Ostersonntag / -montag
Maifeiertag (1. Mai)
Pfingsten
Pfingstsonntag / -montag
Bankfeiertag (letzter Montag
   im Mai)
Bankfeiertag (letzter Montag
   im August)
Heiligabend (24. Dezember)
Weihnachten (25. Dezember)
2. Weihnachtsfeiertag (26.12.)
   (26. Dezember)

Unabhängigkeitstag (4. Juli)
Tag der Arbeit (erster Montag
   im September)
Erntedankfest (4. Donnerstag
   im November)

Useful Addresses in Germany & UK
Nützliche Adressen in Deutschland und im Vereinigten Königreich

The Company   Die Firma

Forum of Private Business
Ruskin Chambers
Drury Lane
Knutsford
Cheshire WA16 6HA
Tel: (01565) 634467

Work and Trade   Arbeit und Handel

Für Informationen des British Council *zu Sprachkursen in Großbritannien und Angebote anerkannter Sprachschulen, wenden Sie sich an:*

English in Britain
Website: www.britishcouncil.org/english/courses

Arels Ltd 2 Pontypool Place London SE1 8QF Tel: (020) 7 242 3136 Fax: (020) 7 9289378 Arels (= The Association of Recognised English Language Services) *ist der professionelle Interessenverband der privaten englischen Sprachschulen und Organisationen. Die Mitglieder von* Arels *sind vom* British Council *geprüft und anerkannt. Sie müssen den Verhaltens- und Praxiskodex der Vereinigung einhalten. Die Mitglieder bieten sowohl kurzfristige Ferien-sprachkurse als auch länger dauernde Intensiv-Sprachkurse an.*	Fachverband Deutscher Sprachreise-Veranstalter Hauptstr. 26 63811 Stockstadt Tel: (06027) 27 90 Fax: (06027) 200913

D

Die London Chamber of Commerce and Industry Examinations Board *wurde vor 100 Jahren gegründet und ist eines der ältesten und größten Prüfungsorgane im Business-Bereich.*

London Chamber of Commerce and Industry Examinations Board (= LCCIEB) Athena House 112 Station Rd. Sidcup Kent DA15 7BJ Website: www.lccieb.org.uk	*LCCIEB-Prüfungen in den Fächern Wirtschaft und Sprachen können in Deutschland abgelegt werden. Die deutsche Adresse lautet:* LCCIEB Platanenstr. 5 07549 Gera Tel. (0365) 7 38 85 19 Fax: (0365) 7 38 85 36 E-Mail: lccieb.gera@dial.pipex.com

Direct Selling Association 29 Floral St. London WC2E 9DP Tel: (020) 7 497 1234 Fax: (020) 7 497 3144 Website: www.das.org.uk

Department of Trade and Industry Kingsgate House 66-74 Victoria Street London SW1E 6SW Tel: (020) 7 215 4656 (Capital Goods) Tel: (020) 7 215 4285 (Consumer Goods) Fax: (020) 7 215 5071 *Die Deutschland-Abteilung des* Department of Trade and Industry *(= DTI) koordiniert die Förderung des britischen Handels mit Deutschland. Die Abteilung beantwortet Anfragen über den deutschen Markt und erteilt Auskunft über Regelungen, die Gesetzeslage und die übliche Praxis in Deutschland in Bezug auf den Export-Handel Großbritanniens.*	Bundesverband der Deutschen Industrie e.V. Gustav-Heinemann-Ufer 84-88 50968 Köln Tel: (0221) 370 800 Fax: (0221) 370 8690

Office of Fair Trading PO Box 366 Hayes Middlesex UB1XB Tel: (0870) 6060321	Deutscher Industrie- und Handelstag Adenauerallee 148 53113 Bonn Tel: (0228) 104-0 Fax: (0228) 104-158
The Association of British Chambers of Commerce Sovereign House 212a Shaftesbury Avenue London WC2H 8EW	Deutsch-Britische Industrie- und Handelskammer German-British Chamber of Industry and Commerce Mecklenburg House 16 Buckingham Gate London SW1E 6LB Tel: (020) 7 233 5656 Fax: (020) 7 2337835
German-British Chamber in the Midlands Managing Director Lindemann Machine Company Stafford Park 10 Telford, Shropshire TF3 3BP Tel: (01952) 290 333 Fax: (01952) 290 229	German-British Chamber in Scotland Managing Director Irvine Development Corporation Perceton House Irvine, Ayrshire KA11 2AL Scotland Tel: (01294) 214 100 Fax: (01294) 211 467
German-British Chamber in Wales Welsh Development International Pearl Assurance House Greyfriars Road Cardiff, S. Glam CF1 3XX Tel: (01222) 222 666	German-British Chamber in Northern England Yorkshire & Humberside Development Association Westgate House 100 Wellington Street Leeds, West Yorkshire LS1 4LT Tel: (0113) 243 9222 Fax: (0113) 243 1088

British Chamber of Commerce in Germany
Britische Handelskammer in Deutschland e.V.
Severinstr. 60
50678 Köln
Tel: (0221) 314 458
Fax: (0221) 315 335

Die Britische Handelskammer in Deutschland dient britischen und deutschen Unternehmern als Forum für Begegnungen, Informations- und Erfahrungsaustausch. Die Handelskammer vertritt ihre Mitglieder gegenüber den deutschen Behörden; ihre Regionalgruppen in Berlin, Dresden, Düsseldorf, Frankfurt, Hamburg, München, Stuttgart und London halten regelmäßige Treffen ab.

Publicity & Advertising   Werbung

The Information Centre of the Advertising Association
Abford House
15 Wilton Rd.
London SW1V 1NJ
Tel: (020) 7 828 2771
Fax: (020) 7 931 0376
Website: www.adassoc.org.uk

Conferences & Meetings   Konferenzen & Bespre-chungen

Die British Chambers of Commerce *stellt Informationen zu Konferenzen und Ausstellungen zur Verfügung:*
British Chambers of Commerce
Manning House
22 Carlisle Place
London SW1P 1JA
Tel: (020) 7 565 2000

Finances   Finanzen

Invest in Britain Bureau Department of Trade and Industry Kingsgate House 66-74 Victoria Street London SW1E 6SW Tel: (020) 7 215 2544 Fax: (020) 7 215 8451	Central Office of Information Hercules Road London SE1 7DU Tel: (020) 7 928 23545
CCTA Government Information Service Website: www.open.gov.uk	*Informationen über den Versicherungsmarkt* Lloyds of London *finden Sie auf S. 168.* Lloyds of London Lime Street London EC3 Tel: (020) 7 623 7100

Import / Export

Import / Export	Import / Export
Bundesstelle für Außenhandelsinformation (BfAI) Agrippastr. 87-93 50676 Köln Tel: (0221) 20 57 1 Fax: (0221) 20 57-212 *Die zum Geschäftsbereich des Bundesministers für Wirtschaft gehörende BfAI unterrichtet die deutsche Wirtschaft und deutsche amtliche Stellen weltweit über alle bedeutsamen außenwirtschaftlichen Bereiche.*	DTI's Business in Europe Directorate Kingsgate House 66-74 Victoria Street London SW1E 6SW Hotline: (0117)-944-4888
Die Europäische Kommission hat European Information Centres *eingerichtet*: European Commission 8 Storey's Gate London SW1P 3AT Tel: (020) 7 973 1992 Fax: (020) 7 973 1900	Europa – The European Union's Server Website: www.europa.eu.int *Der offizielle Server der Europäischen Union*
Citizens First: Working and Living in the EU Website: www.citizens.eu.int *Informationen zu Tätigkeit und Aufenthalt in den Mitgliedsstaaten der EU.*	

Marketing / Vertrieb

Marketing	Vertrieb
Für Hinweise zu Export, Markt-Informationen, Handelsdelegationen und Ausstellungen, wenden Sie sich an: British Overseas Trade Board Overseas Trade Services Kingsgate House 66-74 Victoria Street London SW1E 6SW Tel: (020) 7 215 5000 Fax: (020) 7 215 5071	*Für Hinweise zu Geschäftserweiterungen durch Franchising sowie Beratungen für Franchisenehmer, die ein Geschäft eröffnen wollen, wenden Sie sich an:* British Franchising Association Franchise Chamber Thames View Newtown Rd. Henley on Thames Oxon RG9 1HG Tel: (01491) 578049

Direct Marketing Association (UK) Haymarket House 1 Oxendon St. London SW1Y 4EE Tel: (020) 7 321 2525 Fax: (020) 7 321 0191	Commercial Office Britisches Marketingbüro British Consulate General Breite Straße 2 70173 Stuttgart Tel: (0711) 72 40 46
Market Research Society 15 Northburgh St. London EC1V 0AH Tel: (020) 7 490 4911	

Complaints   Beschwerden

Wenn Sie sich über eine Bank beschweren möchten, wenden Sie sich an: The Banking Ombudsman 70 Grays Inn Rd. London WC1X 8NB Tel: (0345) 660 902	*Wenn Sie mit einer britischen Versicherungspolice unzufrieden sind oder Informationen über Versicherungen benötigen, wenden Sie sich an:* The Association of British Insurers Consumer Information Department 51 Gresham St. London EC2V 7HQ Tel: (020) 7 600 3333 Website: www.abi.org.uk
Wenn Sie keine Einigung mit einer britischen Versicherung erzielen können, wenden Sie sich an: The Insurance Ombudsman City Gate One 135 Park St. London SE1 9EA	*Wenn Sie mit den Dienstleistungen eines Finanzinstituts (z.B. Banken, Kreditinstitute, Finanzämter) im Vereinigten Königreich unzufrieden sind, wenden Sie sich an:* The Financial Services Authority 25 The North Colonnade Canary Wharf London E14 5HS

Travelling   Reisen

Travelling	Reisen
British Tourist Office Britische Zentrale für Fremdenverkehr Taunusstr. 52-60 60329 Frankfurt/Main Tel: (069) 23 80 711 Fax: (069) 2380717 Website: www.visitbritain.de	British Rail Britische Eisenbahnen Generalvertretung Düsseldorfer Str. 15-17 60329 Frankfurt/Main Tel: (069) 25 20 33 Fax: (069) 23 60 00
English Tourist Board Thames Tower Blacks Rd. London W6 9EL Tel: (020) 8563 3000 Fax: (020) 8563 0302 Website: www.englishtourism.org.uk	*Kurzbeschreibungen englischer Städte mit Links zu weiteren relevanten Informationen:* Britannia City Pages: Website: britannia.com/travel/city/
Unkonventionelle Insider-Tips von Einheimischen zu ca. 500 Orten und Städten in Großbritannien und Nordirland. Knowhere, A User's Guide to Britain: Website: www.knowhere.co.uk	*Das Wetter im Vereinigten Königreich:* www.meto.govt.uk/sec3/sec3.html
Informationen über Busse (UK): www.nationalexpress.co.uk	*Geographisch und thematisch geordnete Quellen zu Regionen, Counties, Städten:* Excite Travel – Destination UK Website: www.city.net/countries/united_kingdom/

Weitere nützliche Adressen ...

Botschaft der Bundesrepublik Deutschland 23 Belgrave Square London SW1X 8PZ Tel: (020) 7 235 5033 Fax: (020) 7 2350609 Informationszentrum: Fax: (020) 7 824 1350	British Embassy Unter den Linden 32-34 10117 Berlin Tel: (030) 201 84 0 Fax: (030) 201 84 159 *Die offiziellen Seiten der britischen Botschaft in Deutschland heißen „Großbritannien online".* Website: www.Britischebotschaft.de

D

Der Postleihdienst der Bibliothek des British Council *bietet Ihnen die Möglichkeit, sich aus einer umfassenden Sammlung von Materialien zur Landeskunde Großbritanniens zu bedienen. Dabei handelt es sich um Bücher, Zeitungen und Broschüren sowie Sammlungen von Artikeln zu aktuellen Themen* (= Current Awareness Files).

British Council Information Centres:

The British Council **Berlin** Hackescher Markt 1 10178 Berlin Tel: (030) 31 1099-0 Fax: (030) 31 1099-20 E-Mail: infocentre.berlin@britcoun.de	zuständig für Berlin, Brandenburg, Mecklenburg- Vorpommern
The British Council **Hamburg** Rothenbaumchaussee 34 20148 Hamburg Tel: (40) 44 60 57 Fax: (040) 44 71 14 E-Mail: infocentre.hamburg@britcoun.de	zuständig für Bremen, Hamburg, Niedersachsen, Schleswig-Holstein
The British Council **Köln** Hahnenstr. 6 50667 Köln Tel: (0221) 2 06 44-0 Fax: (0221) 2 06 44-36 E-Mail: infocentre.cologne@britcoun.de	zuständig für Hessen, Nordrhein-Westfalen, Rheinland-Pfalz, Saarland
The British Council **Leipzig** Alte Waage Katharinenstr. 1-3 04109 Leipzig Tel: (0341) 14 06 41-0 Fax: (0341) 14 06 41-41 E-Mail: infocentre.leipzig@britcoun.de	zuständig für Sachsen, Sachsen-Anhalt, Thüringen
The British Council **München** Rumfordstr. 7 80469 München Tel: (089) 29 00 86-0 Fax: (089) 29 00 86-88 E-Mail: infocentre.munich@britcoun.de	zuständig für Baden-Württemberg, Bayern

Anglo-German Association
158 Buckingham Palace Road
London SW1W 9TR
Tel: (020) 7 259 9922
Fax: (020) 7 730 3428

Die Anglo-German Association *ist eine gesellschaftliche Organisation zur Förderung der deutsch-britischen Beziehungen und der Kontakte mit Deutschland. Die* Association *lädt regelmäßig zu gesellschaftlichen Veranstaltungen ein.*

Die großen Suchmaschinen:

Die größte unter den Suchmaschinen, die sich auf britische Web-Ressourcen beschränken. Search UK, Website: www.searchuk.com	*Spezialsuchmaschine, die nach den offiziellen Seiten von Firmen, Gruppen, Organisationen, Themen sucht.* Official Site Register, Website: www.osr.co.uk
Umfangreicher thematischer Index für britische Ressourcen: mit den Gelben Seiten für Großbritannien, UK Yellow Web, Website: www.yell.co.uk/yell/web/	*Linksammlung zu vielen Lebens- und Themenbereichen; zusammengestellt für den Benutzer in der Öffentlichen Bibliothek.* Earlweb, Website: www.earl.org.uk/earlweb/
Von Associated Newspapers *erstellter Themenkatalog mit kommentierten Quellen.* UK Plus, Website: www.ukplus.co.uk	BBC (British Broadcasting Corporation) BBC Broadcasting House Portland Place London W1A 1AA Tel: (020) 8 743 8000

British Newspapers   Britische Zeitungen:

The Independent www.independent.co.uk	The Guardian / The Observer www.guardian.co.uk
The Times / The Sunday Times www.sunday-times.co.uk	The Financial Times www.ft.com
The Express www.dailyexpress.co.uk	The Telegraph www.telegraph.co.uk

Sample Letters & Faxes
Musterbriefe & -faxe

An Enquiry   Eine Anfrage

(Siehe S. 15)

We refer to the discussion we had at the last Amsterdam Fair with your sales manager, Mr Gerd Kroll. On that occasion, Mr Kroll promised to send us information about your new external fax memory 'Memowhizz'.

Unfortunately, this information still has not reached us. As we still see good prospects of success if the equipment were put onto the British market, we would like to ask you once again to send us the information and, with it, your quotation for 400 units. Would you also please send detailed information about your terms of payment and discounts for regular purchases.

Furthermore, we would like to ask whether you could possibly translate the operating instructions into English. Our analyses have shown that this is an important precondition for the sale of the equipment on the British market.

Wir beziehen uns auf das Gespräch, das wir auf der letzten Amsterdamer Messe mit Ihrem Verkaufsleiter, Herrn Gerd Kroll, geführt haben. Herr Kroll versprach damals, uns Informationen über Ihren neuen externen Faxspeicher „Memowhizz" zuzusenden.

Leider sind die Unterlagen bis heute noch nicht bei uns eingetroffen. Da wir nach wie vor gute Chancen sehen, das Gerät erfolgreich auf dem britischen Markt zu vertreiben, möchten wir Sie heute nochmals um Zusendung der Unterlagen und zugleich eines Angebots über 400 Stück bitten. Fügen Sie bitte Ihrem Angebot vollständige Angaben über Zahlungsbedingungen und Rabatte für regelmäßige Käufe bei.

Darüber hinaus möchten wir anfragen, ob es Ihnen möglich ist, die Bedienungsanleitung ins Englische zu übersetzen. Unsere Analyse hat ergeben, dass dies eine wichtige Voraussetzung für den Vertrieb des Gerätes auf dem britischen Markt ist.

An Offer   **Ein Angebot**

(Siehe S. 105)

We were very happy to receive your fax, which reached us on Saturday of last week. As requested, we are sending you our latest catalogue of office supplies. Our export price list for Europe is also enclosed. Assuming that substantial quantities are ordered, we are quite prepared to arrange terms on an individual basis with our customers.

In the case of first-time orders, we deliver on the basis of an irrevocable and confirmed documentary letter of credit in our favour, payable at Dresdner Bank, Kassel. With repeat orders, however, we would accept payment on a CAD basis.

The delivery period for the majority of our products is currently approx. 12 days from receipt of order, subject to individual requirements, eg regarding design, packaging or transport.

Wir freuen uns, den Erhalt Ihres Schreibens bestätigen zu können, das uns am Samstag vergangener Woche erreicht hat. Wie gewünscht, übersenden wir Ihnen unseren neuesten Katalog über Büromaterialien. Unsere Exportpreisliste für Europa ist ebenfalls beigefügt. Vorausgesetzt, dass größere Mengen bestellt werden, sind wir gern bereit individuelle Lösungen für unsere Kunden anzubieten.

Bei Erstaufträgen liefern wir auf der Basis eines unwiderruflichen und bestätigten Dokumentenakkreditivs zu unseren Gunsten, zahlbar bei der Dresdner Bank von Kassel. Bei Wiederholungsaufträgen würden wir jedoch Bezahlung auf der Basis CAD akzeptieren.

Die Lieferzeit für die meisten unserer Produkte beträgt zur Zeit ca. 12 Tage nach Auftragserhalt, vorbehaltlich individueller Wünsche, z.B. hinsichtlich Design, Verpackung oder Transport.

An Order   **Eine Bestellung**

(Siehe S. 105)

We have learned from our mutual business friends RayDeal that you produce gas masks. We urgently require 200 units, because our previous supplier is, owing to a factory fire, not in a position to meet his delivery commitments.

In accordance with your current catalogue, which RayDeal have kindly made available to us, we are prepared to order 200 units of Type AB/2 at a total price of $25,000 CIF Bremen, including packaging for export. This order is made only on the condition that delivery is made by 28 October at the latest. Please inform us immediately whether you accept this order.

Should you accept it and should your products as well as the execution of the order meet our expectations, we will be very happy to ask your company to supply our future requirements.

Von unserem gemeinsamen Geschäftsfreund, der Firma RayDeal, haben wir erfahren, dass Sie Gasmasken herstellen. Wir benötigen dringend 200 Stück, da unser bisheriger Lieferant aufgrund eines Fabrikbrandes nicht in der Lage ist, seinen Lieferverpflichtungen nachzukommen.

Gemäß Ihrem gültigen Katalog, den uns RayDeal freundlicherweise zur Verfügung gestellt hat, sind wir bereit, 200 Stück des Typs AB/2 zum Gesamtpreis von $25.000, CIF Bremen einschließlich Exportverpackung, zu bestellen. Allerdings wird der Auftrag unter der Bedingung erteilt, dass die Lieferung bis spätestens 28. Oktober erfolgt. Bitte teilen Sie uns umgehend mit, ob Sie diesen Auftrag annehmen.

Sollte dies der Fall sein und Ihre Produkte sowie die Aufttragsausführung unseren Vorstellungen entsprechen, sind wir gerne bereit, unseren zukünftigen Bedarf bei Ihrem Unternehmen zu decken.

A Complaint   **Eine Beschwerde**

(Siehe S. 130)

Referring to our Order No. 667/8, we are sorry to have to inform you that the consignment has not yet reached us, although, according to the sales contract, you promised the goods by the first week of November. We need the 800 Teddy Bears, "Huggy" model, urgently in view of the approaching Christmas trade. An even longer delay would put us in an inconvenient position, since we have already received orders from some of our long-standing clients.

We therefore request that you execute the order immediately so that the goods will be available to us by Friday of next week at the latest.

If you are not prepared, or are not in a position, to meet your commitments, we shall be forced to cancel the order. We will then arrange for another supplier to meet our needs. Considering the difficult situation, we must insist on an immediate reply informing us of the reasons for the delay in delivery.

Mit Bezug auf unseren Auftrag Nr. 667/8 müssen wir Ihnen leider mitteilen, dass die Lieferung noch nicht eingetroffen ist, obwohl Sie diese gemäß dem Kaufvertrag für die erste Novemberwoche zugesagt hatten. Wir. Angesichts des bevorstehenden Weihnachtsgeschäfts benötigen wir die 800 Teddybären, Modell „Huggy", dringend. Eine noch größere Verspätung würde uns in eine unangenehme Lage bringen, da bereits Bestellungen langjähriger Kunden unseres Unternehmens vorliegen.

Wir ersuchen Sie daher, den Auftrag sofort auszuführen, damit uns die Waren spätestens nächste Woche Freitag zur Verfügung stehen.

Wenn Sie nicht bereit oder in der Lage sein sollten, Ihren Verpflichtungen nachzukommen, sehen wir uns gezwungen den Auftrag zu widerrufen. Wir werden unseren Bedarf dann bei einem anderen Lieferanten decken. In Anbetracht der schwierigen Situation bestehen wir auf einer sofortigen Antwort mit Angabe der Gründe für die Lieferverzögerung.

A CV (= Curriculum Vitae)   Ein Lebenslauf

(Siehe S. 35)

Zu einem Bewerbungsschreiben u.ä. gehört im Englischen, wie im Deutschen, der Lebenslauf (= curriculum vitae oder kurz CV). Ein einführender Brief (= covering letter) gehört ebenfalls dazu. Der Lebenslauf sollte so knapp und präzise wie möglich gehalten werden. Heutzutage ist in der Regel der tabellarische Lebenslauf (= in tabular form) gefragt. Er wirkt sachlicher, ist übersichtlicher and lässt sich leichter aufstellen. Man ist nicht mehr gezwungen, in einem eleganten und ausgefeilten Stil zu schreiben. Dafür muss man aber beweisen, dass man das Wichtigste erkennen und gliedern kann.

1. Ihr Name ("Name") in Fettschrift:

2. Ihre Angaben zur Person ("Personal Details"):
Adresse
Telefon- / Faxnummer, E-Mail Adresse
Familienstatus (e.g. "single", "married", "divorced", ...)
Alter (nicht das Geburtsjahr!)

3. Persönliches Profil ("Profile")
Hier haben Sie die Chance, sich „zu verkaufen". Tragen Sie dick auf und vergessen Sie nicht, die jeweils erwarteten Schlüsselbegriffe zu präsentieren (je nach Zeitgeist und Geschmack, z.B. "reliable", "highly flexible", ...)

4. Schlüsselqualifikationen ("Core Skills")
An dieser Stelle listen Sie Ihre wichtigsten und tatsächlichen Fähigkeiten auf (z.B. "leadership qualities", "foreign languages", "computer-literate", ...)

5. Wichtige Leistungen ("Main Achievements")
Auf welche Ihrer Leistungen sind Sie besonders stolz? Hier sollten nicht nur berufsbezogene Leistungen aufgelistet werden, auch solche, die etwas über Ihre Persönlichkeit aussagen, gehören an diese Stelle (z.B. organisatorische Arbeiten, Vorträge und Präsentationen aller Art, Herausgabe von Schüler- bzw. Studentenzeitungen, etc ... ("Committee Work", "Publishing", "Positions of Responsibility", etc.)

6. Ausbildung ("Education")
Hier führen Sie tabellarisch Ihren akademischen Werdegang auf. Angaben zur Fächerwahl, genaue Daten und Noten gehören ebenfalls an diese Stelle. Angaben beginnen mit dem Eintritt ins Gymnasium (oder die Gesamtschule).

7. Berufserfahrung ("Employment History")
In umgekehrter chronologischer Reihenfolge nennen Sie hier Ihre früheren Arbeitgeber mit Angabe von Adressen und einer kurzen Beschreibung Ihrer jeweiligen beruflichen Tätigkeit. An dieser Stelle sollten Sie die Gründe für Ihre/n Jobwechsel nicht nennen. Danach wird man Sie möglicherweise im Vorstellungsgespräch ("job interview") fragen.

Der **"Covering Letter"** ist der erste Eindruck und sollte daher in jeder Beziehung perfekt konzipiert sein. Dies beginnt bereits bei der Wahl des Papiers, der Schriftart, des Layouts etc.

Rechts oben steht Ihre Adresse:
Straße mit Hausnummer,
Stadt mit Postleitzahl,
etwas darunter das Datum (z.B. 23rd November 2000)
Links, darunter die Adresse des Adressaten:
Name mit Titel,
Position,
Abteilung,
Firmenname,
Straße mit Hausnummer,
Stadt mit Postleitzahl
(Angabe des Landes bei Bewerbungen aus dem oder ins Ausland)

Die Anrede erfolgt mit dem Namen (z.B. "Dear Mr Mellor,") oder, wenn dieser nicht bekannt ist, mit „Dear Sir / Madam,".

Darunter geben Sie den Grund Ihres Schreibens an:
Re: (oder Ref) die Position, für die Sie sich bewerben (z.B. Laboratory Assistant)

Im ersten Drittel des Briefes stellen Sie sich vor, nennen die Position, für die Sie sich bewerben und erwähnen, wie Sie von der Ausschreibung erfahren haben. Beschreiben Sie kurz Ihr persönliches Profil (siehe CV, 3. Abschnitt).

Im zweiten Drittel legen Sie (in Absätze gegliedert) dar, warum Sie Interesse an der ausgeschriebenen Position haben und warum Sie überzeugt sind, bestens dafür geeignet zu sein. Lassen Sie, wenn möglich, durchblicken, dass Sie sich über die Firmengeschichte und die zukünftigen Pläne der Firma informiert haben – dies unterstreicht Ihr Interesse. Legen Sie überzeugend dar, warum die Firma an Ihnen interessiert sein sollte. „Verkaufen" Sie sich gut.

Im letzten Drittel bekräftigen Sie noch einmal Ihr Interesse an der ausgeschriebenen Position und fassen noch einmal kurz zusammen, warum Sie für die Position wie geschaffen sind. Bitten Sie um ein Vorstellungsgespräch und erwähnen Sie, wann Ihnen terminlich ein persönliches Gespräch möglich ist.

Schließen Sie den "covering letter" freundlich und optimistisch (tragen Sie hier bitte nicht zu dick auf!) und verabschieden Sie sich z. B. mit "I look forward to hearing from you."

Yours faithfully, / Yours sincerely, (Siehe S. 214)

(Ihr Name)

Alphabetical Vocabulary List
Alphabetische Wortschatzliste

(number) clear days (6.5)
(number) days ago (6.5)
(number) successive months (6.5)
(number) times (number) (6.3)
(number) years ago (6.5)
@ 30 frames (4.4)
19'' screen (15.1)
20th century, the (6.4)
24-hour clock (16.1)
24-hour service (2.2)

abandon a project (5.1)
ability (3.1)
abort (15.3)
about (13.1)
above-average growth (12.8)
abroad (16.1)
abrupt (13.1)
abruptly (13.1)
abstain (4.2)
abstention (4.2)
accelerated depreciation (12.6)
accept (3.2) (15.2)
accept a reverse charge call (14.1)
accept an offer (7.3)
accept delivery of a shipment (8.3)
accept the lowest quotation (7.1)
acceptance of an offer (7.3)
accepting bank (12.1)
access (15.2)
access a file (15.2)
access a market (10.1)
access data (15.2)
access files (15.2)

access is denied (15.2)
access rights (15.2)
access time (15.2)
access to a market (10.1)
access to airport (4.1)
access to the Net (15.4)
access to the required information (15.2)
accessible (1.1)
accident (16.5)
accident insurance (12.2)
accommodate (16.4)
accommodation (16.4)
Accommodation for Rent (11.1)
Accommodation Wanted (11.1)
according to (14.2)
according to our estimate (7.1)
according to the contract (7.4)
according to the timetable (16.1)
account (12.1) (12.6) (15.4)
account details (12.1)
account for (12.6)
account number (12.6)
accountability (12.6)
accountable (12.6)
accountant (12.6)
accounting (12.6)
accounting methods (12.6)
accounting period (12.6)
accounts (12.6)
accounts book (12.6)
accounts controller (1.3)

accounts department (1.1)
accounts payable (12.6)
accounts receivable (12.6)
accounts staff (1.3)
accruals (12.6)
accumulated profit (12.7)
accurate (13.1)
accurately (13.1)
achievement (3.4)
acknowledge sth in writing (14.2)
acquire a company (1.1)
acquire a licence (10.3)
acting (1.3)
acting manager (1.3)
actual (8.1)
actual earnings (3.3)
actual time of arrival (16.1)
actually (8.1)
ad (11.1)
adaptability (2.2)
adaptable (2.2)
add (6.2)
add soundtrack to a video (4.4)
added to (6.3)
adding (6.3)
additional charge (12.4)
additional costs (12.6)
additional duty (8.1)
additional earnings (3.3)
additional fees (12.4)
additional qualifica-tions (3.1)
add-on memory (15.1)
address (3.1)
address an envelope (14.2)

address label (1.4)
address list (15.4)
address the chair (4.2)
addressee (14.2) (14.2)
adhesive tape (1.4)
adhesive tape dispenser (1.4)
adjourn (4.2)
adjournment (4.2)
adjust prices (7.1)
admin (1.1)
administration (1.1)
administration block (1.1)
administration costs (12.6)
administrative (1.1)
administrative work (3.3)
admit (9.1)
admitted (8.5)
adopt a resolution (4.2)
advance order (7.3)
advance payment (12.4)
advanced (3.1)
advanced technical college (3.1)
advert (11.1)
advertainment (11.1)
advertise (11.1)
advertise a vacancy (3.2)
advertisement (11.1)
advertising (11.1)
advertising agency (11.1)
advertising budget (11.1)
advertising campaign (11.1)
advertising department (1.1)
advertising manager (1.3)
advertising, in (3.1)

advice (5.4)
advice note (8.1)
advice of despatch (8.1)
advise (5.4)
advise sb (5.4)
adviser (5.4)
advising bank (12.1)
advisor (5.4)
advisory (5.4)
after the signal (14.1)
after the tone (14.1)
after-sales service (2.2)
after-tax profit (12.7)
against (4.2)
against 3 months' acceptance (12.4)
against a motion (4.2)
against all risks (12.2)
against theft (15.4)
against viruses (15.4)
age (3.1)
age group (10.1)
age limit (3.2)
agency (10.3)
agenda (4.2)
agent (10.3)
agree (5.3)
agreed (5.3)
agreed terms (7.4)
agreement (5.3)
aim (5.1) (5.3)
aim at a target group (11.1)
air cargo (8.2)
air freight (8.2)
air freight bill (8.1)
air freight charges (8.2)
air traffic control (16.2)
air transport (8.2)
air waybill (8.1) (8.2)
air-conditioned (1.4)
airline (16.2)

airport (16.2)
airport tax (16.2)
airtight packaging (8.4)
alarm call (16.4)
all-in price (7.1)
allow sb a discount (7.1)
allow sb interest-free credit (12.1)
all-risks policy (12.2)
all-time high (13.1)
all-time low (13.1)
almost (13.1)
alter the terms of a contract (7.4)
amalgamation (5.2)
ambitious (3.2)
ambulance (14.1)
amendment (4.2)
amenities (4.1)
amicable (10.3) (9.2)
amicably (10.3) (9.2)
amount (12.6)
amount overdue (12.5)
amount owing (12.5)
amount to (12.6)
angry (9.1)
animation (15.4)
announce (4.2)
announcement (4.2)
annoyance (9.1)
annoyed (9.1)
annual accounts (12.6)
annual financial statement (12.1)
annual general meeting (4.2)
annual growth (13.1)
annual leave (3.3)
Annual Percentage Rate (12.1)
annual premium (12.2)
annual report (1.2)
annual statement of account (12.6)

annual turnover (12.7)
ansaphone (14.1)
answer by fax (14.4)
answer the phone (14.1)
answering machine (14.1)
answerphone (14.1)
answerphone message (14.1)
anticlockwise (6.4)
anti-static dust cover (15.1)
anti-virus program (15.4)
Any Other Business (4.2)
apologies (9.1)
apologize (9.1)
apologize for (9.1)
apology (9.1)
appear as a charge on the accounts (12.6)
appear on the market (10.2)
applicant (3.1)
application (3.1) (15.2)
application for a visa (16.1)
application form (3.1)
apply for a job (3.1)
apply for a loan (12.1)
apply for a patent (5.1)
apply for a visa (16.1)
apply in person (3.1)
apply in writing (3.1)
appoint (3.2)
appointment (interview) (3.2)
appointment (job) (3.2)
appointments (11.1)
apprentice (3.4)

apprenticeship (3.4)
approach the bank for a loan (12.1)
approaching (13.1)
approval (4.2) (5.3)
approve a project (5.3)
approximate (13.1)
approximately (13.1)
April (app)
aptitude test (3.2)
area (1.1)
area code (14.1)
area manager (1.3)
area of economic activity (13.1)
area of responsibility (1.3)
arrange (4.1) (8.3)
arrange an appointment (3.2)
arrange data (15.2)
arrange for (3.2)
arrangement (3.2)
arrangements (16.1)
arrears (12.5)
arrival (16.1)
arrivals lounge (16.2)
arrive at (a grade) (3.4)
arrow (key) (15.3)
as a rule (1.2)
as a whole (6.4)
as far as … is concerned (14.2)
as from (12.6)
as per contract (7.4)
as per invoice (12.4)
as regards (14.2)
ask for (15.1)
ask for directions (16.5)
asking price (7.1)
assemble (2.1)
assembly (2.1)
assembly line (2.1)
assess (3.2)
assessment (3.2)
assets (12.8)
assistance (3.3)

associate company (1.1)

at ... o'clock sharp (6.6)

at ... on the dot (6.6)

at a certain point in time (6.5)

at a discount of 10% (7.1)

at all costs (6.1)

at all hours (1.2)

at any price (6.1)

at any time (6.5)

at buyer's risk (12.2)

at competitive prices (7.1)

at current rate (12.1)

at exactly ....o'clock (6.6)

at fault (9.1)

at half price (7.1)

at midnight (6.5)

at night (6.5)

at noon (6.5)

at our expense (9.2)

at short notice (8.3)

'at' sign (15.3)

at your expense (9.2)

attachment (15.4)

attend (4.1)

attend a fair (11.2)

attendance (4.1)

attendance list (4.1)

attention (4.1)

attitude (3.2)

attract (3.2)

attract attention (11.1)

audible (4.4)

audibly (4.4)

audience (13.2)

audio conferencing (4.4)

audio-visual (4.4)

audio-visual facilities (4.1)

audio-visually (4.4)

audit (12.6)

auditor (12.6)

auditor's report (12.6)

auditorium (4.1)

August (app)

Austria (8.5)

Austrian (8.5)

autoformat (15.2)

automated teller machine (12.1)

automatic ticket machine (16.3)

available (8.4)

average (12.2) (6.4)

average consumer (10.1)

average cost per unit (12.6)

average earnings (3.3)

average price (7.1)

average-sized (1.1)

award of a contract (7.4)

back shift (15.3)

back to the drawing board (5.1)

backlog (9.1)

backlog of work (9.1)

backslash (15.3)

backup (copy) (15.2)

bad buy, a (7.2)

bad connection, a (14.1)

bad debt (12.5)

bad line, a (14.1)

baggage (16.2)

baggage cart (16.2)

baggage claim (16.2)

baggage insurance (16.2)

baggage tracing (16.2)

bait and switch (6.2 FAQ)

bakery (16.5)

balance (12.6)

balance an account (12.6)

balance brought down (12.6)

balance brought forward (12.6)

balance in hand (12.6)

balance of payments (10.4)

balance of trade (7.2)

balance sheet (12.6)

balanced budget, a (12.6)

ballot (4.2)

ballpoint pen (1.4)

banana problem (1.2 FAQ)

bank account (12.1)

Bank Automated Clearing Services (12.1 FAQs)

bank charges (12.1)

bank code (12.1)

bank lending rate (12.1)

bank loan (12.1)

bank manager (12.1)

bank overdraft (12.1)

bank sort code (12.1)

banking & credit (12.1)

banknote (12.3)

bankruptcy (12.5)

banner ad (11.1)

bar (4.1) (15.2)

bar chart (13.2)

bar code (15.4)

bar code scanner (15.4)

bare (13.1)

barely (13.1)

bargain (5.3)

bargain offer (7.3)

based in West London (1.1)

basement (1.4)

basic knowledge (3.1)

basic pay (3.3)

basic requirements (4.4)

basic salary (3.3)

bath (16.4)

bathroom (16.4)

be available (3.2)

be burdened with debt (12.5)

be case-sensitive (15.3)

be compatible (4.4)

be compatible with (4.4)

be cut off (14.1)

be delighted (3.2)

be due (12.5)

be familiar with sth (3.4)

be given time off (3.3)

be in arrears (12.5)

be in charge of a meeting (4.2)

be in force (7.4)

be insured against sth (12.2)

be irritating (9.1)

be of service (2.2)

be on holiday (3.3)

be on the line (14.1)

be on the phone (14.1)

be on the staff (1.3)

be plugged in (15.1)

be promoted (3.2)

be short-listed (3.2)

be situated in / on (16.5)

be six pounds short (6.4)

be sorry (9.1)

be suitable (8.4)

be transferred (14.1)

be under contract (7.4)

be willing to consider sth (5.1)

bear left (16.5)

bear the costs (12.6)
bearer cheque (12.4)
beat prices (7.1)
become due (12.5)
become eligible (3.2)
become insolvent (12.5)
bed & breakfast (16.4)
bedroom (16.4)
Belgian (8.5)
Belgium (8.5)
below standard (9.1)
below-average growth (12.8)
bend (16.5)
beneficiary of a letter of credit (12.1)
best-before date (2.1)
big business (1.1)
bill (12.3)
bill of exchange (12.1)
bill of lading (8.1) (8.2)
bill sb's account (12.4)
billion, a (6.4)
binding agreement (5.3)
binding offer (7.3)
biodegradable (10.4)
biro (1.4)
birthplace (3.1)
bit (15.1)
bits (15.1 FAQ)
blame sb else (9.1)
blank (15.3)
blank (key) (15.3)
blank cheque (12.4)
blanket (insurance) policy (12.2)
bleeper (14.1)
block (1.1)
block letters (3.1)
blue-collar (3.3)

board meeting (4.2)
Board of Directors (1.1)
boarding card (16.2)
boarding pass (16.2)
boardroom (4.2)
bold (15.3)
boldface (15.3)
bonds (12.8)
bonus (3.3)
book (12.6)
book a flight (16.1)
booking (16.1)
bookkeeper (12.6)
bookkeeping (12.6)
bookshop (16.5)
boom (13.1)
boost capacity (2.1)
boost output (2.1)
boot the computer (15.1)
booth (11.2)
borrow long (12.1)
borrow short (12.1)
borrowed money (12.1)
borrower (12.1)
boss (1.3)
bottom line, the (12.6)
bottom out (13.1)
bottom price (7.1)
bounce (12.4) (14.3 FAQ)
bounced (14.3)
box (8.4)
box drawer (1.4)
box file (1.4)
Boxing Day (app)
branch (1.1)
branch manager (1.3)
branch office (1.1)
brand (2.1)
brand image (11.1)
brand loyalty (11.1)
brand name (11.1)
brand of chocolate (2.1)

brand recognition (11.1)
breach of contract (7.4)
break (4.1)
break a contract (7.4)
break an agreement (5.3)
break down (5.3) (16.5) (12.6)
break even (7.1) (12.7)
break into a market (10.1)
break off (4.2)
breakage (8.4)
breakages (8.4)
breakdown (16.5)
breakdown (in figures) (12.6)
breakdown of fixed costs (12.6)
breakdown of negotiations (5.3)
break-even point (12.7)
breakfast (16.4)
break-out rooms (4.1)
breakthrough (5.1)
bricks-and-mortar company (15.4)
bridging loan (12.1)
brief (3.1) (4.2) (13.1)
briefcase (16.2)
briefly (13.1)
bring forward (8.3)
bring forward a motion (4.2)
bring out a new model (11.1)
bring sb up to date (5.4)
bring up (4.2)
British (8.5)
British market, the (10.1)
Briton (8.5)
broadband (4.4)
brochure (11.2)

brochureware (11.2 FAQ)
broker (12.8)
brought down (12.6)
brought forward (12.6)
browse (15.4)
browser (15.4)
brunch (16.4)
bubble jet (15.1)
budget (12.6)
budget account (12.6)
budget deficit (12.6)
budget for (12.6)
budget price (7.1)
bug (15.2)
building (1.1)
building society account (12.1)
buildings insurance (12.2)
built-in microphone (4.4)
built-up area (16.5)
Bulgaria (8.5)
bulk buying (7.2)
bulk carrier (8.2)
bulk goods (2.1)
bulk haulage (8.2)
bulk order (7.3)
bulk shipment (8.2)
bulletin board (1.4)
bureau de change (12.3)
business (1.1)
business address (3.1)
business administration (3.1)
business and efficiency analyses (5.1)
business application (15.2)
business call (4.3)
business card (11.2)
business centre(4.1)
business class (16.1)

F

B

business college (3.1)
business correspondence (14.2)
business cycle (12.6)
business environment, the (10.1)
business hours (1.2)
business idea (5.2)
business letter (14.2)
business lunch (4.3)
business matters (4.3)
business people (4.3)
business plan (12.1)
business premises (1.4)
business section (11.1)
business sense (3.2)
business specialist (5.4)
business start-up (12.1)
business studies (3.1)
business to business (7.2)
business to customer (7.2)
business transaction (1.2)
business trip (16.1)
business with foreign customers (10.1)
businessman (1.3)
businesswoman (1.3)
busy (14.1)
busy-wait (15.4 FAQ)
button (15.3)
buy (7.2)
buy and sell (11.1)
buy back (7.2)
buy for cash (7.2)
buy forward (7.2)

buy second-hand (7.2)
buy wholesale (7.2)
buy-back deal (7.2)
buyer (1.3) (7.2)
buyers' market (7.2)
buying power (7.2)
buying price (7.1)
by (13.1)
by €25 (6.4)
by air (8.2)
by airmail (14.2)
by all means (5.3)
by mistake (9.1)
by phone (14.1)
by rail (8.2)
by return (of post) (14.2)
by sea (8.2)
by separate post (14.2)
by surface mail (14.2)
by the end of the week / month (6.5)
by the same post (14.2)
by way of comparison (10.2)
by-product (2.1)
byte (15.1)
bytes (15.1 FAQ)

cab (16.3)
cable (15.1)
calculate (12.6)
calculated on a day-to-day basis (12.6)
calculating (6.3)
calculation of profitability (12.7)
calculator (1.4)
calendar (1.4)
calendar month (12.6)
calendar months (app)
calendar year (12.6)
call (14.1)

call a meeting (4.2)
call about sth (14.1)
call abroad (14.1)
call at a station (16.3)
call back (14.1)
call box (14.1)
call by (4.3)
call charge (14.1)
call collect (14.1)
call confidentiality (14.1)
call on sb (4.3)
call sb (14.1)
call sb up (14.1)
call up (15.2)
call up a file (15.2)
call up a program (15.2)
call up an application (15.2)
call up data (15.2)
caller (14.1)
calling at (16.3)
calm sb down (9.1)
cancel (12.6)
cancel a cheque (12.4)
cancel an appointment (4.3)
cancel an order (7.3)
cancellation clause (7.4)
candidate (3.2)
canteen (3.3)
capability (15.2)
capacity (2.1) (12.1)
capacity usage (2.1)
capital (12.6)
capital account (12.6)
capital assets (12.8)
capital equipment (12.6)
capital expenditure (12.6)
capital gains tax (12.3)
caps (= capital letters) (15.3)
caps lock key (15.3)

capture (5.1)
capture part of the market (5.1)
car (16.5)
car allowance (3.3)
car documents (16.5)
car hire (16.5)
car industry, the (1.1)
car park (16.5)
car rental (16.5)
carbon copy (15.4)
carbon dioxide (10.4)
card (15.1)
card index (1.4)
cardboard (8.4)
cardholder (12.1)
career (3.2)
career path (3.2)
career prospects (3.2)
carefully manufactured (2.1)
careless (9.1)
caretaker (1.4)
cargo (8.2)
cargo insurance (12.2)
carriage (8.2)
carriage and insurance paid to (8.3)
carriage forward (9.2)
carriage paid to (8.3)
carrier (8.2) (14.2)
carry a motion (4.2)
carry a risk (5.2)
carry out a plan (5.1)
carry over a balance (12.6)
case (16.4)
cash (12.1)
cash a cheque (12.4)
cash against documents (12.4)

cash balance (12.1)
cash budget (12.6)
cash card (12.1)
cash discount (7.1)
(6.5)
cash dispenser
(12.1)
cash in advance
(12.4)
cash in hand (12.6)
cash in on sth (12.7)
cash on delivery
(12.4)
cash on hand (12.6)
cash or early
payment discount
(12.4)
cash payment (12.4)
cash purchase (7.2)
cash sale (7.2)
cash terms (7.4)
cash with order
(12.4)
cashflow (12.6)
cashpoint (12.1)
casting vote (4.2)
casual worker (3.3)
catalog (11.2)
catalogue (11.2)
catalogue price
(7.1)
catch a train (16.3)
cause (9.1)
cause difficulty (9.1)
cautiously optimistic
(13.1)
cell phone (14.1)
cellular phone
(14.1)
Celsius (6.2)
center (15.3)
centi- (6.2)
Centigrade (6.2)
centimetre (6.2)
certain (13.1)
certain (to be) (5.2)
certainly (5.3)
certainty (3.1)
(13.1)
certificate (3.1)
certificate of
airworthiness (8.1)

certificate of
insurance (12.2)
certificate of origin
(8.1)
certificate of
seaworthiness
(8.1)
certificate of
vaccination (16.1)
certified mail (14.2)
certified public
accountant (12.6)
certify (12.6)
CFC-free (10.4)
chair (4.2)
chairman (1.1)
(4.2)
chairperson (1.1)
(4.2)
chairperson's annual
report (1.2)
chairwoman (1.1)
(4.2)
Chamber of
Commerce (8.1)
Chamber of
Commerce and
Industry (8.1)
change (12.3)
change at (16.3)
change one's mind
(5.3)
changes in the
world's climate
(10.4)
character (15.3)
character set (15.3)
character size (15.3)
character spacing
(15.3)
characters per line
(15.3)
charge (7.1) (12.4)
charge €10 for
delivery (7.1)
charge account
(12.6)
charge sb for sth
(12.4)
charge to (12.4)
charge to sb's
account (12.4)

Charing Cross
(16.3)
chartered
accountant (12.6)
chat (4.3) (15.4)
chat group (15.4)
chatting (15.4)
cheap (7.1)
cheap rate (14.1)
cheat (7.2)
check (1.2) (12.4)
(12.6) (14.2)
check in (16.2)
(16.4)
check out (16.4)
check-in counter
(16.2)
checking account
(12.1)
chemist (16.5)
cheque (12.4)
Chief Financial
Officer (1.3)
chlorofluorocarbon
(10.4)
choice (11.1)
Christmas boom,
the (13.1)
Christmas
catalogue, the
(11.2)
Christmas Day (app)
Christmas Eve (app)
Christmas season,
the (8.4)
chronological order
(3.1)
circulate (4.2)
circumstances
beyond our
control (9.1)
citizens (8.5)
claim (9.2)
claim a discount
(7.1)
claim compensation
(9.2)
claim form (12.2)
claimant (9.2)
claims department
(1.1)
clarify (4.2)

clarify a position
(4.2)
classified ads (11.1)
classified directory
(14.1)
clause (in a
contract) (7.4)
clean bill of lading
(8.1)
cleaner (1.4)
cleanliness (16.4)
clear €400 on a deal
(12.7)
clear a cheque
(12.4)
clear a debt (12.5)
clear goods through
customs (8.1)
clear key (15.3)
clear of debts
(12.5)
clear profit, a
(12.7)
clearance certificate
(8.1)
clearance sale (7.2)
clerical staff (1.3)
clever (3.2)
click (on) (15.3)
client (4.3)
climate change
(10.4)
climatic change
(10.4)
climatic conditions
(10.4)
climb (13.1)
clinch a deal (5.3)
clipboard (1.4)
(15.3)
clockwise (6.4)
close a file (15.2)
close a meeting
(4.2)
close an account
(12.1)
close business
relations (5.2)
closed from ... to ...
(1.2)
closed network
(15.4)

F
C

closed on Saturdays (1.2)
close-out sale (7.2)
closing session (4.1)
code (15.4)
code of practice (5.4)
coding program (15.4)
coffee break (4.1)
cold start (15.1)
collaborate (5.2)
collapse (13.1)
collateral (12.1)
colleague (3.3)
collect a debt (12.5)
collect call (14.1)
collection (14.2)
collection agency (12.5)
Collision Damage Waiver (16.5)
column (15.3)
com port (15.1)
combine services (2.2)
come back to (5.3)
come into effect (7.4)
come into force (7.4)
come to an arrangement (9.2)
come to an understanding about sth (9.2)
come to terms (5.3)
command (15.2)
comment (4.2) (9.1)
comment on (4.2)
commentated video sequences (4.4)
commerce (1.1)
commercial (11.1)
commercial application (15.2)
commercial clerk (1.3)
commercial college (3.1)
commercial directory (7.2)

commercial district (1.1)
commercial English (3.1)
commercial invoice (8.1)
commercial law (5.4)
commercially (14.2)
commission (3.3)
commission a market research study (10.1)
commission of 15%, a (3.3)
commission sale (7.2)
committee (4.2)
commodity (2.1)
commodity sales (12.7)
Common Agricultural Policy (8.5)
common currency (12.3)
common energy strategy (10.4)
Common External Tariff (8.5)
commute (3.3)
commuter ticket (3.3)
compact disk player (4.1)
Companies Act, the (5.4)
companies with a diverse background (5.1)
company (1.1)
company car (3.3)
company law (5.4)
company logo (11.1)
company mergers (5.2)
company policy (1.2)
company results (12.6)
company rules (1.2)

comparable (10.2)
compare (11.1)
compare with (10.2)
comparison (10.2)
comparisons (13.2)
compatibility (4.4)
compatible (4.4) (15.2)
compatible software (15.2)
compensate (9.2)
compensate sb for sth (9.2)
compensation (9.1) (9.2)
compete (10.2)
competing firm (10.2)
competing product (10.2)
competition (10.2)
competitive (10.2)
competitive advantage (10.2)
competitive edge (10.2)
competitive market (10.2)
competitive price (7.1)
competitively priced (7.1)
competitiveness (10.2)
competitor (10.2)
compile (15.2)
complain (9.1)
complain by phone (9.1)
complain in writing (9.1)
complaint (9.1)
complaints (9.1)
complaints department (1.1)
complaints procedure (9.1)
complement (5.2)
complementary (5.2)
complete (3.1)

complete a form (3.1)
completion of a contract (7.4)
component (2.1)
compound interest (12.1)
comprehensive insurance (12.2)
comprehensive school (3.1)
compress (4.4)
compress a signal (4.4)
compressor program (4.4)
comprise (6.4)
compromise (9.2)
computer (15.1)
computer account (15.4)
computer applications programmer (15.2)
computer technology (15.1)
computer virus (15.4)
computer-aided design (15.2)
computer-aided learning (15.2)
computer-aided manufacture (15.2)
computer-based training (15.2)
computer-literate (3.1)
concession (9.2)
conditions (7.4)
conditions of sale (7.2)
conduct an interview (3.2)
conduct negotiations (5.3)
conference (4.1)
conference facilities (4.1)

conference
participant (4.4)
conference room
(4.1)
confidential (3.2)
confirm a booking
(16.1)
confirm a purchase
(7.2)
confirm an order
(7.3)
confirm by fax
(14.4)
confirm sth in
writing (14.2)
confirmation
acknowledgement
(7.3)
confirmed (12.1)
confirming bank
(12.1)
conform (15.2)
conform to (15.2)
congratulations
(3.2)
connect a fax
machine (14.4)
connect computers
to each other
(15.1)
connect sb (14.1)
connect the cable
(15.1)
connect to (15.1)
connect with (16.1)
connected to the
network (15.4)
connecting flight
(16.2)
connection (4.4)
(16.1)
consensus (4.2)
conservative
estimate, a (7.1)
consider (5.1)
consider sb for a
position (3.2)
considerable risk
(5.2)
consignee (8.1)
consignment (7.3)
(8.2)

consignment note
(8.1)
consignor (8.1)
consolidated
shipment (8.2)
consolidations (8.2)
consortium (5.2)
constant (13.1)
constitute a quorum
(4.2)
construct a stand
(11.2)
consular invoice
(8.1)
consulate (16.1)
consult with (5.4)
consultancy costs
(5.4)
consultant (5.4)
consultant's fee
(5.4)
consumer (11.1)
(10.1)
consumer behaviour
(10.1)
consumer durables
(2.1)
consumer goods
(2.1)
consumer price
(7.1)
consumer
protection (11.1)
consumer spending
(11.1) (10.1)
consumption (10.1)
contact sb (14.1)
contacts (11.1)
contain (8.4)
container (8.4)
contaminate (10.4)
contamination
(10.4)
content (8.2)
contents insurance
(12.2)
continuous paper
(1.4)
contract (7.4) (13.1)
contract law (5.4)
contract of carriage
(8.1)

contract of
insurance (12.2)
contract of sale (7.4)
contract price (7.1)
contracting parties
(7.4)
contractual
obligation (7.4)
contribution (4.2)
control (1.2)
control key (15.3)
conversion (12.3)
conversion table
(12.3)
convert a file (15.2)
convey an idea
(13.2)
conveyor (8.2)
convincing (11.1)
cool sb down (9.1)
co-operate (5.2)
co-operation (5.2)
co-operative (3.2)
co-owner (1.1)
cope with (3.3)
copy (15.3)
copy a file (15.2)
copyright law (5.4)
cord (14.1)
cordless phone
(14.1)
core activity (10.1)
core competences
(10.1)
core skills (3.1)
corporate customer
(1.1)
corporate profits
(12.7)
corporation (1.1)
corporation tax
(12.3)
correspondence
(14.2)
cost accountant
(12.6)
cost accounting
(12.6)
cost analysis (12.6)
cost and freight
(8.3)
cost increases (12.6)

cost of living (12.6)
cost per unit (12.6)
cost saving (12.6)
cost sth (12.6)
cost, insurance and
freight (8.3)
cost-benefit analysis
(5.2)
cost-cutting (12.6)
cost-effective (12.6)
costing (7.1)
costs (12.6)
cost-sharing (5.2)
count on sb (9.1)
counterclockwise
(6.4)
country (8.5) (10.4)
country code (14.1)
country of
destination (8.2)
country of origin
(8.1)
courier (8.2)
cover (12.2) (15.1)
cover note (12.2)
covering letter (3.1)
craft work (3.3)
craftsman (1.3)
craftswoman (1.3)
crash (15.2)
create a file (15.2)
credit (12.1)
credit account
(12.6)
credit an account
with €500 (12.1)
credit balance
(12.6)
credit card (12.1)
credit card call
(14.1)
credit card order .
(7.3)
credit column
(12.6)
credit entry (12.6)
credit limit (12.1)
credit note (12.1)
(12.5)
credit rating (12.1)
credit side (12.6)
credit transfer (12.1)

D

F

F

E

export duty (8.1)
export financing (12.1)
export invoice (8.1)
export licence (8.1)
export manager (1.3)
export permit (8.1)
exporter (1.1)
express a complaint (9.1)
express a warning (9.1)
express delivery (8.3) (14.2)
express delivery contract (8.3)
express train (16.3)
expressions of quantity (6.1)
extension number (14.1)
extension of licence (10.3)
extra demand (8.4)
extra insurance (16.5)
extras (12.6)
extremely concerned (9.1)
e-zine (11.1)

face time (4.3 FAQ)
face-to-face (4.4)
facilities (1.4) (4.1)
facility (1.1)
fact sheet (11.2)
factory (1.1)
facts (4.2)
Fahrenheit (6.2)
fail an exam (3.4)
failure to pay (12.5)
fair (11.2)
fair pass (11.2)
fair price (7.1)
fall (13.1)
fall behind schedule (5.1)
fall due (12.5)
fall through (5.3)

familiarize oneself with a new job (3.4)
family company (1.1)
famous for (be) (2.1)
fare (16.3)
fatal error (15.2)
fault (9.1)
faulty (9.1)
favourable (5.3)
favourable price (7.1)
fax (4.1) (14.4)
fax an order (7.3)
fax back (14.4)
fax machine (1.4) (14.4)
fax message (14.4)
fax number (14.4)
fax paper (1.4)
fax shot (14.4)
feasibility report (10.1)
feasibility study (10.1)
February (app)
fee (12.4)
feedback (4.4) (10.1)
felt-tip pen (1.4)
field of advertising, in the (3.1)
field sales manager (1.3)
field work (5.1)
fierce competition (10.2)
figure (13.2)
file (4.4) (15.2)
file a patent application (5.1)
file an income tax return (12.3)
file drawer (1.4)
file for bankruptcy (12.5)
file transfer (15.2)
filing cabinet (1.4)
fill a real gap in the market (5.1)

fill in a form (3.1)
fill in for sb (1.3)
fill out a form (3.1)
fill sb in (4.3)
fill up (16.5)
filling station (16.5)
final bill (12.4)
final date for payment (12.5)
final demand (12.5)
final examination (3.4)
final product (2.1)
finance (12.1)
finance committee (4.2)
financial accountant (12.6)
financial assistance (12.1)
financial calculations (12.6)
financial director (1.3)
financial position (12.6)
financial resources (12.1)
financial risk (5.2)
financial standing (12.1)
financial statement (12.1)
Financial Times Stock Exchange Index, the (12.8)
financial year (12.6)
financing (12.1)
find a solution (5.3)
fine print, the (7.4)
finished goods (2.1)
finished product (2.1)
Finland (8.5)
Finn (8.5)
Finnish (8.5)
fire brigade (14.1)
fire insurance (12.2)
firewall (15.4)
firm (1.1)
firm offer (7.3)
firm order (7.3)

firm price (7.1)
first class (16.1) (16.3)
First Class mail (14.2)
First Class post (14.2)
first half-year (12.6)
first name (3.1)
first option (5.3)
First World country (10.4)
first-time customer (4.3)
first-time order (7.3)
fitting equipment (1.4)
fixed arrangement (16.1)
fixed assets (12.8)
fixed costs (12.6)
fixed exchange rate (12.3)
fixed interest (12.1)
fixed price (7.1)
fixed-interest investment (12.8)
flexibility (2.2)
flexible (2.2) (3.2)
flexible exchange rate (12.3)
flexitime (3.3)
flicker-free monitor (15.1)
flight (16.2)
flight attendant (16.2)
flight schedule (16.1)
flip-chart (4.1)
floating charge (12.6)
floating currency (12.3)
floating exchange rate (12.3)
floor (1.4)
floor plan (11.2)
floor space (11.2)
floppy disk (15.1)
florist (16.5)

flow of capital
(12.6)
flow of goods (2.1)
flowchart (13.2)
fluctuate (13.1)
fluent (3.1)
focus on (1.1)
folder (1.4) (4.1)
follow-up order
(7.3)
font (15.3)
food quality (16.4)
foot (6.2)
foot the bill (12.4)
Footsie 100 Index
(12.8)
for hire (11.1) (16.3)
for sale (11.1)
for some time now
(6.5)
for your information
(14.2)
force majeure (7.4
FAQ)
forecast (13.1)
foreign aid (10.4)
foreign currency
(12.3)
foreign currency
account (12.1)
foreign exchange
(12.3)
foreign exchange
department (12.3)
foreign exchange
transaction (12.3)
foreign freight
forwarder (8.2)
foreign language
(3.1)
foreign language
secretary (1.3)
foreign language
training (3.4)
foreign market (2.1)
foreign money order
receipt (12.4)
foreign notes and
coins (12.3)
foreign trade (7.2)
foreign trade risks
(7.2)

forename (3.1)
formal meetings
(4.2)
format (15.2)
former employer
(3.1)
fortnight ago
yesterday, a (6.5)
forward a fax (14.4)
forward delivery
(8.3)
forward strategy
(5.1)
forwarding address
(14.2)
forwarding agent
(8.2)
forwarding charges
(8.2)
fossil fuels (10.4)
foul bill of lading
(8.1)
fraction (6.4)
fragile (8.4)
frame (15.3)
France (8.5)
franchise (10.3)
franchised dealer
(10.3)
franchisee (10.3)
franchiser (10.3)
franchising (10.3)
franchisor (10.3)
franking machine
(1.4)
fraud (7.2)
fraudulent (7.2)
free (16.3)
free alongside ship
(8.3)
free carrier (8.3)
free competition
(10.2)
free of charge (12.4)
free of damage
(8.3)
free on board (8.3)
free sample (11.1)
free trade area (8.1)
(8.5)
freebee (11.1)
freebie (11.1)

freely convertible
currency (12.3)
freeway (16.5)
freight (8.2)
freight bill (8.1)
freight collect (8.2)
freight costs (8.2)
freight forwarder
(8.2)
freight forwarding
(8.2)
freight handling
facilities (8.2)
freight included
(8.2)
freight insurance
(12.2)
freight invoice (8.1)
freight note (8.1)
freight rate (8.2)
freight service (2.2)
freight train (8.2)
French (3.1) (8.5)
Frenchman (8.5)
Frenchwoman (8.5)
Friday (app)
front coaches (16.3)
front page, the
(11.1)
FT Index (12.8)
fuel (16.5)
fulfil an order (7.3)
fulfilment of
contract (7.4)
full details (3.1)
full driving licence
(16.5)
fully comprehensive
insurance (16.5)
fund a project
(12.1)
funding (12.1)
funds (12.1)
furnishings (1.4)
furniture (1.4)
furniture business,
the (1.1)
further to (14.2)
further vocational
training (3.4)
future demand
(8.4)

futures market
(12.8)

G7/G8 Group (8.5
FAQ)
gain control (4.2)
gallon (6.2)
gap in the market
(5.1)
garage (16.5)
garage sale (7.2
FAQ)
gas (16.5)
gas station (16.5)
gasoline (16.5)
gate (16.2)
gather (4.1)
gazillion (6.6 FAQ)
general (13.1)
general average
(12.2)
general delivery
(14.2)
general knowledge
(3.1)
general manager
(1.3)
general
requirements
(16.4)
general trend, the
(13.1)
generally (13.1)
gentleman's
agreement (5.3)
gentlemen (16.3)
German (3.1) (8.5)
German market, the
(10.1)
German national
(3.1)
German
shareholders
(12.8)
Germany (8.5)
get a fax (14.4)
get a further loan
(12.1)
get down to
business (4.3)
get hold of sb (14.1)

get on the line to sb (14.1)
get sb to come to the phone (14.1)
get the sack (3.3)
get things started. (4.1)
get through (14.1)
get to know the ropes (3.4)
gift shop (16.5)
gigabyte (15.1)
gigabytes (15.1 FAQ)
gist (4.2)
give a guarantee (7.2)
give an assurance (9.1)
give an explanation (12.5)
give an idea of the time scale (5.1)
give notice (3.3)
give sb a call (14.1)
give sb a ring (14.1)
give sb the raspberry (15.3 FAQ)
give sb the sack (3.3)
give sb time (8.3)
give sth in return for sth else (5.3)
give the nod (5.2 FAQ)
give way (to traffic) (16.5)
giveaway (11.1)
glamorous (13.2)
global company (10.4)
global concerns (10.4)
global economy (10.4)
global market, the (10.4)
global position (10.4)
global village (10.4)

global warming (10.4)
GM foods (10.4)
go bankrupt (12.5)
go blank (screen) (15.3)
go broke (12.5)
go bust (12.5)
go global (10.4)
go into business (1.1)
go into details (4.2)
go into liquidation (12.5)
go on to discuss sth (4.2)
go out of business (12.5)
go-ahead (5.3)
Good Friday (app)
goods (2.1)
goods depot (8.4)
goods in bad order (9.1)
goods inwards (7.2)
goods outwards (7.2)
goods received note (8.1)
goods train (8.2)
gopher (15.4)
government (8.5)
government bonds (12.8)
grade (3.4)
gradual (13.1)
gradually (13.1)
grain (6.2)
gram (6.2)
grand total (12.4)
grant an extension (12.5)
grant sole selling rights (10.3)
graphic display (15.2)
graphic surface (15.2)
graphics (13.2) (15.2)
graphics card (15.1)

Graphics Interchange Format (15.2)
gratuity (3.3)
Greece (8.5)
Greek (8.5)
green issue (10.4)
green point (10.4)
green tax (10.4)
greenfield site (1.1)
greenhouse effect, the (10.4)
greet (4.2) (4.3)
grilled tomatoes (16.4)
grocer (16.5)
gross income (12.3)
gross profit (12.7)
gross receipts (12.6)
gross weight (6.2)
grow (13.1)
growth (12.8) (13.1)
guarantee (7.2)
guarantee a debt (12.5)
guarantee delivery (8.3)
guided tour (16.1)
guillotine (1.4)

hairdresser (16.5)
half a pound (6.4)
half an hour (6.4)
half as many (6.3)
half-yearly accounts (12.6)
hammer out an agreement (5.3)
hand in one's notice (3.3)
hand luggage (16.2)
handbook (15.2)
handle (an order) (7.3)
handle a complaint (9.1)
handle a matter (9.1)
handling charge (12.1)

handling complaints (9.1)
handset (4.4)
hang on (14.1)
hang up (14.1)
hard copy (15.1)
hard currency (12.3)
hard disk (15.1)
hard disk drive (15.1)
hard sell (7.2)
hardware (15.1)
hardware requirements (4.4)
hard-working (3.2)
harm (9.1)
harmful (9.1)
haulage contractor (8.2)
haulier (8.2)
have a contract ready (7.4)
have a phone conversation (14.1)
have a preference (10.1)
have a quorum (4.2)
have a wrong number (14.1)
have access to (15.2)
have an accident (16.5)
have cause to complain (9.1)
have in stock (8.4)
have priority (5.3)
have proof of identity (12.1)
have reason to complain (9.1)
hazardous cargo (8.2)
hazardous waste (10.4)
head a department (1.3)
head buyer (1.3)
head of department (1.3)

invoice number
(12.4)
invoicing (12.4)
Irish (8.5)
Irishman (8.5)
Irishwoman (8.5)
irregularity (9.1)
irrevocable (12.1)
ISDN (15.4)
ISDN connection
(4.4)
issue a letter of
credit (12.1)
issue a visa (16.1)
issued (3.1)
issuing bank (12.1)
Italian (3.1) (8.5)
italics (15.3)
Italy (8.5)
item (12.4) (12.6)
item no longer
available (7.3)
item on the agenda
(4.2)
itemised (12.6)
itemised account
(12.6)
itemised list (8.1)
itinerary (16.1)

jam (15.1)
janitor (1.4)
January (app)
job (3.3)
job ad (3.2)
job creation scheme
(3.2)
job cuts (3.3)
job description (3.3)
job interview (3.2)
job market (3.1)
job offer (3.2)
job security (3.3)
job seeker (3.1)
job specification
(3.3)
JobCentre (3.2)
job-hunting (3.1)
job-sharing (3.3)
join a firm (3.1)
joint (5.3)

joint management
(1.1)
joint responsibility
for a company's
debts (12.5)
joint venture (5.2)
jointly (5.3)
journal (11.1)
July (app)
June (app)
junior staff (1.3)
junk mail (14.2)
just in time (8.3)
just not good
enough (9.1)
just over (13.1)
just under (13.1)
justify (15.3)
just-in-time delivery
(8.3)

keen competition
(10.2)
keep a record of
(3.3)
keep an eye on (1.3)
keep an offer open
(5.3)
keep records (3.3)
keep sb up-to-date
(5.4)
keep the accounts
(12.6)
keep the minutes
(4.2)
keep to
arrangements
(4.1)
keep to the agenda
(4.2)
key (15.3) (16.4)
key role (8.5)
key sector (8.5)
key statistics (13.2)
key to success, the
(2.1)
keyboard (15.3)
keyboarder (3.1)
keyboarding (3.1)
keyboarding skills
(3.1)

keynote speaker
(4.1)
kick-off (4.1)
kilo- (6.2)
kilobyte (15.1)
kilogram (6.2)
kilometre (6.2)
Kings Cross (16.3)
know what
happened (9.1)
know-how and
training profile
(3.1)
knowledge (3.1)
kudos (5.2 FAQ)

labelling (8.4)
Labor Day (app)
labor union (3.3)
labour charges
(12.6)
labour market (3.1)
labour-saving (2.1)
lack of experience
(3.1)
lack of funds (12.6)
ladies (16.3)
landing card (16.2)
landscape format
(15.2)
language (3.1)
language skills
(3.1)
lapse (5.3)
laptop (15.1)
large company
(1.1)
large display screen
(11.2)
laser printer (15.1)
last call (16.2)
last week (6.5)
late (12.5)
lately (6.5)
latest (2.1)
latest sales figures
(13.2)
latest trend (13.1)
Latvia (8.5)
launch a new model
(11.1)

launching date
(11.1)
laundrette (16.5)
laundry (16.5)
law of contract (5.4)
lawful practice (5.4)
lawyer (5.4)
lead (14.1)
leaded (16.5)
leap (13.1)
learning-by-doing
(3.4)
lease (1.4)
leave (3.3)
leave a message
(14.1)
leave it at that (9.1)
leave of absence
(3.3)
lecture style (4.1)
left luggage locker
(16.3)
left luggage office
(16.3)
left-justified (15.3)
legal costs (3.3)
(12.6)
legal department
(1.1)
legal expenses (3.3)
(12.6)
legal obligations
(10.3)
legal proceedings
(12.5)
legal questions
(5.4)
length of service
(3.3)
less (6.3)
less developed
country (10.4)
letter (14.2)
letter card (14.2)
letter of
acknowledgement
(14.2)
letter of complaint
(9.1)
letter of credit
(12.1)
letter of intent (5.2)

F L

letter of
introduction (3.1)
letter of reference
(3.1)
letterbox (14.2)
level off (13.1)
liabilities (12.8)
liability (12.2)
liable for tax (12.3)
library (15.2)
licence (8.1) (10.3)
license (8.1) (10.3)
licensing agreement
(10.3)
licensing contract
(10.3)
life insurance policy
(12.2)
lift (1.4) (16.4)
lift trade barriers
(8.1)
light printed
material (14.2)
likely costs (5.2)
likely demand (8.4)
limited liability (1.1)
limited number of
products, a (2.1)
line (15.4)
line graph (13.2)
linear measures
(6.2)
lion food (1.3 FAQ)
liquid assets (12.8)
liquid crystal display
(15.1)
liquid funds (12.6)
liquidation (12.5)
liquidity (12.6)
list of exhibitors
(11.2)
list of products (2.1)
list price (7.1)
Lithuania (8.5)
litre (6.2)
Liverpool Street
(16.3)
Lloyds of London
(12.2 FAQ)
load (8.2) (15.2)
loan (12.1)
loan capital (12.1)

local (paper) (11.1)
local area network
(15.4)
local call (14.1)
local currency (12.3)
local rate (14.1)
local time (16.1)
located (1.1)
location (1.1) (15.4)
lock (1.4) (15.3)
log in (15.4)
log into a system
(15.4)
log off (15.4)
log on (15.4)
logistics (2.2)
logistics control
(2.2)
logistics services
(2.2)
logo (11.1)
long distance call
(14.1)
long hauls (8.2)
long-term aim (5.1)
long-term forecast
(13.1)
long-term loan
(12.1)
long-term outlook
(13.1)
look (5.2)
look after (3.3)
look at what sb is
doing (10.2)
look for another
supplier (9.1)
look into sth (5.2)
look into sth for sb
(9.1)
look into the matter
(12.5)
look up a number
(14.1)
lorry load (8.2)
lose an order (7.3)
lose customers
(9.1)
loss (12.6)
loss-leader (11.1)
lost property office
(16.3)

lost-and-found
(16.3)
low sales (12.7)
lower case (15.3)
lower-case letter
(15.3)
low-income earner
(10.1)
L-shaped desk (1.4)
luggage (16.2)
luggage area (16.2)
luggage trolley
(16.2)
lunch break (4.1)
Luxembourg (8.5)
Luxembourger (8.5)

machine shop (1.1)
machine-aided
translation (15.2)
made-to-measure
(2.1) (15.2)
magazine (11.1)
maiden name (3.1)
mail circular (11.2)
mail order (7.3)
mail room (1.4)
mail server (15.4)
mailbox (14.2)
mailbox (14.3)
mailbox service
(14.3)
mailing list (15.4)
mail-order catalogue
(7.3)
mail-order company
(7.3)
main achievements
(3.1)
main advantage, the
(11.1)
main aspects, the
(4.3)
main competition,
the (10.2)
main competitors,
the (10.2)
main difficulty (4.3)
main objective (5.1)
main problem, the
(5.3)

main trend (13.1)
mainline station
(16.3)
maintain a
competitive edge
(10.2)
maintenance (1.4)
major customer
(1.1)
major road (16.5)
majority (4.2)
majority decision
(4.2)
majority, be in the
(4.2)
make a backup
(copy) (15.2)
make a bargain
(5.3)
make a contribution
(4.2)
make a decision
(1.2)
make a difference
(12.8)
make a phone call
(14.1)
make a reservation
(16.4)
make a reverse
charge call (14.1)
make a withdrawal
from an account
(12.1)
make an
appointment (4.3)
make arrangements
(4.1) (16.1)
make enquiries (3.1)
make headway
(5.3)
make out a cheque
to sb (12.4)
make out an invoice
(12.4)
make payment
(12.4)
make predictions
(13.1)
make sb redundant
(3.3)
make use of (5.4)

makes (= equals) (6.3)
making complaints (9.1)
male / female (3.1)
Malta (8.5)
management (1.1)
management committee (4.2)
management consultant (5.4)
management team (1.1)
manager (1.3)
managerial (1.3)
managerial position (3.1)
managerial staff (1.3)
managing director (1.3)
manpower (1.3)
manpower planning (1.3)
manufacture (2.1)
manufacture under licence (10.3)
manufactured goods (2.1)
manufacturer (1.1)
Manufacturer's Recommended Price (7.1)
manufacturing (1.2)
manufacturing costs (12.6)
map (16.1)
March (app)
margin (15.3)
margin of error (12.6)
marginal costs (12.6)
marine insurance policy (12.2)
marital status (3.1)
mark a price down (7.1)
mark prices up (7.1)
marked (13.1)
markedly (13.1)
market (10.1) (16.5)

market a product (10.1)
market analysis (10.1)
market analyst (10.1)
market forecast (13.1)
market price (7.1)
market reactions (10.1)
market research (10.1)
market research for exporters (10.1)
market share analysis (10.1)
market situation (10.1)
market size (10.1)
market survey (10.1)
marketing (10.1)
marketing adjustment (10.1)
marketing consultant (5.4)
marketing costs (12.6)
marketing department (1.1)
marketing manager (1.3)
marketing planning (10.1)
marketing strategy (10.1)
market-oriented (10.1)
marking (8.4)
marmalade (16.4)
married (3.1)
mass consumption (10.1)
master file (15.2)
maternity leave (3.3)
matter for negotiation, a (5.3)
maximise profits (12.7)

maximum cover (12.2)
maximum permissible weight (8.2)
May (app)
May Day (app)
meal (16.1)
meal ticket (3.3)
mean to do sth (5.1)
meaningful (13.2)
meaningful comparison (13.2)
measurements (8.4)
measures of capacity (6.2)
mechanical (2.1)
medical certificate (3.3)
medical insurance (3.3)
medium-sized company (1.1)
meet a deadline (9.1)
meet expectations (2.2)
meet sb halfway (5.3)
meet the demand (8.4)
meet the sales target (12.7)
meeting (4.2)
meeting customers (4.3)
meeting room (4.1)
meeting style (4.1)
megabyte (15.1)
megabytes (15.1 FAQ)
member state (8.5)
membership (3.3)
membership of the EU (8.5)
memo (1.4)
memorandum (1.4)
memory (15.1)
menu (16.4) (15.2)
menu bar (15.2)
merchandise (2.1)
merge (5.2)

merger (5.2)
message (16.4) (15.2)
method of payment (12.4)
metre (6.2)
metric ton (6.2)
microfiche (1.4)
microphone (15.1)
midday (6.6)
middle-term aim (5.1)
milli- (6.2)
mile (6.2)
mileage charge (16.5)
miles per gallon (16.5)
miles per hour (16.5)
million (6.4)
millimetre (6.2)
minimum system requirements (4.4)
minimum wage (3.3)
minimum weight (8.2)
minor road (16.5)
minority, be in the (4.2)
minus (6.3)
minutes (4.2)
miscalculate (12.6)
miscellaneous (11.1)
miscellaneous expenditure (12.6)
miss a train (16.3)
missing (9.1)
mistake (9.1)
mistakenly (9.1)
misunderstanding (5.3)
mobile phone (14.1)
mode of delivery (8.3)
mode of transport (8.2)
model (11.1)
modem connection (4.4)

offer subject to availability (7.3)
office administration clerk (1.3)
office block (1.1)
office junior (1.3)
office manager (1.3)
office materials (1.4)
office practice (1.2)
office premises (1.4)
office staff (1.3)
office stationery (1.4)
office supplies (1.4)
office worker (3.3)
official catalogue (at a fair) (11.2)
official conversion rate (12.3)
official figures (13.2)
off-line (15.4)
off-site (1.1)
on approval (7.3)
on average (6.4)
on behalf of (14.2)
on both sides (5.2)
on business (16.1)
on credit (12.1)
on display (11.2)
on easy terms (7.4)
on favourable terms (7.4)
on first-name terms (4.3)
on hire purchase (7.2)
on leave (3.3)
on order (7.3)
on request (2.2)
on soft terms (7.4)
on the decrease (13.1)
on the face of it (5.2)
on the increase (13.1)
on the plus side (5.3)
on time (8.3)
once (6.3)
one-man firm (1.1)

one-off payment (12.4)
one-off production (2.1)
one-way ticket (16.1)
on-line (15.4)
online market research (10.1 FAQ)
on-line newsletter (15.4)
on-site (1.1)
on-the-job training (3.4)
open a branch (1.1)
open a file (15.2)
open a letter of credit (12.1)
open a meeting (4.2)
open account terms (12.6)
open an account (12.1)
opening (3.2)
opening bank (12.1)
opening hours (1.2)
opening session (4.1)
operate (15.2)
operate a quota system (8.1)
operating costs (12.6)
operating instructions (2.1) (15.2)
operating manual (15.2)
operating system (15.2)
operations staff (1.3)
operator (14.1)
opinion (10.1)
opinion poll (10.1)
opportunities for promotion (3.2)
opportunity (3.1)
optical disk (15.1)

optician (16.5)
optimal (2.2)
optimize (2.2)
or best offer (7.3)
or near(est) offer (7.3)
orange juice (16.4)
order (7.3)
order book (7.3)
order cheque (12.4)
order form (7.2)
order number (7.3)
order sth (7.3)
ordinary shares (12.8)
organisation chart (13.2)
organize (5.1)
other business (4.2)
other markets (10.1)
other people's money (12.8)
our latest catalogue (11.2)
our latest model (11.1)
our reference (14.2)
our usual terms (7.4)
out of a job (3.1)
out of order (1.4)
out of stock (8.4)
out of work (3.1)
outgoing call (14.1)
outgoing mail (14.2)
outgoing post (14.2)
outlay (12.8)
outlet (1.1)
outline (4.2) (13.2)
outlook (13.1)
output (2.1)
output bonus (3.3)
outside interests (3.1)
outskirts (1.1)
outsourcing (5.1)
outstanding (12.5)
outstanding debts (12.5)
outworker (3.3)

over (13.1)
overall grade (3.1)
overcapacity (2.1)
overcharge (12.4)
overcharge by (12.4)
overcharge sb (12.4)
overdraft (12.1)
overdraft credit (12.1)
overdraft facility (12.1)
overdraw an account (12.1)
overdue (12.5)
overdue payment (12.5)
overestimate (7.1)
overhead projector (4.1)
overheads (12.6)
overlook a delay (9.1)
overpayment (12.4)
overpriced goods (7.1)
overseas (16.1)
overseas call (14.1)
overspend (7.2)
overtake (16.5)
overtime (3.3)
overuinsured (12.2)
overwrite (15.3)
owe (12.5)
owing (12.5)
owner (1.1)
owner's risk (12.2)
ownership (1.1)
ozone depletion (10.4)
ozone hole (10.4)
ozone layer (10.4)

pack goods (8.4)
package (8.4)
package deal (5.3)
package goods (8.4)
packaging (8.4)
packaging company (1.1)

pictures of documents (4.4)
pictures per second (4.4)
pie chart (13.2)
pint (6.2)
pirate copy (15.3)
pixel (15.1)
pixels on screen (15.1)
place (1.4)
place an ad (11.1)
place an order (7.3)
place of birth (3.1)
place of despatch (8.2)
place of destination (8.2) (8.3)
place of residence (3.1)
planning (5.1)
planning committee (4.2) (5.1)
plastic money (12.1)
platform (16.3)
pleasant journey (4.3)
please forward (14.2)
plough back (12.8)
plug (16.4) (15.1)
plug in (4.4)
plunge (13.1)
plus (6.3) (5.3)
point of delivery (8.3)
point of sale (7.2)
point out (7.4)
pointer (15.3)
Poland (8.5)
police (14.1)
policy meeting (1.2)
policyholder (12.2)
polite (3.2)
pollutants (10.4)
pollute (10.4)
polluter (10.4)
pollution (10.4)
pool resources (5.3)
pooling information (10.3)
poor (10.4)

poor service (2.2)
popular press, the (11.1)
pop-up menu (15.2)
port (8.2) (15.1)
port of entry (8.1)
port to port (8.2)
portable (2.1)
portable document format (15.2)
portable printer (15.1)
porter (1.4) (16.3)
Portugal (8.5)
Portuguese (8.5)
position (1.4)
position of responsibility (3.1)
positive feedback (10.1)
possibilities (13.1)
possibility (13.1)
possible (13.1)
post code (14.2)
post mail (14.2)
post office (14.2)
post position (3.1)
postage (14.2)
postage and packing (8.4)
postage stamp (14.2) (14.2)
postal card (14.2)
postal charges (14.2)
postal code (14.2)
postal rates (14.2)
postbox (14.2)
postcard (14.2)
poste restante (14.2)
poster (11.2)
postmark (14.2)
postpaid (14.2)
postpone (4.2)
postpone payment (12.4)
postpone plans (5.1)
pound (6.2)
poverty (10.4)
poverty line (10.4)
power switch (15.1)

power up (15.1)
practical (3.4)
practical training (period of) (3.4)
practise (3.4)
pre-Christmas period, the (8.4)
predicament (9.1)
preference shares (12.8)
preferred stock (12.8)
preliminary meeting (4.2)
preliminary schedule (5.1)
premises (1.4)
prepare (8.3)
present (4.4)
present a bill for acceptance (12.1)
present a bill for payment (12.4)
present employer (3.1)
present post (3.1)
presentation (13.2)
presenter (4.4)
press (15.3)
press for payment (9.1)
press room (11.2)
pressure (12.5)
pre-tax profit (12.7)
pretty certain (13.1)
prevent breakages (8.4)
previous balance (12.6)
price (7.1)
price cuts (10.2)
price ex warehouse (7.1)
price increase (7.1)
price list (7.1)
price maintenance (7.1)
price per unit (7.1)
price range (7.1)
price reduction (7.1)
prices (7.1)

price-sensitive product (7.1)
pricing (7.1) (10.3)
pricing strategy (7.1)
primary school (3.1)
prime location (1.1)
print (14.4)
print out (15.1)
print sth out (14.4)
printed letterhead (1.4)
printed matter (14.2)
printer (1.4) (15.1)
printer cable (15.1)
printer cartridge (15.1)
printout (15.1)
priority (16.5)
private (limited) company (1.1)
private and confidential (14.2)
private carrier (14.2)
private sector, the (1.1)
pro rata payment (12.4)
probability (13.1)
probable (13.1)
probation period (3.3)
problem area, a (5.3)
procedure (4.2)
process an order (7.3)
process applications (3.2)
produce (2.1)
producer (1.1)
product (2.1)
product guide (11.1)
product innovation (5.1)
product liability (12.2)
product range (2.1)
production capacity (2.1)

production cost
  accounting (12.6)
production costs
  (12.6)
Production Division
  (1.1)
production manager
  (1.3)
production schedule
  (2.1)
productivity (2.1)
profession (3.1)
professional
  experience (3.1)
professional
  qualifications (3.1)
profile (3.1)
profit (12.7)
profit after tax
  (12.7)
profit and loss
  account (12.7)
profit and loss
  statement (12.7)
profit from sth (5.2)
profit margin (12.7)
profitability (12.7)
profitable (12.7)
  (13.1)
profitably (12.7)
profit-making (12.7)
profits tax (12.3)
profit-sharing (12.7)
proforma invoice
  (7.2)
program (15.2)
programming
  language (15.2)
progress payment
  (12.4)
progress report
  (1.2)
prohibited item
  (8.1)
prohibitive duty
  (8.1)
prohibitive tariff
  (8.1)
promise (4.3)
promising (3.2)
promote a product
  (11.1)

promote an image
  (11.1)
promotion (3.2)
promotion budget
  (11.1)
promotion
  prospects (3.2)
promotion team
  (11.1)
promotional
  materials (11.1)
prompt (2.2)
prompt payment
  (12.4) (12.5)
prompt delivery
  (8.3)
proof (9.1)
proof of delivery
  (14.2)
property (1.1) (1.4)
proposal (4.2) (5.2)
propose next steps
  (5.3)
proprietary
  company (1.1)
proprietor (1.1)
prospective
  employer (3.1)
prospects (3.2)
  (13.1)
protect (8.4)
protected (7.2)
protectionism (8.1)
provide cover (12.2)
provide coverage
  (12.2)
provide services
  (2.2)
provider (15.4)
provisional (7.2)
  (5.1)
proviso (7.4)
public areas (16.4)
public domain
  (15.4)
public domain
  software (15.4)
public liability
  (12.2)
public liability and
  property damage
  (12.2)

public limited
  company (1.1)
public opinion
  (10.1)
public relations
  officer (1.3)
public sector, the
  (1.1)
public transport
  (16.3)
publicity agency
  (11.1)
publicity campaign
  (11.1)
publicity
  expenditure (11.1)
pull out of a
  contract (7.4)
punch (1.4)
punctuality (4.1)
purchase (7.2)
purchase price (7.1)
purchase tax (12.3)
purchaser (7.2)
Purchasing Division
  (1.1)
purchasing manager
  (1.3)
purchasing power
  (7.2) (11.1)
purpose (5.1)
push up interest
  rates (12.1)
put a company into
  liquidation (12.5)
put a time limit on
  sth (5.1)
put forward a
  motion (4.2)
put in a claim (12.2)
put in an estimate
  (7.1)
put off (4.2)
put on sb's account
  (12.4)
put questions (3.2)
put sb in charge of
  sth (1.3)
put sb in the picture
  (4.3)
put sb through
  (14.1)

put sb under
  pressure to pay
  (12.5)
put the matter right
  (9.2)

quadrupled (6.3)
qualifications (3.1)
qualified retailer
  (1.3)
quality control (1.2)
quality controller
  (1.3)
quality data (13.2)
quality graphics
  (13.2)
quality press, the
  (11.1)
quantity (7.3) (6.4)
quantity discount
  (7.1)
quarter of an hour
  (6.4)
quarterly settlement
  (12.4)
query (7.2)
questionnaire (10.1)
quit (3.3)
quite frankly (9.1)
quorum (4.2)
quota system (8.1)
quotation (7.1)
quote (7.1)
quote a price (7.1)
quote prices (7.1)
QWERTY keyboard
  (15.3 FAQ)

rail station (4.1)
rail transport (8.2)
railhead (8.2)
railroad (8.2) (16.3)
railway (8.2) (16.3)
raise a loan (12.1)
raise a question
  (4.2)
raise questions (4.1)
random access
  memory (15.1)
random notes (5.2)

random sample (10.1)
random sampling (10.1)
range of ability (3.1)
range of products (2.1)
range of services (2.2)
rank among sth (6.4)
rank second (6.4)
rapid (8.3)
rapidly (8.3)
rate of exchange (12.3)
rate of interest (12.1)
rate of sales (12.7)
rate of transmission (4.4)
ratify (4.2)
ratio (6.4)
raw data (15.2)
raw materials (2.1)
reach (8.2)
reach a decision (1.2)
reach a target group (11.1)
reach an agreement (5.3)
reach sb (14.1)
read (15.3)
read only (15.3)
ready cash (12.1)
ready delivery (8.3)
ready to run (15.2)
ready-made (+ noun) (2.1)
real growth (13.1)
real time (4.4) (15.4)
real-time processing (15.4)
rear coaches (16.3)
reboot the computer (15.1)
receipt (12.6)
receipt of order (7.3)
receipts (12.6)

receive a fax (14.4)
received with thanks (14.2)
receiver (14.1) (14.2) (14.3)
recently (6.5)
reception (1.2) (16.4)
reception area (16.4)
reception desk (16.4)
receptionist (16.4)
recession (13.1)
reciprocal agreement (5.3)
recognised as (be) (2.1)
recognised qualifications (3.1)
recommend (3.1) (4.2)
recommendation (3.1) (4.2)
reconcile the accounts (12.6)
record losses (12.6)
record sth on video (4.4)
recorded delivery (14.2)
recorded message (14.1)
recover (13.1)
recover a file (15.2)
recruit (3.2)
rectangular (6.4)
recycle (10.4)
recycled product (10.4)
red tape (8.1)
reduce expenditure (12.6)
reduce speed now (16.5)
reduce the risk (5.2)
reduction in price (7.1)
redundancy payment (3.3)
redundant staff (3.3)
refer back to (5.3)

refer to (14.2)
Refer to Drawer (12.4)
refer to payments (12.5)
referee (3.1)
reference (3.1) (14.2)
reference work (15.4)
refresher course (3.4)
refreshments (4.1)
refund (12.3)
refuse to pay (9.1)
regional (paper) (11.1)
register (16.4)
register a complaint (9.1)
register of companies (7.2)
registered mail (14.2)
registered office (1.1)
registered post (14.2)
registered trademark (11.1)
regret sth (9.1)
regular (8.3)
regular customer (1.1)
regular purchase (7.2)
regularly (8.3)
regulations (8.1)
reimburse (9.2)
reinvest (12.8)
reject (4.2)
reject a motion (4.2)
rejection (3.2)
relationship marketing (10.1)
relationships (11.1)
release note (8.1)
reliability (2.2)
reliability test (2.2)
reliable (2.2) (3.2)
relocate (5.1)

relocation costs (3.3)
rely on sb (2.2)
remain (13.1)
remind sb (12.5)
reminder (12.5)
remit (12.1)
remittance (12.1)
remittance advice (12.6)
remittance book (12.6)
remitting bank (12.1)
removal expenses (3.3)
remuneration (9.2)
renewal of credit (12.1)
rent (1.4)
repair (1.4)
repair (of goods) (9.2)
repair service (2.2)
repay (12.4)
repayment (12.4)
repeat buyer (7.2)
repeat order (7.3)
repeat sth (14.1)
replace (9.2)
replacement (9.2)
replacement consignment (9.2)
replacements (9.2)
reply (14.2) (14.4)
report (1.2)
report a loss (12.6)
represent one's company at a fair (11.2)
Republic of Ireland (8.5)
reputation (2.1)
request (5.3)
request action (9.1)
request for payment (12.4)
request payment (12.5)
require (7.3)
requirements (7.3) (4.4)

scheduled flight (16.2)
scheduled time of arrival (16.1)
scheduled time of departure (16.1)
school-leaving certificate (3.1)
scissors (1.4)
screen (4.1) (4.4) (15.1)
screen candidates (3.2)
screen cover (15.1)
scroll down (15.3)
scroll up (15.3)
sea freight (8.2)
sealing tape (1.4)
search (3.1)
search and replace (15.3)
season ticket (3.3)
seasonal demand (8.4)
seat belt (16.5)
seating arrangement (4.1)
seating capacity (4.1)
second a motion (4.2)
second class (16.3)
Second Class mail (14.2)
Second Class post (14.2)
second half-year (12.6)
secondary school (3.1)
second-biggest (6.4)
secret (4.2)
secretarial service (2.2)
secretary (1.3)
secretly (4.2)
section (1.1)
section of a newspaper (11.1)
secure a loan (12.1)
secure job (3.3)
securities (12.8)

security (1.4) (16.4)
security officer (1.3)
see eye-to-eye (5.3)
see if it sticks (13.1 FAQ)
see signs of sth (13.1)
seek clarification (4.2)
seek help (16.5)
select (11.1)
selection process (3.2)
self-confidence (3.2)
self-dial telephone (4.1)
self-employed (3.1)
self-service (2.2)
sell (7.2)
sell as sole agent (10.3)
sell at a loss (7.2)
sell at a profit (12.7)
sell at giveaway prices (7.2)
sell direct (7.2)
sell forward (7.2)
sell goods at a discount (7.1)
sell itself
sell retail (7.2)
sell to the trade (7.2)
sell-by date (2.1)
seller (7.2)
sellers' market (7.2)
selling (7.2)
selling price (7.1)
semi-finished (2.1)
semi-skilled (3.3)
send a consignment (7.3)
send a shot (14.4)
send an e-mail to sb (14.3)
send by fax (14.4)
send goods by air (8.2)
send goods by sea (8.2)
send off (14.2)

send sb a reminder (12.5)
send sb an e-mail (14.3)
sender (14.2) (14.3) (14.4)
senior staff (1.3)
sense of humour (3.2)
sense of responsibility (3.2)
sentence (14.2)
separator (1.4)
September (app)
serial port (15.1)
series of data (13.2)
series production (2.1)
seriously damaged (9.1)
serve an apprenticeship (3.4)
server (14.3) (15.4)
service (2.2) (16.4) (15.2)
service a debt (12.5)
service centre (1.1)
service department (1.1)
service sector, the (2.2)
serviceable pictures (4.4)
services (11.1)
servicing (2.2)
session (4.1)
set a deadline (9.1)
set up (4.4)
set up a company (1.1)
setting (4.4)
settle (9.2)
settle a claim (12.2)
settle a dispute (10.3) (9.1)
settle an account (12.4)
settle in (3.4)
settlement (12.4)
settlement day (12.4)

set-up (4.4)
set-up capital (12.1)
severance payment (3.3)
severe losses (12.6)
sewage (10.4)
sex (3.1)
share (9.2)
share allocation (12.8)
share certificate (12.8)
share files (4.4)
share index (12.8)
share prices (12.8)
share value (12.8)
shareholder (12.8)
shareout
shares (12.8)
shareware (15.4)
shareware version (15.4)
sharp (13.1)
sharper (13.1)
sharply (13.1)
shelf (1.4)
shelf life (2.1) (8.4)
shift (key) (15.3)
ship (8.2)
shipment (7.3) (8.2)
shipowner (8.2)
shipowner's liability (12.2)
shipping (8.2)
shipping company (8.2)
shipping costs (12.6)
shipping documents (8.1)
shipping instructions (8.2)
shoe shop (16.5)
shop floor (1.1)
shopping centre (16.5)
shops (16.5)
short (6.4)
short cut (16.5)
short hauls (8.2)
short notice (3.3) (8.3)

F

S

shortage (8.4)
shortlist (3.2)
short-lived (13.1)
short-term aim (5.1)
short-term contract
  (3.3)
short-term forecast
  (13.1)
short-term loan
  (12.1)
short-term outlook
  (13.1)
short-time working
  (3.3)
show a loss (12.7)
show a profit (12.7)
show a video (11.1)
show of hands (4.2)
shower (16.4)
shower rooms
  (16.4)
showroom (11.1)
shredder (1.4)
shredding machine
  (1.4)
shuttle service (4.1)
  (16.4)
sign a cheque (12.4)
sign a contract (7.4)
signal (14.1)
signature (3.1)
  (14.4)
significant (13.1)
significantly (13.1)
signing of a contract
  (7.4)
simple interest
  (12.1)
single (3.1) (16.3)
Single
  Administrative
  Document (8.5)
single European
  market (8.5)
single room (16.4)
single spacing
  (15.3)
single ticket (16.1)
single user (15.2)
single-digit (6.4)
single-part
  production (2.1)

sit an exam (3.4)
site (1.1)
site engineer (1.3)
situated in (1.1)
Situations Vacant
  (3.2) (11.1)
sixth-form college
  (3.1)
size (2.1)
skill (3.1)
skilled (3.3)
skilled worker (3.3)
skim (15.3)
slash (15.3)
slice of the market
  (5.1)
slide projector (4.1)
slight (13.1)
slight risk (5.2)
slightly (13.1)
slip (1.4)
slogan (11.1)
Slovakian Republic
  (8.5)
Slovenia (8.5)
slow (13.1)
slow down (14.1)
slowly (13.1)
slump (13.1)
small ads (11.1)
small business (1.1)
small businessman
  (1.3)
small
  businesswoman
  (1.3)
small company (1.1)
small investor (12.8)
small print, the (7.4)
small profits, quick
  returns (12.7)
small talk (4.1)
smartly dressed
  (3.3)
smoker (16.3)
smooth (8.3)
smoothly (8.3)
snail address (14.2)
snail mail (14.2
  FAQ)
soaring demand for
  (8.4)

social (8.5)
social security
  contributions (3.3)
socialise (4.3)
society (8.5)
socket (16.4)
soft currency (12.3)
soft sell (7.2)
software (15.2)
software package
  (15.2)
software
  requirements (4.4)
sole distribution
  (10.3)
sole earner (10.1)
sole proprietorship
  (1.1)
sole trader (1.1)
solid yellow line
  (16.5)
solution (9.2)
solve a problem
  (5.3)
solvency (12.5)
some ... years ago
  (6.5)
some of our latest
  models (11.1)
sort a file (15.2)
sort out (9.2)
sound card (15.1)
source (15.4)
source code (15.4)
source document
  (15.4)
south (16.1)
south-east (16.1)
space (15.3)
space bar (15.3)
space bubble (4.2
  FAQ)
space on the hard
  disk (15.1)
Spain (8.5)
spam (15.4)
spam mail (15.4)
spamming (15.4)
Spaniard (8.5)
Spanish (3.1) (8.5)
spare memory space
  (15.1)

spare parts (2.1)
spares (2.1)
speak for a motion
  (4.2)
speak louder (14.1)
speak slower (14.1)
speak through the
  chair (4.2)
speak to sb on the
  phone (14.1)
speak up (14.1)
speaker (4.1)
  (15.1)
special bonus (3.3)
special delivery
  (14.2)
special design (2.1)
special discount
  (7.1)
special knowledge
  (5.4)
special offer (7.3)
special price (7.1)
special requirements
  (4.4)
special sales
  campaign (11.1)
special-function key
  (15.3)
specialize in (2.1)
specification (2.1)
specify delivery
  route (8.2)
speculate (12.8)
speculation (12.8)
speech (4.1)
speech of welcome
  (4.1)
speech recognition
  software (15.2)
speed limit (16.5)
spell (15.2)
spell sth (14.1)
spellcheck (15.2)
spellchecker (15.2)
spelling (14.2)
  (15.2)
spend a little on sth
  (7.2)
spend a lot on sth
  (7.2)
spend money (7.2)

surf (15.4)
surf the Net (15.4)
surface (1.4)
surfer (15.4)
surge (13.1)
surname (3.1)
surplus (12.7)
surrounding area
(1.4)
survey results (10.1)
sustainable
development
(10.4)
Swede (8.5)
Sweden (8.5)
Swedish (8.5)
switch (16.4) (15.1)
switch off (15.1)
switch on (15.1)
switch to (15.1)
switchboard (14.1)
switchboard
operator (14.1)
Switzerland (8.5)
swivel chair (1.4)
SWOT Analysis (5.1
FAQ)
system flowchart
(13.2)
system of rules (1.2)
system software
(15.2)

tab (15.3)
tab stop (15.3)
table (13.2) (15.3)
table of contents
(15.4)
tabloid press, the
(11.1)
tabular (3.1)
tabular form, in
(3.1)
tailor-made (2.1)
take (number) from
(number) (6.3)
take-home pay (3.3)
take €... off the price
(10.2)
take a course in
electronics (3.4)

take a message
(14.1)
take a plunge (13.1)
take a risk (5.2)
take a vote (4.2)
take account of
inflation (12.6)
take action (9.1)
take an exam (3.4)
take an order (7.3)
take as a basis (5.2)
take delivery of (8.3)
take down (5.2)
take early retirement
(3.3)
take effect (7.4)
take inflation into
account (12.6)
take inventory (8.4)
take legal action
(12.5) (9.1)
take legal advice
(5.4)
take legal steps
(12.5) (9.1)
take no prisoners
(10.2 FAQ)
take on (3.2)
take on a consultant
(5.4)
take part in a fair
(11.2)
take part in a video
conference (4.4)
take place (4.1)
take stock (8.4)
take stock of (8.4)
take the minutes
(4.2)
take the opportunity
(3.1)
taken (16.3)
take-off (16.2)
take-over (5.2)
tangible (12.8)
tannoy (4.1)
target group (11.1)
target market (10.1)
tariff (8.1)
tax (12.3)
tax adjustment
(12.3)

tax allowance (12.3)
tax authority (12.3)
tax code (12.3)
tax consultant (5.4)
tax cut (12.3)
tax deductions (3.3)
tax exemption
(12.3)
tax fraud (12.3)
tax haven (12.3)
tax incentives
(12.3)
tax increase (12.3)
tax loophole (12.3)
tax office (12.3)
tax on capital (12.3)
tax relief (12.3)
taxable (12.3)
taxation (12.3)
tax-deductible
(12.3)
taxes (12.3)
tax-exempt (12.3)
tax-free (12.3)
taxi (4.1) (16.3)
taxi rank (16.3)
tea break (4.1)
team leader (1.3)
technical college
(3.1)
technician (1.3)
technology licensing
(10.3)
technology transfer
(10.4)
telecommunications
satellite (14.1)
telephone (14.1)
telephone cable
(14.1)
telephone charges
(14.1)
telephone
connection (4.4)
telephone directory
(14.1)
telephone interview
(3.2)
telephone line (4.4)
(14.1)
telephone manner
(14.1)

telephone network
(14.1)
telephone orders
(14.1)
telephonist (14.1)
telesales (7.2)
teleworking (3.3)
temp (3.3)
temperature
conversion (6.2)
template (15.2)
temporary (3.3)
temporary job (3.3)
temporary loan
(12.1)
temporary staff
(1.3)
temporary work
(3.3)
terminal (16.2)
(15.4)
terms (7.4)
terms of contract
(7.4)
terms of delivery
(8.3)
terms of payment
(12.4)
terms of sale (7.4)
terms strictly net
(12.4)
territories (10.3)
test market (10.1)
test run (5.1)
testimonial (3.1)
text (15.2)
text file (15.2)
text translation
(15.2)
textile business, the
(1.1)
text-only document
(15.2)
Thanksgiving Day
(app)
theft (15.4)
there and back
(16.1)
third party (8.1)
third party insurance
(12.2)
Third World (10.4)

Third World debt (10.4)
third-best (6.4)
Third-Class mail (14.2)
this evening (6.5)
this morning (6.5)
threat of court action (9.1)
threaten (9.1)
three quarters of an hour (6.4)
three times a month (6.3)
three times as many (6.3)
three-year guarantee, a (7.2)
threshold country (10.4)
through train (16.3)
throw it against the wall (13.1 FAQ)
thumbtack (1.4)
Thursday (app)
ticket (16.3)
tight money (12.1)
time frame (5.1)
time limit (5.1)
time of arrival (16.3)
time of departure (16.3)
time scale (5.1)
time sink (5.1 FAQ)
time to do sth (4.2)
timetable (16.1)
timetable conference timetable (4.1)
tip (16.3)
T-junction (16.5)
to 2% (6.4)
to the trains (16.3)
to your satisfaction (4.1)
today (6.5)
toilets (16.2)
toll call (14.1)
toll-free number (14.1)
tomorrow (6.5)

tomorrow week (6.5)
ton (6.2)
tone (14.1)
tonight (6.5)
tool (2.1)
top end of the market (10.1)
topic subject (4.1)
total amount (12.5)
total costs (5.2)
total inventories (8.4)
total price (7.1)
total productivity (2.1)
total sum (12.4)
touch base with sb (4.3)
touch down (16.2)
Tourist Information (16.1)
toy company (1.1)
toy shop (16.5)
track (16.3)
trade (7.2) (8.5)
trade barriers (8.1)
trade cycle (12.6)
trade directory (14.1)
trade discount (7.1)
trade fair (11.2)
trade in (7.2)
trade journal (11.1)
trade margin (7.2)
trade price (7.1)
trade restrictions (8.1)
trade sanctions (8.1)
trade surplus (7.2)
trade talks (8.5)
trade/s union (3.3)
trademark (11.1)
traders (16.5)
tradesman (1.3)
tradeswoman (1.3)
trading links (5.2)
trading loss (12.6)
trading partner (5.2)
trading profit (12.7)
trading result (12.6)
trading terms (7.4)

traffic circle (16.5)
traffic lights (16.5)
train (3.4) (16.3)
trainee (3.4)
training contract (3.4)
training course (3.4)
training manager (3.4)
training officer (3.4)
training programme (3.4)
transaction (12.1)
transfer (12.1)
transfer order (12.1)
transhipment (8.2)
transit lounge (16.2)
translation service (2.2)
translator (1.3)
transmission rate (4.4)
transmit (4.4)
transparencies (4.1)
transport (8.2)
transportation (8.2)
travel agency (16.1)
travel agent (16.5)
travel allowance (16.1)
traveller's cheque (16.1)
traveller's check (16.1)
treat sth with special care (8.2)
trebled (6.3)
trend (13.1)
trend analyst (13.1)
trial order (7.3)
trial period (3.3)
trial shot (7.2)
trip (4.3)
tripled (6.3)
trouble (9.1)
trunk call (14.1)
trusted (2.2)
try again later (14.1)
try out sth (5.2)
Tube, the (16.3)
Tuesday (app)
tuition (11.1)

Turkey (8.5)
turn up (4.1)
turnkey software (15.2)
turnover (12.7)
turnover tax (12.3)
twice (6.3)
twice as much (6.3)
twice the amount (6.3)
two-thirds (6.4)
type icon (15.3)
type in (12.1)
typewriter (1.4)
typewritten (3.1)
typist (1.3)

unanimous (4.2)
unanimously (4.2)
unavailable (8.4) (14.1)
unclean bill of lading (8.1)
undeliverable (14.2)
undelivered (9.1)
under (be) (1.3)
under patent law (5.1)
under the agreement (5.3)
under the terms of (7.4)
undercharge (12.4)
undercut a rival (10.2)
underestimate (7.1)
Underground (16.3)
underinsured (12.2)
underline (15.3)
undermine (8.1)
underpayment (12.4)
undertake to (9.2)
undo (15.3)
unemployed (3.1)
unemployment (3.1)
unemployment rate (3.1)
unexpected (9.1)
unfair dismissal (3.3)

unfavourable (5.3)
unfortunate (9.1)
union member (3.3)
unique product, a (2.1)
Unique Resource Location (15.4)
unit (1.1) (7.2)
unit of currency (12.3)
unit price (7.1)
unit trust (12.8)
United Kingdom (8.5)
units sold (7.2)
university (3.1)
unjustified (15.3)
unleaded (16.5)
unlimited credit (12.1)
unlimited liability (1.1)
unlimited mileage (16.5)
unlisted number (14.1)
unload (8.2)
unmarried (3.1)
unobtainable (8.4)
unreliable (9.1)
unsaleable (9.1)
unskilled (3.3)
unsolicited mail (14.2)
unusable (9.1)
unwanted takeover (5.2)
unwritten agreement (5.3)
unzip (15.2)
up arrow (15.3)
up to 30% (6.4)
update (11.1) (15.2)
upgrade (15.2)
upgraded version (15.2)
upper case (15.3)
upper-case letter (15.3)
up-to-date (8.1)
upturn (13.1)
urgent (8.3)

use in parallel (4.4)
use the mouse (15.1)
use-by date (2.1)
user (15.2)
user account (14.3)
user community (15.2)
user identification (15.2)
user interface (15.2)
user's guide (15.2)
user-friendly (15.2)
username (14.3) (15.2)
utilities (1.4)

vacancy (3.2)
vacant (16.3)
vacation (3.3)
vaccination (16.1)
valid (16.1)
valuable asset (12.8)
valuables (16.4)
valuation (12.6)
value (7.2)
value added tax (12.3)
van (8.2)
variable costs (12.6)
vehicle (16.5)
venue (11.2) (4.1)
verbal agreement (5.3)
version (15.2)
vertical (13.2)
vessel (8.2)
via (8.2)
vice versa (13.1)
Victoria (16.3)
video card (15.1)
video cassette recorder (4.1)
video chatting (4.4)
video clip (4.4)
video conference (4.4)
video conferencing (4.4)
video conferencing kit (4.4)

video e-mail (14.3)
video sequence (4.4)
video sequences with a presenter (4.4)
video tape (4.4)
virtual (15.4)
virtual credit card (7.2)
virus (15.4)
visa (16.1)
visible (4.4)
visibly (4.4)
visit a fair (11.2)
visual (13.2)
visual information (13.2)
v-mail (14.3)
vocational college (3.1)
vocational school (3.1)
vocational training (3.4)
voice (14.1)
voice recognition (15.2)
voluntary membership (3.3)
vote against (4.2)
vote for (4.2)
voting right (4.2)

wage (3.3)
wage earner (3.3)
wages (3.3)
waiting room (16.3)
waive (9.2)
wake (16.4)
wake-up call (16.4)
want to know a price (7.1)
wanted on the phone (14.1)
warehouse (8.4)
warehousing (8.4)
warm start (15.1)
warning (9.1)
wastage (10.4)

waste disposal (10.4)
waste disposal costs (12.6)
waste disposal site (10.4)
water transport (8.2)
Waterloo (16.3)
waterproof packaging (8.4)
waybill (8.1)
W-cubed (2.2 FAQ)
weak currency (12.3)
weaken (13.1)
weaknesses (3.2)
wealth (10.4)
wealthy (10.4)
web cam (15.1)
web camera (4.4)
web-enable (15.4)
webserver (15.4)
Wednesday (app)
week ago today, a (6.5)
week's notice (at a) (3.3)
weekday (app)
weekly (magazine) (11.1)
weekly (paper) (11.1)
weight limit (8.2)
weights & measures (6.2)
weights (6.2)
welcome to a conference (4.1)
well-equipped (2.1)
well-off (10.4)
well-paid job (3.3)
west (16.1)
wharfage (8.4)
what you see is what you get (15.1)
while stocks last (8.4)
Whit Monday (app)
Whit Sunday (app)
whiteboard (4.1)

F

Z

Phonetic Symbols / Die Zeichen der Aussprache

Symbol	Deutsch	Englisch
/ʌ/	ähnlich wie in matt	bus [bʌs], run [rʌn]
/aɪ/	ähnlich wie in **Eis**	my [maɪ], nice [naɪs]
/aʊ/	ähnlich wie in **Frau**	out [aʊt], how [haʊ]
/ɑ:/	ähnlich wie in **lahm**	last [lɑ:st], park [pɑ:k]
/æ/	ähnlich wie in **Wäsche**	back [bæk], stand [stænd]
/ã :/	ähnlich wie in Restau**rant**	restaurant ['restrã :],
/e/	ähnlich wie in **nett**	bed [bed], egg [eg]
/eɪ/		late [leɪt], name [neɪm], safe [seɪf], late [leɪt], pay [peɪ]
/eə/	ähnlich wie in **Bär**	air [eə], where [weə]
/ə/	ähnlich wie in **bitte**	summer ['sʌmə], member ['membə]
/əʊ/		own [əʊn], so [səʊ]
/ɜ:/	ähnlich wie in **Körner** (ohne r)	word [wɜ:d], firm [fɜ:m]
/ɪ/	ähnlich wie in **mit**	film [fɪlm], it [ɪt]
/ɪə/	ähnlich wie in **hier**	near [nɪə], here [hɪə]
/i:/	ähnlich wie in **Liebe**	please [pli:z], see [si:]
/ɒ/	ähnlich wie in **Gott**	not [nɒt], long [lɒŋ]
/ɔɪ/	ähnlich wie in **neu**	boy [bɔɪ], noise [nɔɪz]
/ɔ:/	ähnlich wie in **Korn** (ohne r)	all [ɔ:l]; north [nɔ:θ]
/ʊ/	ähnlich wie in **Mutter**	book [bʊk], good [gʊd]
/ʊə/	ähnlich wie in **Kur**	sure [ʃʊə], tour [tʊə]
/u:/	ähnlich wie in **Schuh**	school [sku:l], who [hu:]
/ð/	ähnlich wie in **satt** (gelispelt)	with [wɪð], that [ðæt], another [ə'nʌðə]
/b/	ähnlich wie in **Berg**	blind [blaɪnd]
/d/	ähnlich wie in **Dorf**	dress [dres]
/f/	ähnlich wie in **Faust**	feel [fi:l]
/g/	ähnlich wie in **Grund**	good [gʊd]
/ŋ/	ähnlich wie in **Menge**	young [jʌŋ], thing [θɪŋ]
/h/	ähnlich wie in **Hof**	hot [hɒt]
/j/	ähnlich wie in **ja**	yes [jes]
/k/	ähnlich wie in **klein**	keep [ki:p]
/l/	ähnlich wie in **Last**	lamp [læmp]